CONFISSÕES

AGOSTINHO

CONFISSÕES

Traduzido por ALMIRO PISETTA

Copyright © 2017 por Editora Mundo Cristão

Os textos de referência bíblica passíveis de identificação foram extraídos da *Nova Versão Internacional* (NVI), da Bíblica Inc., salvo a seguinte indicação: BJ (*Bíblia de Jerusalém*, da Editora Paulus). As transcrições, porém, nem sempre são literais, a fim de se preservar o texto original.

Equipe MC: Daniel Faria (editor)
Heda Lopes
Natália Custódio
Diagramação: Felipe Marques
Gráfica: Rettec
Fonte: Janson Text
Papel: Pólen Soft 70 g/m² (miolo)
Cartão 250 g/m² (capa)

Todos os direitos reservados e protegidos pela Lei nº 9.610, de 19/02/1998.

É expressamente proibida a reprodução total ou parcial deste livro, por quaisquer meios (eletrônicos, mecânicos, fotográficos, gravação e outros), sem prévia autorização, por escrito, da editora.

CIP-Brasil. Catalogação na publicação
Sindicato Nacional dos Editores de Livros, RJ

A221c

Agostinho
 Confissões / Agostinho ; tradução Almiro Pisetta. - 1. ed. - São Paulo: Mundo Cristão, 2017.
 240 p. ; 21 cm.

 Tradução de: The confessions of St. Augustine
 ISBN 978-85-433-0273-7

 1. Agostinho, Santo, Bispo de Hipona, 354-430. 2. Santos cristãos - Biografia. I. Pisetta, Almiro. II. Título.

17-45012
CDD: 922.22
CDU: 929:2

Categoria: Literatura

Publicado no Brasil com todos os direitos reservados por:
Editora Mundo Cristão
Rua Antônio Carlos Tacconi, 69, São Paulo, SP, Brasil, CEP 04810-020
Telefone: (11) 2127-4147
www.mundocristao.com.br

1ª edição: novembro de 2017
4ª reimpressão: 2022

Sumário

Prefácio	7
Livro 1	13
Livro 2	34
Livro 3	45
Livro 4	61
Livro 5	81
Livro 6	100
Livro 7	122
Livro 8	146
Livro 9	169
Livro 10	194

Prefácio

O bispo Agostinho de Hipona (354-430) é uma das figuras exponenciais da história da igreja e da tradição cultural do Ocidente. Um dos teólogos e filósofos mais destacados do cristianismo, ele influenciou poderosamente não só o pensamento católico, mas também a Reforma protestante. *Confissões* é considerada uma de suas obras principais, ao lado de *A cidade de Deus* e *A Trindade*. Ela foi a primeira obra a explorar amplamente os estados interiores da mente humana e o relacionamento mútuo entre graça e livre-arbítrio.

Aurélio Agostinho nasceu em Tagaste, pequena cidade da Numídia, no norte da África (atual Argélia). Era filho de Mônica, uma cristã piedosa de forte personalidade, e Patrício, um funcionário público pagão que só se converteria no final da vida. O menino estudou em sua própria cidade e depois na vizinha Madaura e em Cartago, a famosa capital da província, destacando-se como retórico. Embora fosse catecúmeno desde a infância, tinha paixão pelo teatro e somente disciplinou sua sexualidade mediante a união com uma concubina (372-385), que lhe deu o filho Adeodato.

Desiludido com a Bíblia e fascinado pela filosofia graças à leitura da obra *Hortênsio*, do orador romano Cícero, voltou-se para o maniqueísmo, uma seita dualista que atraía as elites da época. Essa complexa filosofia religiosa havia sido criada por Mani (c. 216-276), um autoproclamado profeta persa que foi executado pelos romanos. Postulava duas forças eternas e iguais, o bem e o mal, em luta perpétua. Assim como os gnósticos, atribuía o mal à matéria, criada pelo princípio do mal, e o bem ao espírito, criado pelo Deus bom. A alma ou espírito do homem era uma centelha do poder benigno que havia sido roubada pelas forças malignas e aprisionada na matéria.

O jovem intelectual se sentiu atraído por essa religião porque parecia explicar melhor que o cristianismo algumas questões essenciais, como a origem do mal. Tornou-se professor de retórica, primeiro em sua província natal e depois em Roma (383) e Milão (384), sendo seguido por Mônica, interessada em seu progresso profissional e em seu retorno à igreja. Tendo se decepcionado com o maniqueísmo e se entregue por algum tempo ao ceticismo, recebeu em Milão a influência da filosofia neoplatônica, que o convenceu da existência do Ser transcendente imaterial e lhe deu uma nova compreensão do problema do mal (corrupção ou ausência do bem).

Ficou impressionado com a eloquência erudita e a pregação alegórica do grande bispo Ambrósio (c. 339-397), vindo a experimentar dramática conversão à fé cristã, a famosa "experiência do jardim" narrada com detalhes em *Confissões*. Abandonando a carreira pública, foi batizado por Ambrósio na Páscoa de 387. Quando retornava para Tagaste, sua mãe morreu no porto de Óstia, perto de Roma. Na terra natal, começou a escrever contra o maniqueísmo e formou uma comunidade contemplativa. Ao fazer uma visita à cidade litorânea de Hipona, foi ordenado sacerdote quase à força em 391. Tornou-se bispo coadjutor em 395 e, no ano seguinte, bispo de Hipona, cargo que exerceu até a morte em 430.

Confissões foi a sexta obra produzida após a sagração de Agostinho a bispo, tendo sido escrita provavelmente entre 397 e 401. É considerada uma obra-prima da literatura universal, nos aspectos estilístico, teológico e filosófico. Não se enquadra em um gênero literário preciso. Não é uma autobiografia no sentido moderno do termo, deixando de fora muitas informações que o leitor gostaria de ter. Antes, o autor seleciona alguns fatos de sua vida para ilustrar sua trajetória espiritual e suas posições teológicas, principalmente o papel dominante da graça divina na salvação humana.

O texto se subdivide em três grandes seções, assim distribuídas: Livros 1—9 (a vida passada de Agostinho); Livro 10 (seu estado atual); Livros 11—13 (comentário de Gênesis 1). Esta edição inclui as duas primeiras (autobiografia), e não a última (parte doutrinária).

O Livro 1 (até os 15 anos) começa com uma oração e uma meditação sobre Deus. Contém as palavras mais famosas de toda a obra: "Tu nos despertaste para o prazer de te louvar, pois nos criaste para ti, e o nosso coração não tem sossego enquanto não repousar em ti". Fala de sua infância e dos primeiros estudos, de seus pecados e da misericórdia divina.

O Livro 2 (16º ano de vida) destaca a pecaminosidade da adolescência, e em particular a erupção da sexualidade. A maior parte desse livro se destina a examinar os motivos pelos quais o autor roubou peras em uma propriedade vizinha.

No Livro 3 (17 aos 19 anos), Agostinho descreve seus primeiros dias em Cartago, o impacto da leitura do *Hortênsio*, de Cícero, e a conclusão de que esse autor tinha um estilo mais majestoso que a Escritura. Relata a seguir sua adesão ao maniqueísmo e a ansiedade de sua mãe. Em uma passagem famosa, um bispo diz a Mônica: "Vai para casa, e que Deus te abençoe, pois não é possível que o filho de tantas lágrimas venha a perecer".

No Livro 4 (19 aos 28 anos), Agostinho ensina retórica em Tagaste e depois em Cartago; toma a concubina com a qual viverá por quinze anos; continua envolvido com o maniqueísmo e se sente atraído pela astrologia. Sofre com a perda de um amigo. Escreve *De pulchro et apto* [Do belo e do conveniente], seu primeiro livro. Lê as *Categorias* de Aristóteles e continua confuso quanto ao ser de Deus.

O Livro 5 (29 anos) mostra como ele começa a se desencantar com o maniqueísmo; encontra-se com Fausto, que não responde às suas dúvidas. Vai para Roma como mestre de retórica. Continua ligado aos maniqueus, mas sem entusiasmo. Sente-se atraído pelo ceticismo dos acadêmicos. Tem dúvidas sobre Deus e certas passagens da Bíblia. Por fim, torna-se professor em Milão e conhece o bispo Ambrósio. Empolga-se com sua interpretação alegórica da Escritura, em especial do Antigo Testamento, e torna-se novamente catecúmeno.

O Livro 6 (30 anos) narra a vinda de Mônica para Milão e de como ela e Agostinho sofrem a influência crescente de Ambrósio. Fala de seus amigos Alípio e Nebrídio, reflete sobre o problema da continência e narra suas desventuras nessa área.

No Livro 7 (31 anos), ele deixa gradualmente seus erros. Compreende que Deus é incorruptível, reflete sobre a origem do mal e rejeita a astrologia. Reflete sobre o ser de Deus e sua relação com o mundo natural. Abandona a concepção corpórea do Ser Supremo. O livro descreve aquilo que se denomina a sua "conversão intelectual".

No Livro 8 (32 anos), Agostinho ouve sobre a conversão de Vitorino e outros personagens; ainda lutando com seus impulsos sexuais, experimenta sua própria conversão ao ler Romanos 13.14: "... revistam-se do Senhor Jesus Cristo, e não fiquem premeditando como satisfazer os desejos da carne". É o ponto culminante da obra.

O Livro 9 (33 anos) fala de sua decisão de deixar o cargo de professor de retórica e de seu batismo junto com Adeodato e Alípio; conclui com o início da viagem de volta para a África e a morte de Mônica, em Óstia, aos 56 anos, após terem juntos uma visão mística. Discorre sobre a vida e o caráter da mãe.

No Livro 10 (conclusão), Agostinho confessa seu estado mental presente. Explica o porquê dessa confissão, faz uma análise penetrante da memória na busca humana pela verdade, descreve sua vida e as tentações como bispo e fala de Cristo como o único mediador. Esse livro inclui o famoso poema: "Tarde demais eu te amei, ó Beleza tão antiga e tão nova!" (Seção 38).

Os Livros de 11 a 13, não incluídos nesta edição, tratam de uma série de questões de natureza filosófica e teológica. Contêm uma detalhada exegese alegórica de Gênesis 1 e reflexões sobre a criação do mundo (na qual o Filho já estava presente), a interpretação do tempo, os diferentes sentidos da Escritura e a Trindade, concluindo com uma confissão de fé cristã e um renovado louvor a Deus.

Na forma de uma oração, *Confissões* é a obra mais destacada de Agostinho no aspecto artístico, apresentando um estilo ornamentado e ao mesmo tempo bíblico. Contém grande número de citações da Escritura, em especial de Salmos. A parte narrativa constitui uma leitura acessível para pessoas de todos os níveis intelectuais, sendo que os últimos livros (11—13) são mais impessoais e filosóficos. Em razão de sua vida pregressa, a sagração episcopal de Agostinho havia sido questionada. Daí a preocupação em fornecer uma detalhada descrição de si mesmo. Graças à parte biográfica, ele é o personagem da antiguidade cuja vida e evolução intelectual são mais conhecidas.

Quanto a um possível tema unificador da obra, as seguintes sugestões foram feitas: a inquietação da alma e sua penosa luta para alcançar o repouso em Deus; a evolução interior da alma em sua ascensão para Deus; a busca e a descoberta da verdade. Outros argumentam que Agostinho faz uso dos três diferentes sentidos do termo "confissão": de pecados, de louvor e de fé. O autor se caracteriza pela paixão: no início paixão física e sensual; posteriormente, paixão intelectual pela verdade, a verdade sobre Deus.

Alguns estudiosos têm questionado a autenticidade de algumas partes da narrativa autobiográfica, especialmente a conversão intelectual e a conversão moral narradas nos Livros 7 e 8. Com base nas obras que Agostinho escreveu em Cassicíaco, perto de Milão, alegam que ele abraçou, na realidade, o neoplatonismo, e não ainda o cristianismo. Porém, no início do Livro 10 o autor afirma o seu compromisso em falar a verdade. Para Claudio Moreschini e Enrico Norelli, trata-se de uma conversão ao cristianismo milanês (que era neoplatônico), mas sem dúvida ao cristianismo.

Agostinho revela grande intuição psicológica e notável maestria em descrever os movimentos e estados da alma. Ele se mostra interessado em todos os processos psíquicos da mente, fazendo uma verdadeira escavação da interioridade humana.

O texto é uma história do coração do autor ou de seus sentimentos, trabalhando três grandes focos: o coração inquieto, o mistério de Deus e as afeições secretas da alma. É uma reflexão impregnada de vivência: o autor apresenta a verdade dentro da experiência concreta na qual a aprendeu.

Frederick Van Fleteren argumenta que *Confissões* é uma antropologia teológica: a vida humana é o produto de decisões livres guiadas pela graça de Deus à sua conclusão apropriada. Nelas o autor faz uma apreciação severa de si mesmo e ao mesmo tempo apresenta um hino de louvor a Deus e um reconhecimento da graça que o conduziu. Pouco antes, ele havia começado a elaborar sua doutrina sobre a graça e a predestinação, que seria plenamente desenvolvida na futura controvérsia pelagiana. No final do Livro 10 está a frase que escandalizou Pelágio por parecer uma renúncia ao livre-arbítrio: "Concede-me o que me ordenas e ordena-me o que quiseres" (10.40,45,60). Nas diversas vicissitudes do ser humano, nos erros e nos sofrimentos, Agostinho vê a presença majestosa de Deus e de sua providência. *Confissões* é, do início ao fim, uma teologia da graça.

Agostinho viveu numa época em que as invasões dos povos bárbaros estavam contribuindo para a dissolução do Império Romano e o fim de uma notável civilização. Quando o grande bispo morreu (430), Hipona estava prestes a cair nas mãos dos invasores vândalos. Num mundo em dramática transição, ele contribuiu para preservar a herança clássica e cristã do passado e transmiti-la, enriquecida, para os séculos vindouros.

ALDERI SOUZA DE MATOS, TH.D.

Livro 1

1 "Grande é o Senhor e digno de ser louvado; sua grandeza não tem limites; é impossível medir o seu entendimento" (Sl 145.3; 147.5). E tu queres que te louve o ser humano, mera partícula de tua criação; o homem que carrega consigo a mortalidade, o testemunho de seu pecado, o testemunho de que "Deus se opõe aos orgulhosos" (Tg 4.6; 1Pe 5.5). No entanto, o ser humano, mera partícula de tua criação, quer te louvar. Tu nos despertaste para o prazer de te louvar, pois nos criaste para ti, e o nosso coração não tem sossego enquanto não repousar em ti.

Concede-me, Senhor, que eu saiba e entenda qual vem primeiro: invocar-te ou louvar-te? Conhecer-te ou invocar-te? Pois quem pode invocar-te sem te conhecer? Pois quem não te conhece pode invocar alguém que não és tu. Ou será que nós te invocamos para podermos conhecer-te? Mas "como, pois, invocarão aquele em quem não creram? E como crerão naquele de quem não ouviram falar?" (Rm 10.14). "Aqueles que buscam o Senhor o louvarão" (Sl 22.26). Pois "busquem, e encontrarão" (Mt 7.7), e os que o encontram hão de louvá-lo. Invocando-te, Senhor, eu te buscarei; e, crendo em ti, te invocarei, pois a nós tu foste pregado. Minha fé, Senhor, te invocará, a fé que tu me deste e com a qual me inspiraste, por meio da encarnação de teu Filho, por meio do ministério do pregador.

2 E como invocarei meu Deus, meu Deus e Senhor, considerando que, quando o chamo, devo chamá-lo para mim mesmo? Que espaço há dentro de mim para que meu Deus possa entrar? Onde pode Deus entrar em mim, o Deus que criou o céu e a terra? Existe de fato, Senhor meu Deus, algo em mim que possa te conter? Será que o céu e a terra, que tu criaste, e dentro dos quais me criaste, contêm a ti? Ou será que, uma vez que nada poderia existir fora de ti, consequentemente tudo o que existe te contém? Sendo, então, que eu também existo, por que desejo que tu entres em mim, um ser que não existiria se tu não estivesses em mim? Por quê? Pois não estou na sepultura, e no entanto lá também tu estás. Pois "se eu fizer minha cama na sepultura, também lá estás" (Sl 139.8). Eu não poderia, portanto, ó meu Deus, absolutamente não poderia existir se tu não estivesses em mim. Ou melhor, se eu não estivesse em ti, a quem tudo pertence, para quem tudo existe e em quem tudo subsiste. É exatamente assim, Senhor, exatamente assim. Para onde irei te chamar, sendo que estou em ti? Ou de onde podes vir para entrar em mim? Pois aonde posso ir além do céu e da terra para que meu Deus possa entrar em mim, ele que disse: "Não sou eu aquele que enche os céus e a terra?" (Jr 23.24).

3 Será que os céus e a terra te contêm, uma vez que tu os enches? Ou será que tu os enches e ainda extravasas, uma vez que eles não te contêm? E quando os céus e a terra estão cheios, onde é que derramas o que sobra de ti mesmo? Ou será que não tens nenhuma necessidade de que alguma coisa te contenha, tu que conténs todas as coisas, uma vez que, o que tu enches, o enches contendo-o? Pois os recipientes que enches não te limitam, uma vez que, mesmo que eles fossem quebrados, tu não serias derramado. E quando tu és derramado sobre nós, não és humilhado, mas nos elevas; tu não és dispersado, mas nos unificas. Mas tu que enches todas as coisas, é com teu Espírito que as enches? Ou, sendo que todas as coisas não conseguem te conter inteiramente, elas contêm parte de ti? E todas simultaneamente a mesma parte, ou cada uma sua própria parte, as maiores mais, as menores menos? E nesse caso uma parte de ti é maior, outra menor? Ou será que tu estás por inteiro em toda parte, embora nada te contenha totalmente?

4 Então que és tu, meu Deus? Que és, senão o Senhor Deus? "Pois quem é Deus além do Senhor? E quem é rocha senão o nosso Deus?" (Sl 18.31). Altíssimo, boníssimo, poderosíssimo, onipotente ao extremo; misericordiosíssimo, mas

extremamente justo; misteriosíssimo, mas sempre presente; belíssimo, mas extremamente forte; estável, mas incompreensível; imutável, mas mudando tudo; nunca novo, nunca velho; tudo renovando e envelhecendo os orgulhosos, que não se dão conta disso; sempre atuando, sempre em repouso; sempre acumulando, mas sem precisar de nada; sustentando, enchendo e sempre te espalhando; criando, nutrindo e amadurecendo; buscando, mas tendo tudo. Tu amas, mas sem paixão; és zeloso, sem ansiedade; arrependes-te, mas não te afliges; ficas irado, mas sereno; mudas tuas obras, mas teu propósito não muda; recebes de volta o que encontras, sem nunca tê-lo perdido; nunca estás necessitado, mas os lucros te alegram; jamais cobiças, mas cobras juros. Tu recebes mais que o devido, para que possas dever; e quem tem o que quer que seja que não seja teu? Tu pagas dívidas, sem nada dever; perdoas dívidas, sem nada perder. E o que acabei de dizer, meu Deus, minha vida, minha santa alegria? Ou que diz qualquer ser humano que fala de ti? Todavia, ai daquele que não fala, pois na verdade até os mais eloquentes são mudos.

5 Que eu possa descansar em ti! Que tu entres em meu coração e o inebries para que eu possa esquecer meus males e abraçar a ti, meu único bem! Que és tu para mim? Em tua compaixão, ensina-me a dizê-lo. Ou que sou eu em relação a ti para que tu exijas meu amor e, se eu não o der, te enfureces comigo e me ameaças com castigos severos? Será então que não te amar é um castigo leve? Ah, pelo amor de tua misericórdia, dize-me, ó Senhor meu Deus, o que és para mim. "Dize à minha alma: 'Eu sou a tua salvação'" (Sl 35.3) Fala, então, para que eu possa ouvir. Eis, Senhor, meu coração voltado para ti; abre-lhe os ouvidos e dize à minha alma: "Eu sou a tua salvação". Deixa-me seguir essas palavras e agarrar-me a ti. Não escondas tua face. Deixa-me morrer —; para que eu não morra — somente deixa-me ver tua face.

6 Estreita é a mansão de minha alma; peço que tu a aumentes para poderes entrar nela. Ela está em ruínas; peço que a reformes. Eu sei e confesso que ela contém coisas que

ofendem teus olhos. Mas quem irá purificá-la? Ou a quem devo recorrer, senão a ti? "Senhor, absolve-me dos erros que desconheço! Que eles não me dominem!" (Sl 19.12-13). "Eu creio, por isso falo" (Sl 116.10). Senhor, tu sabes. "Então reconheci diante de ti o meu pecado e não encobri as minhas culpas, e tu, meu Deus, perdoaste a culpa do meu pecado" (Sl 32.5). Não discutirei em juízo contigo, pois tu és a verdade. Temo enganar-me a mim mesmo; quero evitar que minha iniquidade seja desmentida. Portanto, não discutirei contigo, pois "se tu, Soberano Senhor, registrasses os pecados, quem escaparia?" (Sl 130.3).

7 Todavia, permite-me que eu, "pó e cinza" (Gn 18.27), fale com tua misericórdia. Todavia, permite-me falar, uma vez que me dirijo a tua misericórdia, e não a um ser humano zombador. Talvez tu também me desprezes, mas depois mostrarás "compaixão de novo" (Jr 12.15). Pois que devo dizer, ó Senhor meu Deus, senão que não sei de onde vim para esta vida que vai morrendo — ou deveria chamá-la de morte que vai vivendo? Então, imediatamente me amparou o conforto de tua compaixão, conforme ouvi contar (pois disso não me lembro) pela boca do pai e da mãe de meu corpo, de cuja substância tu em algum momento me formaste. Assim fui acolhido pelo conforto do leite de mulher. Pois nem minha mãe nem minha babá encheram seus próprios seios para mim; mas foste tu quem providenciaste, por meio delas, o alimento de minha infância, de acordo com tua ordenação, mediante a qual distribuíste tuas riquezas pelas fontes ocultas de todas as coisas. Tu também me deste meu não querer mais do que me davas; e às minhas babás a disposição de me dar o que tu lhes deste. Pois elas, com uma afeição inculcada pelo céu, dispuseram-se a me dar o que de ti receberam em abundância. Pois esse bem que eu delas recebia era um bem para elas. Mas, de fato, ele não provinha delas, mas através delas; pois de ti, ó Deus, provêm todas as coisas boas, e de Deus provém toda a minha saúde. Isto aprendi desde aquela época: tu, por meio de tuas dádivas, dentro e fora de mim, a

mim te manifestas. Pois naquela época eu só sabia mamar, sentindo-me satisfeito com o que me agradava e chorando diante do que me machucava, nada mais. **8** Mais tarde, comecei a sorrir. Primeiro, dormindo; depois, acordado. Foi isso que me disseram a meu respeito, e eu acreditei, pois constatamos a mesma coisa em outros bebês, embora eu não me lembre disso em relação a mim mesmo. Assim, pouco a pouco, tomei consciência de onde eu estava e comecei a querer expressar meus desejos àqueles que podiam satisfazê-los, e eu não podia, pois os desejos estavam dentro de mim, e os outros estavam fora e não dispunham de poder nenhum para entrar em meu espírito. Assim, debatia-me e soltava minha voz, produzindo os poucos sinais de que era capaz, do jeito que podia, indicando, embora muito vagamente, o que desejava. E quando eu não era prontamente obedecido (meus desejos incomodavam e eram ininteligíveis), então me sentia indignado com os mais velhos por não se submeterem a mim, com aqueles que não me deviam nenhum serviço, e me vingava deles com lágrimas. Isso aprendi sobre bebês por meio da observação; e o fato de que eu fui assim eles, sem sabê-lo, me mostraram melhor que minhas babás que disso sabiam.

9 Minha infância morreu há muito tempo, e eu permaneço vivo. Mas tu, Senhor, sempre vives e em ti nada morre, pois antes de tudo o que pode ser chamado "antes" tu existes e és Deus e Senhor de tudo o que criaste. Em ti subsistem, estabelecidas para sempre, as primeiras causas de todas as coisas que não subsistem. E as fontes de todas as coisas mutáveis em ti subsistem imutáveis. E em ti vivem as razões eternas de todas as coisas irracionais e temporais. Dize, Senhor, ao que te suplica; tu que de tudo te compadeces dize a mim, objeto de tua compaixão; dize-me: minha infância sucedeu outra idade minha que morreu antes dela? Foi a que passei no ventre de minha mãe? Pois sobre isso ouvi alguma coisa, e eu mesmo vi mulheres grávidas. E de novo pergunto o que aconteceu antes disso, ó Deus de minha alegria: eu estava nalgum lugar, eu era alguém? Sobre isso não tenho ninguém que possa me falar, nem meu pai, nem minha mãe, nem a experiência de outros, nem minha memória. Tu te ris de mim por eu perguntar isso e me ordenas que te louve e te reconheça por tudo o que de fato sei?

10 Eu te reconheço, Senhor do céu e da terra, e te louvo pelos meus primeiros rudimentos de vida e pela minha infância, da qual nada me lembro; pois tu dotaste o homem com a capacidade de intuir, observando os outros, muitas coisas sobre si mesmo e de muito acreditar baseando-se na força de frágeis mulheres. Mesmo então eu tinha existência e vida e, no fim da infância, podia procurar sinais e com eles mostrar aos outros as minhas sensações. De onde poderia provir esse estado de ser, exceto de ti, Senhor? Alguém poderá ser artífice de si mesmo? Ou poderá existir em alguma outra parte algum canal que possibilite um fluxo de essência e vida para dentro de nós, a não ser que venha de ti, ó Senhor, em quem essência e vida são uma coisa só? Pois tu és em ti mesmo Essência e Vida em grau supremo. "Pois tu, Senhor, és o altíssimo, e nunca mudarás" (Sl 97.9; Ml 3.6). Tampouco em ti o hoje termina; no entanto, em ti ele chega a seu termo, porque todas essas coisas também estão em ti. Pois elas nem teriam como desaparecer, se tu não as sustentasses. E sendo que "os teus dias jamais terão fim" (Sl 102.27), teus anos são simplesmente este dia de hoje. Quantos de nossos anos e dos anos de nossos pais fluíram pelo teu "hoje" e dele receberam a medida e o molde da existência que eles tiveram; e sempre outros hão de fluir e assim receber a medida e o grau de sua existência. "Mas tu permaneces o mesmo" (v. 27), e todas as coisas de amanhã, e todas as que virão depois, e todas as de ontem, e todas as que vieram antes, tu as fizeste hoje. Que diferença isso faz para mim se alguém não compreende isso? Que ele também se rejubile e diga: "Que é isso?" (Êx 16.15). Que ele se rejubile mesmo assim e se contente preferindo não descobrir como te descobrir a descobrir como não te descobrir.

11 Ouve, ó Deus. Ai do pecado do homem! Assim diz o homem, e tu te compadeces dele, pois tu o criaste, mas nele não criaste o pecado. Quem me lembra dos pecados da minha infância? Pois a teus olhos não há ninguém livre do pecado, nem mesmo o recém-nascido que viveu senão um dia nesta terra. Quem traz isso à minha mente? Não será cada pequeno bebê, em quem vejo o que não lembro de mim? Qual foi então meu pecado? Foi o fato de que eu estava afeiçoado ao seio e chorava? Pois caso eu fizesse isso agora em relação ao alimento adequado à minha idade, com razão seria ridicularizado e reprovado. O que fazia então era digno de reprovação; mas, sendo que eu não sabia o que era reprovação, o costume e a razão impediam-me de ser reprovado. Pois aqueles hábitos, quando crescemos, nós os erradicamos e descartamos. Ora, homem nenhum, mesmo erradicando o ruim, descarta de propósito o que é bom. Ou será que naquela fase era bom, mesmo que só por certo tempo, chorar para obter o que, se concedido, seria prejudicial; ressentir-se amargamente de que pessoas livres, seus parentes mais velhos, na verdade os próprios autores de seu nascimento, não o servissem; ressentir-se de que antes outras pessoas além dessas, mais conscientes do que ele, não obedecessem às ordens de seu gosto e prazer; fazer o máximo possível para chocar e ferir os outros por desobediência a ordens que, se obedicidas, prejudicariam o próprio bebê? A fraqueza então dos membros infantis é a inocência do bebê, não a vontade dele. Eu mesmo vi e até conheci pessoalmente um bebê invejoso. Ele não sabia falar, mas ficava lívido e fitava com olhar cruel seu irmão de criação. Quem não sabe disso? As mães e as babás vão lhe dizer que abrandam essas atitudes não sei com que remédios. Será que também isto é inocência, não suportar compartilhar a fonte de leite que flui em grande abundância, mesmo em caso de extrema necessidade, quando daquele leite depende a própria vida? Nós toleramos tudo isso com brandura, não por se tratar de males inexistentes ou de pouca importância, mas porque eles desaparecem com o avançar dos anos. Pois, embora toleradas agora, alguns anos mais tarde essas mesmas atitudes são completamente insuportáveis.

12 Tu, ó Senhor meu Deus, que deste vida a essa minha infância, equipando com sentidos (como verificamos) o corpo que tu me deste, embelezando suas proporções e, para seu bem geral e segurança, implantando nele todas as funções vitais, mandaste-me exaltar-te por essas coisas, "render graças ao SENHOR e cantar louvores ao teu nome, ó Altíssimo" (Sl 92.1). Pois tu és Deus, onipotente e bom, e assim seria mesmo que nada tivesses feito além disso que só tu poderias fazer: tua unidade é o molde de todas as coisas. De tua própria beleza, tu criaste todas as coisas belas; e ordenaste todas as coisas por tua lei. Essa idade então, Senhor, da qual não guardo lembranças e só imagino por meio das palavras de outros e entrevejo observando outros bebês que conheci, por mais verdadeira que minha imaginação possa ser, ainda reluto em incluir na vida que eu vivo neste mundo. Pois, tanto quanto aquilo que passei no ventre de minha mãe, ela está oculta nas sombras do esquecimento. Mas se "sou pecador desde que nasci, sim, desde que me concebeu minha mãe" (Sl 51.5), onde, eu te pergunto, ó meu Deus, onde, Senhor, ou quando, foi teu servo inocente? Mas, ah, daquele período eu passo por cima; que mais posso fazer com aquilo de que não guardo nenhum resquício na lembrança?

13 Depois de ultrapassar a infância, cheguei à meninice, ou melhor, ela chegou até mim, desbancando a infância, que não foi embora — pois para onde foi? — e no entanto ela já não existia. Pois eu já não era um bebê sem fala, mas um menino falante. Disso eu me lembro, e a partir de então observei como aprendi a falar. Não aconteceu que os mais velhos me ensinaram palavras (como, logo em seguida, ensinaram-me outras coisas) de acordo com algum método estabelecido; mas eu, desejando expressar meus pensamentos por meio de gritos e sons confusos e vários movimentos de braços e pernas, de modo que minha vontade fosse satisfeita, e no entanto sendo incapaz de expressar tudo o que eu queria, ou dirigir-me a quem queria, por meio do entendimento que tu, meu Deus, me deste, comecei a praticar os sons na minha memória. Quando as

pessoas mencionavam alguma coisa e ao falar se voltavam para ela, eu via e gravava na memória o nome que elas proferiam para designar aquilo que apontavam. E o fato de que elas se referiam a uma coisa e não a outra era claramente indicado pelo movimento do corpo e pela linguagem natural, por assim dizer, comum a todos os povos, expressa no semblante, nos movimentos dos olhos e até nos gestos das mãos e tons de voz que indicavam as emoções da mente que persegue, possui, rejeita ou evita alguma coisa. E assim, constantemente ouvindo palavras que iam ocorrendo em várias frases, eu aos poucos entendia o que elas representavam. Depois de acostumar a boca a esses sinais, por meio deles expressava a minha vontade. Assim, trocava com as pessoas ao meu redor esses sinais correntes de nossa vontade e mergulhava mais fundo rumo aos tempestuosos diálogos da vida, ainda dependendo da autoridade paterna e das vontades dos mais velhos.

14 Ó meu Deus, que misérias e zombarias passei então a sofrer, quando a obediência a meus professores me foi apresentada, como sendo adequada para um menino, a fim de que eu pudesse prosperar neste mundo e destacar-me na arte de falar em público, que me serviria para obter o aplauso dos homens e enganosas riquezas. Em seguida fui enviado à escola para receber erudição, que eu, coitado, não sabia para que servia. No entanto, quando era lerdo na aprendizagem, eu era espancado. Isso era considerado correto por nossos antepassados; e muitos, que haviam passado antes pelo mesmo caminho, estabeleciam para nós penosos percursos, que percorríamos resignados, multiplicando agruras e sofrimentos para os filhos de Adão. Mas, Senhor, nós descobrimos que os homens recorrem a ti, e deles aprendemos a pensar em ti (segundo nossos poderes) como sendo alguém grande que, embora oculto aos nossos sentidos, podia nos ouvir e ajudar. Foi assim, na meninice, que comecei a dirigir-te orações, meu auxílio e refúgio, e rompi as limitações de minha língua para te invocar, suplicando-te, embora eu fosse pequeno, mas com grande seriedade, para que eu não fosse espancado na escola. E quando tu não me ouvias, evitando com isso me lançar no ridículo os mais velhos, sim, meus próprios pais, que todavia não queriam o meu mal, riam-se de minhas punições, que eram então meu grande e grave problema.

15 Será que existem, Senhor, homens de espírito tão grande que se agarrem a ti com um sentimento tão intenso (pois há uma espécie de estupidez que é de certo modo capaz disso); mas será que existem mesmo pessoas que, agarrando-se devotamente a ti, sejam dotadas de um espírito tão grande que as leve a pensar de maneira tão leviana das rodas e chicotes e outros castigos (contra os quais, em todas as partes do mundo, os homens apelam a ti com extremo pavor) e a zombar daqueles por quem eles são amargamente temidos, tal como nossos pais se riam das torturas que sofríamos na meninice pelas mãos de nossos mestres? Pois nós não temíamos menos as nossas torturas, nem orávamos menos te pedindo para nos livrares delas. E, no entanto, pecávamos, escrevendo, lendo ou estudando menos do que se exigia de nós. Pois não nos faltava, ó Senhor, memória ou capacidade, dons que tua vontade nos concedeu em grau suficiente para a idade; mas nosso único prazer era brincar; e por isso éramos punidos por aqueles que, todavia, faziam a mesma coisa. Mas o ócio dos mais velhos é denominado "negócio", ou seja, "não ócio"; o dos meninos, sendo realmente a mesma coisa, recebe, dos mais velhos, punições. E ninguém tem pena nem dos meninos nem dos homens. Pois será que alguém em sã consciência aprova as surras que recebi na meninice porque, jogando bola, progredia menos estudando coisas que, na idade adulta, me permitiriam desempenhar um papel indecoroso? E que outra coisa fazia aquele que me surrava, ele que, derrotado em alguma discussão insignificante com seu colega docente, sentia-se mais amargurado e aflito do que eu quando era derrotado por um adversário num jogo de bola?
16 E, no entanto, em tudo isso eu pecava, ó Senhor Deus, Criador e Distribuidor de todas as coisas da natureza, o único

soberano sobre o pecado. Eu pecava, ó Senhor meu Deus, transgredindo as ordens de meus pais e de meus mestres. Pois aquilo que eles, fosse qual fosse seu motivo, queriam que eu aprendesse, eu poderia em seguida ter usado para o bem. Pois eu desobedecia, não por um motivo melhor, mas pelo gosto de jogar, pelo orgulho da vitória em minhas competições e para sentir em meus ouvidos o prazer de falsas histórias, o que me fazia querer mais. A própria curiosidade em relação aos espetáculos e disputas dos mais velhos aumentava o brilho de meus olhos. Todavia, os que proporcionam esses espetáculos estão envolvidos numa aura de tanta honra que quase todo mundo quer o mesmo para seus filhos, e no entanto os pais desejam que os filhos sejam castigados se aqueles mesmos jogos os atrasam naqueles estudos por meio dos quais gostariam que eles apresentassem jogos similares. Olha com compaixão, Senhor, para essas coisas, e livra-nos agora a nós que te invocamos; livra também os que ainda não te invocam, para que eles possam te invocar e tu os possas libertar.

17 Então, quando menino, eu já tinha ouvido falar de uma vida eterna, que nos é prometida mediante a humildade do Senhor nosso Deus que se submete ao nosso orgulho. E até mesmo ainda no ventre de minha mãe, que confiava muito em ti, eu fui estampado com a marca da sua santa cruz e temperado com seu sal. Tu viste, Senhor, como, quando ainda menino, fui apanhado por uma dor de estômago e fiquei praticamente à beira da morte; tu viste, meu Deus, pois eras meu protetor, com que ansiedade e fé, levado pela piedosa preocupação de minha mãe e de tua Igreja, a mãe de todos nós, eu procurei o batismo de teu Cristo, meu Deus e Senhor. Diante disso, minha mãe, muito perturbada (uma vez que, com seu coração puro em tua fé, ela com um carinho ainda maior estava "sofrendo dores de parto" [Gl 4.19] pela minha salvação), teria em sua ansiosa pressa providenciado minha consagração e purificação pelos salutares sacramentos, confessando-te, Senhor Jesus, para a remissão dos pecados. Todavia, eu de repente me recuperei. E assim, como se eu precisasse manchar-me novamente caso sobrevivesse, minha purificação foi adiada, porque as manchas do pecado, depois daquela ablução, aumentariam cada vez mais meu risco de culpa. Eu então já acreditava, assim como minha mãe e toda a minha família, exceto meu pai. Contudo, ele não anulou o poder da piedade de minha mãe dentro de mim: não fez que eu, diante de sua descrença, também deixasse de acreditar. Pois a profunda preocupação dela era que tu, meu Deus, fosses meu pai. E nisso tu a ajudaste a prevalecer sobre seu marido, a quem ela, mesmo sendo melhor que ele, obedecia, obedecendo desse modo também a ti, que assim lhe ordenaste.

18 Eu te pergunto, meu Deus, pois desejo saber, se assim tu quiseres, por que razão o meu batismo foi então adiado? Foi para o meu bem que minhas rédeas ficaram soltas, por assim dizer, para eu poder pecar, ou será que não estavam soltas? Se não estavam, por que sempre ecoa em meus ouvidos de todos os lados: "Não se preocupe com ele; deixe-o à vontade, pois ainda não foi batizado"? Mas quando se trata da saúde do corpo ninguém diz: "Deixe que ele se machuque mais, pois ele ainda não está curado". Muito melhor teria sido então se eu tivesse sarado rapidamente, e assim, pela diligência de meus amigos e de mim mesmo, a saúde recuperada de minha alma teria sido preservada em segurança por ti, que a concedeste. De fato, teria sido muito melhor. Mas quantas e que enormes ondas de tentações pareciam me aguardar depois da meninice! Essas minha mãe previu, e preferiu expor a elas a argila da qual eu pudesse depois ser moldado a expor o molde já pronto.

19 Na infância, porém (tão menos terrível para mim que a adolescência), eu não gostava de estudar e detestava ser obrigado a fazê-lo. Mas fui forçado, e isso me foi muito proveitoso, embora não me saísse muito bem. Se não tivesse sido forçado, não teria aprendido. Mas ninguém se sai bem contra a própria vontade, embora o resultado possa ser bom. Contudo, também não procederam bem os que me forçaram, mas o que de bom resultou daquilo veio de ti, meu Deus. Pois eles não tinham consciência de como eu empregaria o que me forçavam a aprender, senão para satisfazer os insaciáveis desejos de uma rica penúria e uma ignóbil glória. Mas tu, para quem até "os cabelos da cabeça estão todos contados" (Mt 10.30), usaste em meu proveito o erro de todos os que me instigaram a aprender; e o meu próprio erro, pois eu não queria aprender, tu o usaste para me punir — um castigo justo para um menino tão pequeno e tão grande pecador. Assim, por meio dos que agiram mal, tu me fizeste bem; e por meio de meu próprio pecado, tu me puniste justamente. Pois tu ordenaste que cada paixão desordenada contivesse sua própria punição, e assim acontece.

20 Mas por que eu detestava tanto a língua grega que estudei quando criança? Ainda não sei exatamente. Pois do latim eu gostava; não daquele que meus primeiros mestres me ensinaram, mas daquele que aprendi com os assim chamados gramáticos. Aquelas primeiras aulas de leitura, redação e aritmética eu as considerava um grande peso e castigo, como qualquer lição de grego. E, no entanto, isso também de onde provinha, senão do pecado e da vaidade desta vida? Eu era apenas um dos "meros mortais, brisa passageira que não retorna" (Sl 78.39). Pois aqueles primeiros estudos foram certamente os melhores, por serem mais exatos. Por meio deles aprendi, e ainda retenho, o poder de ler o que encontro escrito e de eu mesmo escrever o que quero; ao passo que em outros estudos fui forçado a aprender sobre as viagens de Eneias, esquecido de mim mesmo, e a chorar a morte de Dido por ela ter-se suicidado por amor. Enquanto isso, com os olhos secos, eu permitia que meu miserável ser morresse entre essas histórias, longe de ti, ó Deus de minha vida.

21 O que há de mais miserável do que um miserável ser que não se compadece de si mesmo, chorando a morte de Dido por seu amor por Eneias, mas sem chorar sua própria morte pela falta de amor por ti, ó Deus? Tu és a luz do meu coração, o alimento do âmago de minha alma, o poder que dá vigor à minha mente e ativa meus pensamentos, e eu não te amava. Eu fornicava contra ti, e todos ao meu redor, ecoando incentivos à fornicação, diziam "Muito bem! Muito bem!"". Ora, "vocês não sabem que a amizade com o mundo é inimizade com Deus" (Tg 4.4)? E o "Muito bem! Muito bem!" continua ecoando até a gente se envergonhar de não ser alguém assim. E tudo isso eu aprendia e não lamentava. Eu que chorava o suicídio de Dido e, "buscando na espada um golpe e uma ferida extrema",[1] ao mesmo tempo buscava um extremo pior, eu, a mais imoderada e mais vil de todas as criaturas, depois de te abandonar, estava me transformando em lama. E se eu fosse proibido de ler tudo isso, lamentaria não poder ler o que me afligia. Loucura como essa é considerada aprendizado superior e mais rico do que aquele pelo qual eu aprendi a ler e escrever.

22 Mas agora, meu Deus, faze-me ouvir teu grito em minha alma e deixa que a verdade me diga: "Não é isso, não é isso. Muito melhor foi aquela primeira aprendizagem". Pois é claro que eu preferiria esquecer as viagens de Eneias e tudo o mais a esquecer como ler e escrever. Todavia, sobre a porta de entrada da escola de gramática ostenta-se um emblema. Sim, mas não é um emblema que indica algo que se aprendeu; é mais um manto para esconder o erro. Que aqueles que já não temo gritem comigo enquanto eu confesso a ti, meu Deus, tudo o que minha alma desejar, e aceito a condenação de meus caminhos perversos, a fim de poder amar teus bons caminhos. Que os compradores e vendedores do ensino de gramática não gritem comigo. Pois se eu os questionar se é verdade que Eneias em certa ocasião veio para Cartago, como diz o poeta, os menos eruditos respondem que não sabem, e os mais eruditos afirmam que ele nunca o fez. Mas se eu lhes perguntar como se soletra o nome "Eneias", todos os que aprenderam a escrevê-lo vão responder com acerto sobre os sinais que foram convencionalmente estabelecidos. Se, mais uma vez, eu perguntar o que se poderia esquecer com menos prejuízo para as atividades do dia a dia, se a leitura e a escrita ou as ficções poéticas, quem

---

[1] VIRGÍLIO, *Eneida*, livro 6, v. 457.

não prevê o que iriam responder todos aqueles que não são de todo dementes? Eu pequei, portanto, quando na meninice preferia aqueles estudos vazios em relação aos mais proveitosos, ou melhor, gostava mais daqueles e detestava estes. "Um mais um, dois"; "dois mais dois, quatro"; isso para mim era uma cantilena aborrecida. "O cavalo de madeira forrado de homens armados" e "Troia em chamas" e "a sombra de Creusa e sua triste imagem" eram espetáculos superiores para a minha vaidade.[2]

23 Por que eu detestava os clássicos gregos, que apresentam narrativas semelhantes àquelas? Pois também Homero habilmente teceu ficções da mesma natureza, e docemente vãs. Contudo, para o meu gosto infantil ele tinha um sabor amargo. Suponho que o mesmo gosto tinha Virgílio para as crianças gregas quando eram forçadas a estudá-lo como eu era a estudar Homero. A dificuldade, de fato, a dificuldade de uma língua estrangeira, salpicava, por assim dizer, com fel toda a doçura da fábula grega. Eu não entendia nenhuma palavra daquilo, e para ser levado a entender eu era veementemente instigado com cruéis ameaças e castigos. Houve também um tempo (na infância) em que eu não sabia latim. Mas isso eu aprendi sem medo ou sacrifício, pela mera observação, entre as carícias de babás e brincadeiras de amigos, que me encorajavam sorrindo e brincando. Aprendi latim sem sofrer pressão alguma, pois meu coração me incentivava a criar seus conceitos, o que eu só poderia fazer aprendendo as palavras, não dos que me incentivavam, mas daqueles que conversavam comigo, em cujos ouvidos eu dava à luz os pensamentos de tudo aquilo que concebia. Não há dúvida, portanto, de que a curiosidade livre tem mais força em nossa aprendizagem dessas coisas que as obrigações que amedrontam. Mas somente essas obrigações restringem as divagações daquela liberdade, por meio de tuas leis, ó meu Deus; tuas leis, desde a palmatória até as provações dos mártires, conseguem moderar para nós um amargor sadio,

---

[2] Ver *Eneida*, livro 2.

chamando-nos de volta para ti e afastando-nos do mortal prazer que para longe de ti nos seduz.

24 Ouve, Senhor, a minha oração. Não permitas que minha alma fraqueje sob tua disciplina, nem que eu fraqueje em confessar-te todas as mercês por meio das quais tu me livraste dos caminhos mais perversos, a fim de que tu pudesses ser para mim um prazer superior a todos os atrativos por mim perseguidos; a fim de que eu pudesse te amar inteiramente e segurar tua mão de todo o coração, e tu pudesses me resgatar de todas as tentações até o fim. Pois eis que, Senhor, meu Rei e meu Deus, desejo que a teu serviço seja dedicado tudo o que de útil minha infância aprendeu. Que para te servir eu fale; escreva; leia; entenda. Pois tu me deste tua disciplina quando eu aprendia coisas vãs; e o pecado de me deleitar nessas vaidades tu o perdoaste. Nelas, de fato, aprendi muitas palavras úteis; mas isso eu poderia ter igualmente aprendido com coisas que não são vãs; esse é o caminho seguro para os pés da juventude.

25 Mas ai de você, torrente de métodos humanos! Quem se oporá a você? Quanto tempo levará para secar? Por quanto tempo levará de roldão os filhos de Eva para aquele vasto e hediondo oceano, que até mesmo os que abraçam a cruz acham difícil atravessar? Acaso não li em você sobre o tonitruante e adúltero Júpiter? As duas coisas ele certamente não podia ser; mas assim o trovão pode favorecer e alcovitar o verdadeiro adultério. E agora nenhum dentre nossos mestres togados presta ouvidos atentos a alguém de suas próprias escolas que clama: "Isso são ficções de Homero, que atribui coisas humanas aos deuses. Melhor seria se ele nos tivesse trazido coisas divinas!". Todavia, mais de acordo com a verdade estaria quem dissesse: "Isso, de fato, são ficções dele, que no entanto atribuem uma natureza divina a homens perversos, de modo que crimes não sejam mais crimes, para que assim quem os comete possa parecer-se não com homens perdulários, mas com os anjos do céu".

26 No entanto, para dentro de você, torrente infernal, são atirados os filhos dos homens regiamente recompensados por essa espécie de aprendizado e domínio; e grandes solenidades envolvem tudo isso, quando essas atividades são exercidas no fórum, no âmbito das leis que determinam um salário com benefícios adicionais; e você atira suas pedras e brada: "É aqui que se aprendem as palavras; aqui, a eloquência, indispensável para obter os fins desejados e defender posições adotadas". Como se nunca pudéssemos ter aprendido palavras tais como "chuva de ouro", "colo", "seduzir", "templos dos céus", ou outras expressões naquela passagem, se Terêncio não houvesse trazido para o palco um rapaz lascivo que adota Júpiter como seu exemplo de sedução:

> Observando um quadro, no qual se retrata a história
> De Júpiter caindo como uma chuva de ouro
> Sobre o colo de Danai, mulher a seduzir.

E depois, observe-se como ele se excita à luxúria como se obedecesse a instruções celestes:

> E que Deus! O grande Júpiter,
> Que abala os mais altos templos do céu com seu trovão.
> E eu, pobre homem mortal, não devo fazer o mesmo?
> E eu fiz, de todo o coração eu fiz.[3]

Toda essa baixeza não facilita em nada o aprendizado das palavras; mas por meio delas comete-se a baixeza com menos vergonha. Não que eu condene as palavras, que são, por assim dizer, vasos seletos e preciosos, mas sim o vinho do erro que nelas nos é servido por professores intoxicados. E se nós não o bebermos também, somos castigados e não temos nenhum juiz a quem apelar. No entanto, ó meu Deus (em cuja presença eu agora em toda segurança posso relembrar essas coisas), tudo

[3] TERÊNCIO, *Eunuco*, ato 3, cena 5.

isso eu infelizmente aprendi de bom grado e com muito prazer, e por isso fui considerado um rapaz com um futuro promissor.

27 Tolera-me, Senhor, enquanto digo algumas coisas sobre minhas habilidades, dádiva tua, e com que futilidades as desperdicei. Foi-me atribuída uma tarefa, bastante problemática para a minha alma, que implicava aplausos ou vaias e medo de açoites: proferir as palavras de Juno quando ela, enfurecida, lamentava não poder "afastar de Troia esse príncipe do Lácio".[4] Eu tinha ouvido dizer que Juno jamais proferiu essas palavras; mas éramos obrigados a extraviar do caminho seguindo as pegadas dessas ficções poéticas e dizer em prosa o que o poeta expressou em verso. A apresentação era muito aplaudida quando as furiosas paixões e dor eram mais evidenciadas pelo aluno que as revestisse com a linguagem apropriada, preservando a dignidade da personagem. Que diferença faz para mim, ó minha verdadeira Vida, meu Deus, o fato de minha declamação ter sido mais aplaudida que a de muitos outros meus coetâneos da mesma classe? Isso tudo não é fumaça e vento? E será que não havia mais nada em que eu pudesse exercitar minha inteligência e língua? Teus louvores, Senhor, teus louvores poderiam ter sustentado o rebento ainda tenro do meu coração com o suporte das Escrituras. Assim ele não se teria desgarrado nessas bobagens vazias, tornando-se presa corrompida para as aves de rapina. Pois de muitas maneiras os homens oferecem sacrifícios aos anjos rebeldes.

28 Não deveria causar nenhuma estranheza o fato de eu ter-me deixado levar desse modo pelas vaidades, afastando-me da tua presença, ó meu Deus, quando me foram apresentados como modelos homens que, se, durante a narração de algum feito pessoal, em si mesmo negativo, cometessem algum barbarismo linguístico, ao serem corrigidos se sentiam deprimidos; mas quando num discurso rico, enfeitado e bem estruturado relatavam sua própria vida desordenada, ao serem elogiados

---

[4] *Eneida*, livro 1, v. 38.

se sentiam exultantes? Essas coisas tu vês, Senhor, e te manténs calado; "tu, Senhor, és Deus compassivo e misericordioso" (Sl 86.15). Ficarás calado para sempre? E até nesse momento tu tiras deste horrível buraco qualquer alma que te procura, que sente sede dos teus prazeres. "A teu respeito diz o meu coração: Busque a minha face! A tua face, SENHOR, buscarei" (Sl 27.8). Pois sentimentos obscurecidos marcam o afastamento para longe de ti. Realmente, não é com os pés ou com a mudança de lugar que nós te deixamos ou voltamos para ti. Ou será que aquele teu filho mais jovem procurou cavalos e carruagens, ou navios, ou voou com asas visíveis, ou viajou movimentando seus membros, para poder num país distante esbanjar numa vida irresponsável tudo o que lhe deste na partida? Tu foste um pai amoroso quando deste e mais amoroso ainda quando ele voltou de mãos vazias. Sendo assim, então o verdadeiro afastamento de ti consiste na concupiscência, isto é, sentimentos obscurecidos.

29 Olha, Senhor Deus, sim, olha com paciência como costumas fazer, com quanto cuidado os filhos dos homens observam a propriedade das regras das letras e sílabas, recebidas daqueles que falaram antes deles, negligenciando a perene aliança da salvação eterna recebida de ti. Tanto que, se um professor ou um aprendiz das antigas regras de ortografia, contrariando as leis da gramática, escrever a expressão "ser umano" sem "h", ofenderá mais seus leitores do que se ele, um "ser humano", odiasse outro "ser humano", contrariando as tuas normas. Como se algum inimigo pudesse ser mais danoso do que o ódio que o inflama; ou se pudesse com seu ódio provocar feridas mais fundas no perseguido do que na sua própria alma de perseguidor. Com certeza nenhum conhecimento das letras pode ser tão natural como o registro da consciência de "que ele está fazendo para o outro o que detestaria que o outro lhe fizesse". Como são ocultas as tuas leis, ó Deus, tu que és o único grande, que em silêncio "habita no alto" (Is 33.5) e administra por meio de uma lei incansável a justiça cega contra desejos desregrados. Buscando a fama da eloquência, um homem postado diante de um juiz humano, cercado por uma multidão humana, ao fazer um pronunciamento contra seu inimigo, movido pelo ódio mais feroz, tomará o máximo cuidado para não assassinar o termo "ser humano" ao cometer um lapso de pronúncia, mas sem atentar com a fúria de seu espírito para o assassinato real de um ser humano.

30 Esse era o mundo em cujo limiar eu estava na infância; esse foi o estágio onde eu mais temia cometer um barbarismo do que, após cometer um, invejar aqueles que não o haviam cometido. Digo e confesso a ti, meu Deus, essas coisas pelas quais eu era elogiado por aqueles a quem obedecer era para mim perfeita virtude. Pois eu não enxergava o abismo da abjeção, no qual "fui excluído da tua presença" (Sl 31.22). Aos teus olhos, o que havia de mais vergonhoso do que desagradar até a mim mesmo, enganando com inúmeras mentiras meu tutor, meus mestres, meus pais, por amor ao jogo, pelo ardente desejo de ver espetáculos frívolos e pela inquietante vontade de imitá-los? Furtos também eu cometi, da despensa e mesa de meus pais, escravizado pela ganância, ou a fim de ter algo para dar a outros meninos, que me vendiam seus brinquedos, dos quais ao mesmo tempo eles não gostavam menos do que eu. Nesse jogo eu muitas vezes procurei conquistas fraudulentas, motivadas pelo vaidoso desejo de aparecer. E o que eu tanto detestava ter de suportar ou, quando o descobria, censurava com muita veemência, como o que eu mesmo fazia em relação a outros? E quando era descoberto e censurado por essas mesmas coisas, eu preferia brigar a ceder. Será essa a inocência da infância? De modo algum, Senhor, de modo algum. Clamo por tua misericórdia, ó meu Deus. Pois esses mesmos pecados, com o passar dos anos, esses mesmos pecados são transferidos de tutores e mestres, de nozes e bolas e pássaros, para magistrados e reis, para o ouro e terras e escravos, exatamente como punições mais severas substituem a palmatória. Foi em relação à humilde estatura da infância que tu, nosso Rei, recomendaste como um emblema de humildade, quando declaraste: "Pois o Reino dos céus pertence aos que são semelhantes a elas [as crianças]" (Mt 19.14).

31 No entanto, Senhor, a ti, criador e governante do universo, excelentíssimo e boníssimo, graças seriam devidas a ti que és nosso Deus, mesmo que me houvesses destinado a viver somente a infância. Pois até nessa época eu existi, vivi e senti; e tendo sobre mim uma providência divina de bem-estar, um traço milagroso daquela Unidade de onde eu provinha, preservei por meio de um sentimento íntimo as integridades dos sentidos, e nessas pequenas buscas e em meus pensamentos sobre coisas pequenas aprendi a deleitar-me na verdade, detestava ser enganado, tinha uma poderosa memória, o dom de discursar em público e o incentivo da amizade, evitava a dor, a baixeza e a ignorância. Numa criatura tão pequena, isso tudo não era maravilhoso, não era admirável? Mas tudo são dádivas do meu Deus. Não fui eu quem as deu a mim mesmo. São coisas boas, e o conjunto delas são o que sou. Bom é, portanto, quem me criou, e ele constitui o meu bem; e diante dele exultarei por todos os bens que tive na meninice. Pois foi por meu pecado que procurei, não nele, mas em suas criaturas — em mim mesmo e em outras — prazeres, honras, verdades, e assim mergulhei em tristezas, conflitos, erros. Graças sejam dadas a ti, minha alegria e minha glória e minha confiança, meu Deus, graças sejam dadas a ti por tuas dádivas; mas preserva-as em mim. Assim tu me preservarás, e os dons que me deste serão aumentados e aperfeiçoados, e eu mesmo estarei contigo, porque a própria existência eu recebi de ti.

Livro 2

1 Vou agora rememorar meu passado desonesto e a corrupção carnal de minha alma: não porque eu gosto dela, mas para que possa amar-te, ó meu Deus. Por amor a ti é que o faço: examinando meus perversos caminhos provo a própria amargura da rememoração, para que tu possas tornar-te doce para mim (tu que és doçura que nunca falha, doçura abençoada e garantida); juntando novamente forças para sair daquela libertinagem, onde me encontrava dilacerado, enquanto me afastava de ti, o único Bem, eu me perdia em meio a um turbilhão de coisas a meu redor. Pois antes, na minha juventude, até ansiei com ardor envolver-me em atividades infernais; ousei fazer novas loucuras, com vários amores escusos: minha beleza se consumia, e aos teus olhos eu era repugnante. Agradava a mim mesmo e só queria agradar aos olhos dos homens.

2 E no que é que eu me comprazia, senão em amar e ser amado? Mas eu não respeitei a medida do amor, ou seja, os claros limites da amizade espiritual; e da concupiscência da carne e ardores da juventude formaram-se pestilentos vapores que obscureceram e toldaram meu coração, de modo que eu não distinguia o claro brilho do amor da névoa da lascívia. As duas coisas ferviam confusas dentro de mim e impeliam minha fraca juventude para o precipício de ímpios desejos e me afundavam no abismo da vergonha. Tua ira se acumulava sobre mim, e eu não sabia. Estava surdo devido ao estrépito da corrente da mortalidade, o castigo do orgulho de minha alma, e perdido me distanciava de ti, e tu me deixavas só, e eu era jogado de um lado para outro, enfraquecido e devasso, fervendo em minhas fornicações, e tu te mantinhas calado, ó minha tardiamente descoberta alegria! Tu então te mantinhas calado, e eu me afastava cada vez mais de ti, cada vez mais me afundando em sementeiras de tristezas, provando uma orgulhosa melancolia e um agitado cansaço.

3 Quem me dera alguém tivesse moderado minha confusão e avaliado as fugazes belezas desses que são os pontos extremos de tua criação! Ah, se alguém tivesse estabelecido um limite aos prazeres delas, para que assim as ondas de minha juventude, se não pudessem ser acalmadas, pelo menos fossem se quebrar no litoral do casamento, mantendo-se no âmbito do objetivo da família, de acordo com tuas leis, ó Senhor. Desse modo tu formas a descendência desta nossa mortalidade, podendo assim com mão delicada abrandar os espinhos, que não cabem no teu paraíso. Pois tua onipotência não está longe de nós, mesmo quando estamos longe de ti. Eu deveria ter ouvido mais atentamente a voz provinda das alturas: "Mas aqueles que se casarem enfrentarão muitas dificuldades na vida, e eu gostaria de poupá-los disso" (1Co 7.28). E "é bom que o homem não toque em mulher" (v. 1). E "o homem que não é casado preocupa-se com as coisas do Senhor, em como agradar ao Senhor. Mas o homem casado preocupa-se com as coisas deste mundo, em como agradar sua mulher" (v. 32-33).

4 A essas palavras eu devia ter prestado ouvidos mais atentos, e, sendo separado "por causa do Reino dos céus" (Mt 19.12), teria aguardado com mais alegria teus abraços. Mas eu, pobre infeliz, espumejava mais que um mar agitado, seguindo o ímpeto de minha maré, esquecendo-me de ti, e ultrapassava todos os limites. No entanto, não me livrava de teus açoites. Pois que mortal consegue isso? Tu eras misericordiosamente rigoroso comigo, salpicando todos os meus prazeres ilícitos com a mais amarga repugnância, para que eu pudesse procurar prazeres sem sentir repugnância. Mas eu não sabia onde encontrá-los, a não ser em ti, ó Senhor, tu que educas com a dor, e nos feres para nos curar, e nos matas para que não morramos longe de ti. Onde estava eu e quanto me distanciei em meu exílio dos deleites de tua casa, naquele 16º ano de minha vida corporal,

quando a loucura da lascívia (totalmente liberada pelo abuso da liberdade, mas sem a liberação de tuas leis) passou a me governar, e eu de todo me submeti a ela? Meus amigos enquanto isso de modo algum se preocupavam em me ver casado para livrar-me da queda. A única preocupação deles era a de que eu adquirisse um grau de excelência na arte de falar em público e me tornasse um orador convincente.

5 Naquele ano meus estudos foram interrompidos, durante um período em que, depois de meu retorno de Madaura, cidade vizinha para onde me havia deslocado a fim de aprender gramática e retórica, as despesas para minha outra viagem, agora para Cartago, estavam sendo providenciadas; isso mais graças à determinação do que ao poder aquisitivo de meu pai, que era apenas um cidadão comum de Tagaste com escassas posses. A quem digo isso? Não a ti, meu Deus; mas, diante de ti, aos meus semelhantes, exatamente aquela reduzida porção da humanidade que porventura venha a ler estes meus escritos. E para que propósito? Para que o leitor possa conceber de que "profundezas clamo a ti, Senhor" (Sl 130.1). Pois o que mais se aproxima de teus ouvidos do que um coração que se confessa e uma vida de fé? Quem não exaltaria meu pai pelo fato de, indo além da capacidade de seus meios, prover seu filho com todas as necessidades para uma longa viagem só para estudar? Pois muitos cidadãos muito mais abonados não faziam semelhante coisa por seus filhos. E, no entanto, esse mesmo pai não tinha preocupação nenhuma em relação a como eu crescia diante de ti, ou ao grau de minha castidade, desde que eu fosse fluente em meus discursos, por mais estéril que fosse em tua cultura, ó Deus, que és o único verdadeiro e bom Senhor do teu campo, o meu coração.

6 Mas enquanto durante o meu 16º ano de vida eu morava com meus pais, afastado por um tempo de toda atividade escolar (um período de ociosidade exigido pela escassez das economias da família), os espinhosos arbustos de meus desejos impuros se adensaram em minha mente, e não havia mão nenhuma para arrancá-los. Quando meu pai me viu frequentando os banhos públicos, agora que eu estava me tornando um homem, no vigor de uma agitada juventude, ele, como se já estivesse antevendo seus netos, com prazer contou o que viu à minha mãe. Ele exultava naquele tumulto dos sentidos em que o mundo se esquece de ti, seu Criador, e se apaixona não por ti, mas pelas tuas criaturas, graças às emanações daquele vinho invisível de sua teimosia, desviando-se do caminho e inclinando-se para o que há de mais vil. Mas no peito de minha mãe tu já havias começado a construir teu templo e o fundamento de tua habitação, ao passo que meu pai ainda era catecúmeno, e catecúmeno recente. Ela, porém, era movida por um santo temor e tremor; e embora eu ainda não fosse batizado, temia ao me ver trilhando aqueles tortuosos caminhos, seguidos por aqueles que voltam para ti "as costas e não o rosto" (Jr 2.27).

7 Ai de mim que ouso dizer que tu ficavas calado, ó meu Deus, enquanto eu cada vez mais me afastava de ti! Tu então de fato te mantinhas calado? E de quem eram, se não tuas, estas palavras que por meio de minha mãe, tua fiel serva, cantavas aos meus ouvidos? Nenhuma delas penetrava no meu coração, para que eu as pusesse em prática. Pois eu me lembro em meu íntimo com que ansiedade ela me advertia expressando seu desejo de que eu "não cometesse nenhuma fornicação, mas especialmente de que não desonrasse nenhuma mulher casada". Essas me pareciam ser advertências típicas de mulheres que, se obedecidas, haveriam de me fazer corar. Mas elas eram tuas, e eu não sabia: e eu pensava que tu estavas calado e que era ela que falava. Por meio dela tu não te calavas para mim, e nela tu foste desprezado por mim, filho dela, "teu servo, filho de tua serva" (Sl 116.16). Mas eu não sabia e mergulhava de cabeça num estado de tal cegueira que entre meus colegas tinha vergonha de não ser sem-vergonha quando os ouvia vangloriar-se de suas sem-vergonhices. Sim, e quanto mais se vangloriavam, mais se degradavam; e eu me comprazia não apenas com os feitos, mas com os elogios que eles recebiam. O que merece desaprovação, se não for o vício? Mas eu me mostrava pior do que era para não ser desaprovado; e quando em algum ponto eu não havia pecado como os perdidos, eu dizia que fizera o que não fizera, para não parecer desprezível na medida em que era inocente; ou menos importante por ser mais casto.

8 Eis em que companhias eu andava pelas ruas da Babilônia e chafurdava em sua lama como se me deitasse num leito perfumado com unguentos preciosos! E para que eu pudesse aderir mais firmemente até o fundo, o inimigo invisível pisava sobre mim e me seduzia, pois eu era presa fácil da sedução. Tampouco minha mãe carnal, que já "havia fugido do centro da Babilônia" (Jr 51.6), mas ainda era lenta em relação a outros aspectos desse antro, em seus conselhos sobre a castidade, depois de dar ouvidos ao marido a meu respeito, me impunha restrições ao amor fora dos limites do casamento, se esse mal não pudesse ser cortado pela raiz, o que ela considerava nocivo no presente e perigoso para o futuro. Ela não se preocupava com isso, pois temia que uma esposa se tornasse para mim um empecilho e atrapalhasse meus sonhos. Não os sonhos para o mundo por vir, que minha mãe depositava em ti, mas a esperança de minha erudição, que meu pai e minha mãe tanto desejavam que eu obtivesse: meu pai, porque praticamente não pensava em ti, e a meu respeito só nutria desejos vãos; minha mãe, porque ela calculava que os cursos normais da aprendizagem não só não seriam um empecilho, mas até me fariam avançar em direção a ti. Essa é que era a disposição de meus pais em relação a mim, segundo o meu melhor modo de entendê-la. As restrições, enquanto isso, foram relaxadas, ficando num nível abaixo da moderação desejável. Eu podia passar meu tempo me divertindo, isso mesmo, entregando-me a qualquer libertinagem desejada. Sobre tudo isso pairava uma névoa que me separava de ti, ó meu Deus, que és o fulgor da verdade; "do meu íntimo brotava a maldade" (Sl 73.7).

9 O furto é punido por tua lei, ó Senhor, a lei inscrita no coração dos homens, que nem a própria iniquidade consegue apagar. Pois que ladrão tolera outro ladrão? Nem mesmo um ladrão rico suporta outro que roube por necessidade. No entanto, eu quis furtar, e furtei, levado não pela fome, nem pela pobreza, mas por uma abundância de bem-estar e uma fartura de iniquidade. Pois do que furtei eu tinha o suficiente e de melhor qualidade. Tampouco me importava desfrutar o que furtei, mas exultei no furto e no pecado em si. Havia uma pereira ao lado de nosso vinhedo, carregada de frutas que não provocavam nenhuma tentação nem por sua cor nem por seu gosto. Juntamente com alguns jovens amigos lá fui eu sacudir a pereira e roubar peras, a altas horas da noite (depois de, segundo nosso perverso costume, ter prolongado nossa diversão pelas ruas até então). Levamos uma quantidade enorme de peras, não para comê-las, mas para jogá-las aos porcos depois de mal as haver provado. Fizemos isso só pelo gosto de fazer o que era proibido. Eis meu coração, meu Deus, eis meu coração, do qual tu te compadeceste quando ele estava no fundo do poço sem fundo. Permite agora que ele te diga o que viu lá, para eu agir perversamente sem nenhum propósito, sem nenhuma tentação para a prática do mal, exceto o próprio mal em si. Aquilo era ilícito, e eu gostei. Gostei de perecer, gostei de meu próprio erro, mas apenas do erro em si. Alma ignóbil, caindo do teu firmamento para a completa destruição, não procurando alguma coisa que provocasse vergonha, mas a própria vergonha em si mesma!

10 Pois há uma atração exercida por belos corpos, pelo ouro e pela prata e por todas as coisas. E há uma grande afinidade no toque físico, e os sentidos se satisfazem harmonizando-se entre si. A honra mundana também tem seu encanto, bem como o poder de vencer e dominar os outros. Dali também nasce a sede de vingança. Contudo, não podemos nos afastar de ti, ó Senhor, para conseguir esses objetivos, tampouco podemos abandonar a tua lei. Também a vida que vivemos neste mundo tem seus encantos, dentro da proporção que lhe é peculiar, e há uma correspondência entre todas as coisas belas aqui embaixo. A amizade humana também se liga mediante um vínculo atraente, devido à unidade formada por muitas almas. No que diz respeito a todas essas coisas, e outras semelhantes, comete-se o pecado, quando, por uma inclinação desregrada para esses bens de ordem inferior, o que é melhor e mais elevado é esquecido — tu, nosso Senhor Deus, tua verdade e tua lei. Pois essas coisas inferiores têm seus encantos, mas não como o meu Deus, que tudo criou. Pois "nele se alegram os justos e com ele se congratulam todos os retos de coração" (Sl 64.10).

11 Então, quando indagamos o motivo de um crime, não acreditamos na explicação se não parecer ter havido algum intento de se conseguir algum daqueles bens que chamamos de inferiores ou algum temor de perdê-lo. Pois esses bens são belos e atraentes, mesmo que, quando comparados com os abençoados bens superiores, sejam inferiores e vis. Um homem matou outro homem. Por quê? Ele gostava da mulher dele ou de sua propriedade; ou roubou para o seu próprio sustento; ou ele temia que o outro o privasse de alguma coisa; ou, vítima de uma injustiça, ardia nele o desejo de vingança. Alguém cometeria um crime sem nenhum motivo, pelo simples prazer de matar? Quem acreditaria nisso? Pois, como aconteceu com aquele furioso selvagem, de quem se diz que era insensatamente mau e cruel, no entanto a causa de seu crime foi explicitada: "Para evitar que", disse ele, "entregues ao ócio, suas mãos e seu coração ficassem inativos".[1] E para que finalidade? Para que, pela prática do crime, ele pudesse, depois de tomar a cidade, conseguir honrarias, um império, riquezas e sentir-se livre do medo das leis e livrar sua mente atribulada das necessidades domésticas e da consciência de suas atrocidades. Assim, portanto, nem mesmo o próprio Catilina gostava de seus crimes em si, mas gostava de alguma outra coisa, que o levava a praticá-los.

12 Que foi então que eu, ser infeliz, tanto amei em você, furto meu, você que é um ato de cegueira, naquele meu 16º ano

---

[1] SALÚSTIO, *Bellum Catilinae*, cap. 16.

de vida? Belo não era, porque era furto. Mas será que é alguma coisa para que eu fale com você? Belas eram as peras que roubamos, porque eram criação tua, tu que és o mais belo de todos, Criador de tudo; tu, bom Deus; Deus, o soberano bom e meu verdadeiro bem. Belas eram aquelas peras, mas não eram elas que a minha alma infeliz desejava; pois eu tinha muitas e melhores, e aquelas eu peguei só para poder roubar. Depois de roubadas, eu as joguei fora; meu único prazer no ato estava no pecado com o qual me diverti. Se eu levasse alguma daquelas peras à boca, o que a tornaria doce era o pecado. E agora, ó Senhor meu Deus, eu pergunto o que me deu prazer naquele furto; e vejo que ele não tem beleza nenhuma; quero dizer, não tem aquela beleza que existe na justiça e na sabedoria; que existe na mente e na memória, nos sentidos e na vida animal do homem. Nem existe naquele ato a beleza própria das estrelas que são esplêndidas e belas em suas órbitas; a beleza própria da terra, ou do mar, repletos de vida embrionária, que ao nascer substitui a que se deteriora. Não, nem sequer a falsa e vaga beleza própria dos vícios enganadores.

13 Pois assim o orgulho imita a sublimidade; ao passo que somente tu és Deus, sublime acima de tudo. A ambição, o que busca ela, senão honrarias e glória? Ao passo que somente tu és honrado acima de tudo e eternamente glorioso. A crueldade dos grandes deseja ser temida. Mas quem deve ser temido, a não ser somente Deus? Do poder dele o que pode ser apanhado ou retirado? Quando, onde, para onde, por quem? Os carinhos do desejo libertino querem ser considerados amor. No entanto, nada é mais carinhoso que a tua caridade; e não existe nenhum objeto amado que seja mais salutar que a tua verdade, brilhante e bela acima de todas as coisas. A curiosidade pretende ser um desejo de conhecimento, ao passo que tu conheces todas as coisas no grau mais alto. Sim, a ignorância e a própria loucura se vestem com o nome de simplicidade e inocência, mas nada existe mais simples que tu; ninguém é inocente como tu. Assim, é por suas próprias obras que o pecador é prejudicado. Sim, a preguiça procura descansar; mas que descanso estável existe além do Senhor? A luxúria deseja ser chamada de profusão e abundância; mas tu és a plenitude e a abundância inesgotável de prazeres incorruptíveis. A prodigalidade lança uma sombra da generosidade; mas tu és o mais exuberante Doador de todo o bem. A cobiça deseja possuir muitas coisas; e tu possuis todas as coisas. A inveja compete com a excelência; o que há de mais excelente do que tu? A raiva quer vingança; quem se vinga mais justamente do que tu? O medo se retrai diante de coisas inesperadas e repentinas, que põem em perigo aquilo que amamos e se previne para dar-lhes segurança; mas para ti o que existe de inesperado ou repentino, ou quem te separa do que tu amas? Ou onde existe segurança inabalável, se não for em ti? A dor da perda chora as coisas perdidas, que eram fontes de prazer, porque nada se queria perder, assim como nada pode ser tirado de ti.

14 Assim, a alma comete um ato de fornicação quando se afasta de ti e longe de ti procura o que ela descobre não ser puro ou imaculado, até que a ti ela volte. Assim, todos os homens que de ti se afastam perversamente te imitam e contra ti se insurgem. Mas mesmo imitando-te desse modo, eles implicitamente declaram que tu és o Criador de toda a natureza; por isso não existe nenhum lugar para onde alguém possa se afastar completamente de ti. Que foi então que eu amei naquele furto? E em que ponto eu de modo corrupto e perverso imitei o meu Senhor? Será que até mesmo no ato de furtar eu quis agir contra a tua lei, já que não podia fazê-lo pela força? Será que, sendo prisioneiro, eu tentei imitar uma liberdade deformada fazendo impunemente coisas que não me são permitidas, numa sombria semelhança à tua onipotência? Eis teu servo fugindo de seu Senhor e conquistando uma sombra. Ó podridão! Ó vida monstruosa e abismo de morte! Seria eu capaz de gostar do que não devia gostar, só porque não devia?

15 "Como posso retribuir ao Senhor" (Sl 116.12), pelo fato de minha alma não sentir medo dessas coisas enquanto as rememoro? "De todo o meu coração te louvarei, Senhor, meu

Deus; glorificarei o teu nome para sempre" (Sl 86.12); porque tu me perdoaste esses meus graves e horríveis feitos. À tua graça e à tua misericórdia eu atribuo tua liquefação dos meus pecados como se fossem de gelo. À tua graça também atribuo tudo o que não fiz de mal; pois o que não poderia ter feito eu que até amei o pecado só por ser pecado? Sim, eu confesso que tudo me foi perdoado: tanto os males que cometi deliberadamente quanto aqueles que por tua orientação não cometi. Que tipo de homem é aquele que, ponderando sua própria fraqueza, ousa creditar sua pureza e inocência à sua própria força, para assim amar-te menos, como se menos precisasse da tua misericórdia, por meio da qual tu perdoas os pecados daqueles que se voltam para ti? Eu peço que aquele que, chamado por ti, seguiu a tua voz e evitou as coisas que me ouve rememorar e confessar a meu respeito não me despreze em minha enfermidade se ele, graças à intervenção daquele Médico, não adoeceu, pelo menos não tão gravemente como eu. Por esse fato, que ele te louve igualmente, melhor, ainda mais, porque por aquele que me resgatou das profundezas do pecado ele foi poupado de pecar e afundar-se.

16 "Que fruto colhi então eu (pobre homem!) das coisas das quais agora, lembrando, me envergonho" (Rm 6.21)? Especialmente, daquele furto de que gostei simplesmente por ser um furto; aquilo não era nada e, portanto, mais miserável ainda sou eu que gostei daquilo. No entanto, sozinho, eu nunca o teria praticado. Eu me lembro de que eu era assim. Sozinho não teria feito aquilo. Naquele ato, também gostei da companhia de meus colegas, com quem o pratiquei. Então não amei nada mais do que o furto, pois aquela circunstância da companhia também não era nada. Que verdade há nela? Quem pode me ensinar, a não ser aquele que ilumina meu coração e descobre seus escuros recônditos? O que é isso que me ocorre indagar, discutir e ponderar? Pois se eu na época gostasse das peras que roubei e quisesse saboreá-las, poderia ter feito aquilo sozinho: o simples ato do furto teria sido suficiente para conseguir meu prazer, e eu não teria precisado que o prurido do desejo fosse inflamado pela instigação de meus cúmplices. Mas uma vez que meu prazer não estava naquelas peras, ele estava na ofensa em si, que a companhia de meus colegas de pecado ocasionou.

17 O que foi então aquele sentimento meu? Foi, na verdade, um sentimento muito vil: e ai de mim que o tive. Mas, mesmo assim, o que era? "Quem pode discernir os próprios erros" (Sl 19.12)? Foi a brincadeira que, por assim dizer, estimulou nosso coração, de modo que ríamos daqueles que não acreditavam que fôssemos capazes de fazer aquilo e muito se ressentiam do delito. Por que nesse caso meu prazer era de tal natureza que eu não faria aquilo sozinho? Por que de modo geral ninguém se ri sozinho? De modo geral não, mas às vezes o riso domina quem está completamente a sós, sem absolutamente ninguém por perto, se alguma coisa ridícula se apresenta aos sentidos ou à mente. Todavia, eu não fizera aquilo sozinho. Sozinho eu nunca, jamais o teria feito. Eis, meu Deus, diante de ti, a vívida recordação de minha alma. Sozinho, eu nunca teria cometido aquele furto, no qual roubei o que não me agradava, mas roubei. Eu não teria prazer em fazer aquilo sozinho, e não o faria. Ó amizade por demais inimiga! Tu, incompreensível sedutora da alma; tu, ganância da prática da maldade por divertimento e diversão; tu, sede de perda alheia, sem nenhum desejo meu de lucro ou vingança! Mas quando alguém diz "Vamos, vamos nessa!", a gente sente vergonha de não ser sem-vergonha.

18 Quem sabe desembaraçar esse intrincado emaranhado de nós? Ele é repugnante: detesto pensar nele, examiná-lo. Mas a ti eu quero, ó minha Justiça e Inocência, bela e agradável a todos os olhos puros e causadora de uma satisfação insaciável. Em ti há descanso completo e vida imperturbável. Todo aquele que entra em ti participa "da alegria do seu senhor" (Mt 25.21), e não temerá e se sairá perfeitamente bem na presença do Sumo Bem. Nos dias da juventude, eu me afastei de ti e vaguei, ó meu Deus, muito perdido longe de ti, meu suporte, nos dias da juventude e tornei-me para mim mesmo uma terra estéril.

Livro 3

1 Para Cartago eu vim, onde por tudo ao redor borbulhava aos meus ouvidos o fervilhar de amores impuros. Eu ainda não amava, mas amava amar, e devido a uma profunda carência, eu me detestava por desejar pouco. Enamorado pelo amor, eu procurava o que pudesse amar e tinha aversão pelo caminho da segurança desprovido de ciladas. Sentia em mim uma fome de alimento interior, que és tu mesmo, meu Deus; contudo, em meio àquela penúria, eu não tinha fome; não sentia o desejo do alimento incorruptível, não porque estivesse bem alimentado, mas porque quanto mais vazio eu ficava, mais o detestava. Por causa disso, minha alma estava enferma e cheia de feridas; ela se atirava, desejando arranhar-se no contato com os objetos dos sentidos. No entanto, se esses não tinham uma alma, não eram objetos do amor. Então, amar e ser amado era para mim algo agradável; mais ainda quando eu conseguia obter o prazer da pessoa amada. Eu profanava, portanto, a fonte da amizade com a sujeira da concupiscência e obscurecia seu brilho com o inferno da lascívia. E assim, sujo e indecoroso, num excesso de vaidade, eu fingia ser delicado e cortês. Mergulhei de cabeça no amor, e ali queria ser iludido. Meu Deus, minha misericórdia, com quanto fel tu aspergiste aquelas doçuras para o meu bem! Pois eu era amado e secretamente assumi o vínculo do desfrute; e o prazer me prendeu com dolorosas cadeias de ferro, de modo que pudesse ser castigado com os açoites do ciúme, da suspeita, do temor, da raiva e das discussões.

2 Também me emocionavam os espetáculos do teatro, repletos de imagens da minha miséria e de combustível para o meu fogo. Por que o ser humano deseja sentir-se triste, observando situações dolorosas e trágicas, que ele mesmo de modo algum gostaria de viver? No entanto, como espectador, ele deseja sentir-se triste diante delas, e esse mesmo sentimento de tristeza constitui o seu prazer. Que é isso senão mísera tristeza? Pois quanto mais o espectador se comove diante dessas situações, tanto menos livre será diante desses sentimentos. De qualquer forma, quando ele sofre em sua própria carne, aquilo é chamado miséria; quando ele se compadece de outros, então é misericórdia. Mas que espécie de compaixão é essa por paixões fingidas e teatrais? O espectador não é chamado a ajudar aos outros, mas apenas a afligir-se. E quanto mais ele aplaude o ator dessas ficções, tanto mais ele se aflige. E se as calamidades daquelas pessoas (sejam da antiguidade, sejam da mera ficção) são representadas de tal forma que o espectador não se comove até as lágrimas, ele vai para casa aborrecido e criticando o que viu. Mas se ele sentir uma profunda tristeza, tem sua atenção presa e chora de prazer.

3 Será então que a tristeza é amada demais? Realmente, todo mundo deseja a alegria. Ou será que, embora ninguém goste de se sentir infeliz, as pessoas têm prazer em serem misericordiosas? Será que as tristezas são amadas pelo simples fato de não poderem ser desprovidas de paixão? Isso também brota daquela veia da amizade. Mas para onde conduz esse canal? Para onde flui? Por que se precipita naquele torrencial abismo, provocando aquela monstruosa maré de sórdida concupiscência, na qual a amizade deliberadamente se altera e se transforma, sendo por sua própria vontade corrompida e precipitada para longe de sua pureza celestial? Deve-se então abandonar a compaixão? De modo algum. Que as tristezas sejam ocasionalmente amadas. Mas cuidado com a impureza, ó minha alma; sob a guarda do meu Deus, o "Deus de nossos pais, digno de louvor e sumamente glorificado para sempre", evite a impureza (Dn 3.52, BJ). Eu não deixei de sentir compaixão. Mas então, nos teatros, eu me alegrava com os amantes que de modo perverso se alegravam desfrutando-se entre si, embora aquilo fosse apenas um fingimento teatral. E quando um perdia o outro, como se estivesse muito compadecido,

eu lamentava com eles. Meu prazer, porém, ia nos dois sentidos. Mas agora eu lamento muito mais aquele que se alegra em sua maldade do que aquele que supostamente sofre uma adversidade ao ver-se privado de algum prazer pernicioso e de alguma alegria desprezível. Esta é certamente a misericórdia mais verdadeira; mas nela a tristeza não se deleita. Pois embora quem se compadece do miserável mereça elogios por seu ato de caridade, quem sente uma genuína compaixão deveria preferir que não houvesse nenhum motivo para se compadecer. Pois se o bem for perversamente desejado (o que é impossível), então é possível que aquele que é verdadeira e genuinamente compassivo deseje que haja alguns desafortunados a fim de que ele possa mostrar-lhes compaixão. Alguma tristeza pode, portanto, ser permitida; nenhuma amada. Pois tu, Senhor Deus, que amas as almas muito mais puramente do que nós e tens por elas uma compaixão mais incorruptível; tu, no entanto, não és ferido por nenhuma tristeza. "Mas quem está capacitado para tanto?" (2Co 2.16).

4 Mas eu, lamentavelmente, gostava então da tristeza e procurava o que pudesse me entristecer. Naquela época, na tristeza imaginária de outro, a representação teatral que mais me agradava e me atraía de modo irresistível era a que me arrancava lágrimas. Deveria surpreender o fato de eu, uma ovelha infeliz, desgarrada do teu rebanho e sem paciência para suportar tua guarda, ter contraído uma enfermidade repugnante? E daí meu gosto pelo sofrimento, não daquele que me atingisse profundamente, pois eu não gostava de sofrer o que gostava de contemplar. Gostava daquele sofrimento que podia ver representado em ficções que me arranhassem levemente na superfície; aquele sofrimento que, como acontece em casos de arranhões de unhas envenenadas, era seguido por inchaços inflamados, abscessos e feridas purulentas. Minha vida, sendo assim, era vida, ó meu Deus?

5 E tua fiel misericórdia pairava a distância sobre mim. Em que graves iniquidades eu me consumia, correndo atrás de uma curiosidade sacrílega que, tendo-me eu esquecido de ti, poderia

ter-me levado a um traiçoeiro abismo e ao serviço enganador de diabos, a quem eu sacrificava minhas perversas ações. E em todas essas coisas tu me castigavas! Cheguei a ousar, durante a celebração de tuas solenidades dentro dos muros de tua Igreja, a desejar e a maquinar uma ação por seus frutos digna de morte, e por isso me impuseste sérias punições, embora nada fossem em relação à minha falta, ó tu que és minha suma misericórdia, meu Deus, meu refúgio contra aqueles terríveis perigos, entre os quais eu teimava em caminhar, afastando-me cada vez mais de ti, gostando do meu jeito de agir, e não do teu, amando minha liberdade de andarilho.

6 Também aqueles estudos, considerados recomendáveis, visavam uma atuação excelente nos tribunais: os mais elogiados eram os mais astutos. Essa é a cegueira dos homens, que até nela se vangloriam. Eu era agora um bom aluno na escola de retórica, o que me deixava feliz e orgulhoso e inflado de vaidade, embora, Senhor, tu o sabes, eu me mantivesse muito mais calmo e inteiramente afastado da ação corrosiva daqueles "destruidores" — esse nome diabólico e de mau agouro era sua própria insígnia de nobreza — entre os quais eu vivia, sentindo uma desavergonhada vergonha de não ser como eles. Com eles convivia e às vezes me comprazia com sua amizade, embora detestasse seus atos, isto é, suas "destruições". Maliciosamente zombavam da modéstia dos novos alunos e os perturbavam com suas chacotas gratuitas, alimentando com isso sua maldosa diversão. Nada poderia parecer-se mais com a atividade do diabo do que isso. Nem poderia haver um nome mais adequado para identificá-los do que "destruidores". Eles mesmos eram os primeiros subvertidos e totalmente pervertidos pelos espíritos enganadores que secretamente os seduziam e se riam deles naquilo de que eles mesmos gostavam de zombar e fazer para enganar os outros.

7 Entre pessoas assim, naquela idade agitada de minha juventude, estudava obras sobre eloquência, atividade em que desejava ser eminente, motivado por uma finalidade condenável e vangloriosa, um prazer da vaidade humana. Durante o curso comum de estudos, descobri um livro de Cícero, cujo discurso todos admiravam, mas não seu espírito. Esse livro intitulado *Hortensius* contém uma exortação ao estudo da filosofia que alterou meus sentimentos e direcionou minhas orações para ti, Senhor, e me fez adotar outros objetivos e desejos. Todas as vãs esperanças se tornaram para mim desprezíveis, e eu senti um desejo incrível de uma sabedoria imortal. Começava agora a me pôr de pé a fim de poder voltar a ti. Pois não foi para afiar minha língua (habilidade que eu, naquele meu 19º ano de vida, parecia estar comprando com os subsídios de minha mãe, pois meu pai morrera dois anos antes), não foi para isso que utilizei aquela obra, que não instilou em mim seu estilo, mas sim suas ideias.

8 Como ardia, meu Deus, como ardia em mim naquela época o desejo de alçar-me das coisas terrenas em direção a ti, e eu não sabia o que tu farias comigo! Pois contigo está a sabedoria. Mas o amor pela sabedoria é chamado em grego "filosofia", e foi com a filosofia que aquele livro me inflamou. Há algumas pessoas que usam a filosofia para seduzir, colorindo e disfarçando seus erros sob esse grande, suave e honroso termo. Todos os que na época de Cícero e em tempos anteriores agiram assim nesse livro são denunciados e censurados. Ali também está claro aquele conselho do Espírito Santo, dado por meio de teu bom e dedicado servo: "Tenham cuidado para que ninguém os escravize a filosofias vãs e enganosas, que se fundamentam nas tradições humanas e nos princípios elementares deste mundo, e não em Cristo. Pois em Cristo habita corporalmente toda a plenitude da divindade" (Cl 2.8-9). E uma vez que naquele tempo (tu, ó luz do meu coração, o sabes) eu desconhecia os escritos do apóstolo [Paulo], encantei-me com aquela exortação [de Cícero], mas só na medida em que ela me despertou, entusiasmou, inflamou para amar, buscar, conseguir, adotar e abraçar não esta ou aquela seita, mas a sabedoria em si, o que quer que ela fosse. E somente isto me refreou naquele momento de entusiasmo: o nome de Cristo não estava ali presente. Pois

esse nome, segundo tua misericórdia, ó Senhor, esse nome do meu Salvador, teu Filho, meu tenro coração havia devotamente sugado junto com o leite de minha mãe e o havia guardado de maneira profunda em mim. E tudo aquilo que não contivesse esse nome, por mais erudito, elaborado ou verdadeiro que fosse, não me convencia por inteiro.

9 Resolvi então aplicar a minha mente às Sagradas Escrituras, para poder ver o que nelas havia. Mas eis que nelas vejo algo que não é entendido pelos orgulhosos, nem está claro para as crianças, algo despretensioso em seu acesso, mas imponente em seus recessos e velado por mistérios. E eu não estava preparado para entrar ali, ou para abaixar a cabeça e seguir os passos indicados. Pois quando me voltei para aquelas Escrituras não me senti como estou falando agora. Elas me pareciam não merecer nenhuma comparação com a imponência dos escritos de Cícero: meu inflado orgulho se retraía diante da humildade delas, e minha arguta inteligência não conseguia penetrar no seu significado. No entanto, elas eram tais que, numa criancinha, poderiam crescer. Mas eu desdenhava ser uma criancinha, e, inflado de orgulho, considerava-me grande.

10 Por isso, fui parar no meio de pessoas orgulhosamente apaixonadas, excessivamente carnais e tagarelas, em cuja boca estavam as ciladas do diabo, encobertas com uma mistura das sílabas do teu nome, de nosso Senhor Jesus Cristo e do Espírito Santo, o Paracleto, nosso Consolador. Esses termos nunca estavam ausentes de sua boca, mas não eram mais que o som e o ruído da língua, pois o coração estava vazio da verdade. Mesmo assim, eles gritavam "Verdade, Verdade", e me falavam muito dela, mas "a verdade não estava neles" (1Jo 2.4). Proferiam falsidades, não apenas a respeito de ti, que és a Verdade, mas até mesmo a respeito dos elementos deste mundo, criaturas tuas. E de fato eu deveria ter ignorado até mesmo os filósofos que falavam a verdade em relação a elas, por amor a ti, meu Pai, sumamente bom, Beleza de todas as coisas belas. Ó Verdade, Verdade, com quanta intimidade mesmo então a essência da minha alma suspirava por ti, quando eles com frequência e de diversas maneiras, usando muitos e alentados volumes, ecoavam a ti, ainda que aquilo fosse apenas um eco! E esses eram os pratos nos quais a mim, que tinha fome de ti, eles, em vez de ti, serviam-me o sol e a lua, belas obras tuas, mas mesmo assim obras tuas, não tu mesmo, nem tuas obras principais. Pois tuas obras espirituais são mais importantes que essas obras corpóreas, apesar de elas serem celestes e brilhantes. Mas eu não estava sedento nem mesmo dessas tuas obras principais, mas sim de ti mesmo, da Verdade, tu que és "o Pai das luzes, que não muda como sombras inconstantes" (Tg 1.17). Naqueles pratos, porém, eles sempre me serviam coisas cintilantes, que enganam os olhos de nossa mente. Melhor que amá-las seria amar o próprio sol, que pelo menos é real para nossa vista. Todavia, sendo que eu pensava que elas fossem tu, delas me alimentava; não avidamente, não percebia nelas o sabor que tu tens; pois tu não eras essas fantasias ocas, e eu não me sentia nutrido por elas, sentia-me sobretudo exausto. Nos sonhos o alimento se parece muito com o alimento do estado de vigília. Mas os que dormem não se alimentam de nada, pois estão dormindo. Aqueles alimentos, no entanto, em nada se pareciam contigo, com o que tu agora me disseste. Eram fantasias corpóreas, corpos falsos; e estes corpos verdadeiros, celestes ou terrestres, são muito mais evidentes do que aqueles. Estas são coisas que as feras e os pássaros discernem tão bem quanto nós, e elas são mais evidentes do que quando as imaginamos. E nós as imaginamos com mais segurança do que, por meio delas, conjeturamos outros corpos mais vastos e infinitos desprovidos de uma forma concreta de ser. Dessas cascas vazias eu então me alimentava; e elas não me alimentavam. Mas tu, amor de minha alma, por quem "meus olhos fraquejam de tanto esperar" (Sl 69.3), para que possa me fortalecer, não és nem os corpos que vemos, embora eles estejam no céu, nem aqueles que lá não vemos, pois tu os criaste e nem os contas entre tuas maiores obras. Quão longe então tu estás dessas minhas fantasias, fantasias de corpos inexistentes. As imagens dos corpos que existem são mais evidentes, mais evidentes até do que os corpos em si mesmos, mas que não são o que tu és. Não, não são nem mesmo a alma, que é a vida dos corpos. Portanto, se assim é, melhor e mais segura é a vida dos corpos do que os corpos. Mas tu és a vida das almas, a vida das vidas, tendo vida em ti mesmo. E tu não mudas, vida da minha alma.

11 Onde estavas tu em relação a mim, e a que distância? Muito longe eu andava de ti, sem ter acesso nem mesmo às cascas com que eu alimentava os porcos. Pois muito melhores são as fábulas dos poetas e gramáticos do que esses embustes. Os versos e poemas e o "voo de Medeia"[1] são realmente mais úteis do que os cinco elementos dos homens, disfarçados de várias maneiras, correspondendo a cinco antros de trevas, que não têm ser, mas destroem quem neles crê. Pois os versos e poemas eu posso transformar em verdadeiro alimento, e o "voo de Medeia", embora o cantasse, eu nele não acreditava; embora o ouvisse cantado, nele eu não acreditava; mas naquelas coisas [perversas] eu de fato acreditava. Ai de mim! Ai de mim! Quantos degraus desci para chegar às "profundezas da sepultura" (Pv 9.18), labutando e lutando por falta da Verdade, pois eu te procurava, meu Deus (a ti que compadeces de mim, confesso-o: eu ainda não estava arrependido), não de acordo com o entendimento da inteligência, na qual tu quiseste que eu superasse os animais, mas de acordo com o sentimento da carne. Tu eras mais íntimo de mim do que a minha parte mais íntima; e estavas acima da parte mais alta do meu ser. Encontrei por acaso aquela ousada mulher, "insensatez e ignorância" (v. 13), que Salomão representa sentada junto à porta e dizendo: "A água roubada é doce, e o pão que se come escondido é saboroso!" (v. 17). Ela me seduziu, porque encontrou minha alma fora de casa, exposta aos olhos dos sentidos, ruminando o que eu havia devorado.

12 A não ser que seja isso, eu realmente não sei o que é. Fui persuadido, por assim dizer, pela agudeza da inteligência a

---

[1] Ovídio, *Metamorfoses*, livro 7, v. 219-224.

concordar com enganadores insensatos, quando me perguntaram "Onde está o mal?", "Deus está preso a uma forma corpórea, tem cabelos e unhas?", "Devem ser considerados virtuosos os que tiveram muitas esposas ao mesmo tempo, que cometeram assassinatos e sacrificaram criaturas vivas?". Diante dessas perguntas eu, em minha ignorância, me sentia muito angustiado, e afastando-me da verdade, tinha a impressão de estar indo na direção dela, porque ainda não sabia que o mal nada mais era do que a privação do bem, até que uma coisa deixa completamente de existir. Como eu poderia ver isso, se a visão de meus olhos atingia apenas corpos, e a visão da minha mente, apenas um fantasma? E eu não sabia que "Deus é espírito" (Jo 4.24), não alguém que tenha partes dotadas de comprimento e largura, ou cujo ser tivesse uma massa. Pois toda massa é menor em uma de suas partes do que no seu todo: e se ela for infinita, deve ser menor naquela parte que é definida por certo espaço do que em sua infinitude, e assim não está totalmente em toda parte, como o Espírito, como Deus. E o que deveria ser em nós aquilo que nos fazia semelhantes a Deus, aquilo que as Escrituras podiam corretamente dizer que fora criado "à imagem de Deus" (Gn 1.27), eu de todo o ignorava.

13 Tampouco eu sabia que a verdadeira retidão, que não julga segundo os costumes, mas conforme a mais justa lei do Deus onipotente, por meio da qual as condutas de épocas e lugares foram adotadas, de acordo com as épocas e lugares; retidão que entrementes se manteve igual sempre e em toda parte, não sendo uma coisa num lugar e noutro lugar outra coisa; de acordo com a qual Abraão, Isaque, Jacó, Moisés e Davi foram justos, como todos aqueles elogiados pela boca de Deus. Mas esses foram julgados injustos por homens insensatos, procedendo como "qualquer tribunal humano" (1Co 4.3) e medindo segundo seus próprios hábitos mesquinhos todos os hábitos morais de toda a estirpe humana. Como se num arsenal alguém que não conhecesse a função de cada peça cobrisse a cabeça com botas ou tentasse calçar um capacete, e depois se queixasse de que as peças não serviam. Como se, certo dia, quando o comércio fecha à tarde, um homem se zangasse por não ter permissão de abrir seu estabelecimento por tê-lo mantido fechado pela manhã. Como se numa casa alguém observasse um serviçal fazendo algo com que nem mesmo o mordomo não deve se intrometer; ou constatasse algo que é permitido na rua, mas proibido na sala de jantar; ou se zangasse porque na casa de uma família a mesma coisa não é repartida da mesma forma e entre todos. Exatamente assim são os que se queixam depois de ouvir falar de algo que era lícito para homens justos de outrora e hoje não é mais; ou que Deus, por certas razões temporais, ordenou àqueles uma coisa e a estes outra, todos obedecendo à mesma justiça: enquanto observam num homem, no mesmo dia e na mesma casa coisas diferentes adequadas para diferentes membros, e uma coisa outrora lícita, mas não mais lícita após certo tempo; num canto, permitida e até imposta, mas em outro canto com justiça proibida e punida. A justiça é por isso variável ou mutável? Não, mas as épocas que ela preside não fluem de maneira uniforme, porque são épocas. No entanto, os homens vivem "pouco tempo" (Jó 14.1), por isso suas percepções não conseguem harmonizar as causas de coisas de outras épocas e outras nações, das quais eles não têm experiência nenhuma, com estas de que têm experiência, quando num só e mesmo corpo ou dia, numa só e mesma família eles facilmente percebem o que é adequado para cada membro, estação, parte ou pessoa; num caso, eles discordam; num outro, eles concordam.

14 Essas coisas eu não sabia nem observava. Elas incidiam sobre o meu olhar por todos os lados, mas eu não as via. Escrevia poemas, nos quais cada pé não podia ocupar aleatoriamente qualquer lugar, mas tinha seus lugares diferentes em diferentes composições. Tampouco podia empregar o mesmo pé em qualquer metro. Todavia, a própria arte da qual me servia para escrever não tinha princípios diferentes para esses diferentes casos: ela englobava todos num só. Mesmo assim,

eu não percebia como aquela justiça, à qual homens bons e santos obedeceram, realmente continha numa forma só, de modo muito superior e mais sublime, todas as coisas ordenadas por Deus e não variava em parte alguma; embora em épocas diferentes não prescrevesse tudo ao mesmo tempo, mas distribuísse e ordenasse o que era adequado para cada uma delas. E eu, em minha cegueira, censurava aqueles piedosos antepassados não apenas em casos em que eles usaram coisas do presente como sendo ordenadas e inspiradas por Deus, mas também em casos em que eles previam coisas que deveriam acontecer, conforme Deus as revelou a eles.

15 Será possível que em algum tempo e lugar esteja errado este mandamento: "Ame o Senhor, o seu Deus, de todo o seu coração, de toda a sua alma e de todo o seu entendimento; ame o seu próximo como a si mesmo" (Mt 22.37,39)? Portanto, todas aquelas ações erradas que vão contra a natureza devem ser em toda parte e em todas as épocas detestadas e punidas, como aconteceu com os homens de Gomorra: se todas as nações as cometessem, todas seriam culpadas do mesmo crime, pela lei de Deus, que não criou os homens para que eles abusassem uns dos outros. Pois até mesmo aquela permuta que deve existir entre Deus e nós é violada quando a própria natureza, da qual ele é o autor, é manchada pela perversão da concupiscência. Mas aquelas ações que são ofensivas para os costumes dos homens devem ser evitadas de acordo com os costumes das pessoas, de modo que uma coisa convencionada e confirmada, pelos costumes ou leis de uma cidade ou nação, não seja violada ao bel-prazer de ninguém, nativo ou estrangeiro. Pois qualquer parte que não se harmoniza com o todo é ofensiva. Porém, quando Deus ordena que algo seja feito, contrariando os costumes das leis de qualquer povo, mesmo que se trate de algo que nunca tenha sido feito, isso deve ser cumprido; e se foi negligenciado, deve ser restaurado; e mesmo que isso nunca tenha sido estabelecido, deve ser estabelecido agora. Pois se é legítimo para um rei, em seu reino, ordenar o que ninguém antes dele, nem ele mesmo até então, havia ordenado, e obedecer não pode ser considerado contra a lei comum do Estado (pelo contrário, seria ir contra essa lei não obedecer, pois obedecer aos governantes é um consenso geral da sociedade humana), muito mais firmemente devemos obedecer a Deus em tudo o que ordena ele que é o soberano de todas as suas criaturas! Pois assim como nas sociedades dos homens a autoridade maior é obedecida passando por cima da menor, assim Deus deve ser obedecido acima de todos.

16 É isso que acontece em atos de violência nos quais há uma intenção de ferir ou de humilhar por meio de uma linguagem injuriosa. Esses atos podem ser cometidos ou para vingar-se, como no caso de um inimigo contra outro; ou para aproveitar-se de um bem alheio, como no caso de quem assalta um viajante; ou para evitar algum mal, por exemplo, contra alguém que se teme; ou por meio da inveja, como no caso de alguém menos afortunado contra quem é mais afortunado, ou de alguém que se deu bem em algum empreendimento, em relação a quem, estando no mesmo nível, sente medo ou se aflige; ou pelo simples prazer de ver o outro sofrer, como no caso de espectadores de lutas de gladiadores, ou de zombar dos outros e ridicularizá-los. Essas são as principais espécies de iniquidade, que nascem da concupiscência da carne, ou dos olhos, ou do poder. Esses atos podem ser isolados, ou combinados dois a dois, ou todos ocorrendo ao mesmo tempo; e assim os homens praticam o mal contra os três e os sete, aquela "lira de dez cordas" (Sl 144.9), teus dez mandamentos, ó Deus, altíssimo e dulcíssimo. Mas que vergonhosas ofensas podem ser cometidas contra ti, se tu não podes ser manchado? Ou que atos de violência, se não podes ser ferido? Mas tu vingas o que os homens cometem contra si mesmos, de modo que quando pecam contra ti eles ajam perversamente contra sua própria alma, e a própria iniquidade se ilude a si mesma, corrompendo-se e pervertendo a natureza deles, que tu criaste e ordenaste, ou pelo uso excessivo do que é permitido, ou por "paixões vergonhosas", trocando "relações naturais por outras, contrárias à natureza" (Rm 1.26); ou eles se tornam culpados por imprecarem contra ti com seu coração e língua, "resistindo ao aguilhão" (At 26.14); ou quando, rompendo os limites da sociedade humana, eles atrevidamente se divertem com obstinadas maquinações e seitas, em busca de algum objetivo de lucro ou alvo de ofensa. E essas coisas são praticadas quando tu és abandonado, ó fonte de vida, que és o único criador e governador do universo, e por um teimoso orgulho qualquer coisa falsa é escolhida e amada. Assim então, por meio de uma humilde devoção, nós retornamos a ti. E tu nos purificas de nossos maus hábitos, és misericordioso com os que confessam seus pecados, ouves "os gemidos dos prisioneiros" (Sl 102.20) e nos libertas das correntes que nós mesmos criamos, contanto que não ergamos contra ti os chifres de uma falsa liberdade, o que nos vale a perda de tudo devido à ganância de obter mais, mais amando nosso bem pessoal do que a ti, ó Deus de todos.

17 Entre essas ofensas de maldade e violência e tanta iniquidade estão os pecados de pessoas que, numa visão geral, estão progredindo; e por aqueles que sabem julgar corretamente, segundo as regras da perfeição, elas são repreendidas, mas também são elogiadas com base na esperança de frutos futuros, como acontece com o trigo que ainda está brotando. Há algumas coisas que parecem ofensas de desonestidade e violência, mas que não são pecados, porque elas não ofendem a ti, nosso Senhor Deus, nem a sociedade humana. Isso acontece especificamente quando coisas adequadas para certo período são obtidas em benefício de uma vida inteira, e nós não sabemos se isso se deve à ganância; ou se acontece quando há punições, que visam corrigir, impostas pela autoridade constituída, e não sabemos se houve ou não o desejo de prejudicar quem foi punido. Muitas ações, portanto, que aos olhos dos homens são reprováveis, por teu testemunho são aprovadas; e muitas, que foram louvadas pelos homens, são (sendo tu a testemunha) condenadas: porque a aparência da ação, a intenção do agente e as circunstâncias ignoradas da época variam muito. Mas quando tu, de repente, ordenas alguma coisa fora do comum e nunca antes imaginada, sim, embora em alguma outra época tu a proibisses e ainda escondesses a razão da tua ordem, quem duvida de que ela deva ser obedecida, sabendo-se que a sociedade humana justa é aquela que te serve? Mas bem-aventurados são os que conhecem as tuas ordens! Pois todas as coisas praticadas por teus servos visavam ou mostrar algo necessário para o momento presente ou predizer coisas do futuro.

18 Ignorando essas coisas, eu zombava dos teus servos e profetas. E zombando deles, tudo o que eu conseguia era o teu desprezo, e sem o perceber era arrastado passo a passo para aquelas loucuras, a ponto de acreditar que uma figueira chorava quando lhe tiravam os frutos: a árvore mãe derramava leitosas lágrimas. Todavia, se algum santo maniqueu houvesse comido e digerido o figo roubado (colhido por outro, não por sua própria culpa), ele da fruta exalaria anjos, sim, haveria explosões de partículas divinas a cada lamento ou gemido dele em suas orações; e essas partículas do mais alto e verdadeiro Deus teriam ficado presas naquele figo, se não tivessem sido libertadas pelos dentes ou a barriga de algum santo "eleito"! E eu, coitado, acreditava que mais compaixão mereciam os frutos da terra do que os homens para os quais eles foram criados. Pois se um ser humano faminto, que não fosse maniqueu, pedisse comida, aquele bocado que lhe fosse dado pareceria, por assim dizer, merecedor da pena capital.

19 E tu, "das alturas, me estendeste a tua mão e me libertaste" (Sl 144.7), e tiraste minha alma daquela profunda escuridão, enquanto a minha mãe, tua serva, que te é fiel, chorava por mim junto a ti mais do que as mães choram a morte física de seus filhos. Pois ela, mediante a fé e o espírito que recebera de ti, viu a morte na qual eu me encontrava, e tu deste ouvidos a ela, ó Senhor. Tu a ouviste e não desprezaste suas lágrimas que, escorrendo, regavam o chão sob seus olhos em qualquer lugar onde ela orasse. Sim, tu a ouviste. Pois de onde veio aquele sonho com o qual a confortaste, de modo que ela permitiu que eu morasse com ela e me sentasse com ela à mesma mesa, da qual ela havia começado a se afastar, por sua aversão e nojo às blasfêmias do meu erro? Pois ela se viu a si mesma, seguindo uma trilha rígida de fé, e viu um brilhante jovem que, alegre e sorridente, se aproximava dela, enquanto ela se afligia e se sentia oprimida pela dor. Mas ele (desejando instruí-la, como os jovens costumam fazer, e não ser instruído), quis saber quais eram as causas de sua dor e lágrimas constantes. Ela respondeu que chorava minha perdição, e o jovem pediu-lhe que se acalmasse e se desse por satisfeita. Depois disse-lhe para olhar e observar que lá onde ela estava, lá também estava eu. E quando ela olhou, viu-me seguindo a mesma trilha de fé. De onde veio isso, se não foi do fato de teus ouvidos estarem inclinados para o coração dela? Ó tu, Deus onipotente, que cuidas de cada um de nós, como se cada um fosse o único; e assim ages com todos, como se todos fossem apenas um!

20 De onde também veio este fato, de quando ela me contou sua visão, e eu tentei distorcer seu significado dizendo que "ela não devia perder a esperança de um dia vir a ser o que eu era", ela imediatamente, sem hesitar, replicou: "Não, pois não me foi dito 'Onde ele está, tu também estás', mas 'Onde tu estás, ele também está'"? Eu te confesso, ó Senhor, que, de acordo com o que lembro melhor (e muitas vezes tenho falado disso), aquela tua resposta, por meio de minha mãe acordada — o fato de ela não ficar perplexa diante da plausibilidade de minha falsa interpretação e de ter tão rapidamente visto o que se devia ver, e eu certamente não o havia percebido antes de sua resposta — naquele exato momento me impressionou mais do que o próprio sonho, que vaticinou uma grande alegria para consolo daquela santa mulher em sua aflição presente, vaticínio que muito tempo depois se concretizou. Quase nove anos se passaram, durante os quais chafurdei na lama daquele profundo abismo, nas trevas da falsidade, tentando muitas vezes me levantar, mas sendo ainda mais violentamente empurrado para baixo. Mas durante todo esse tempo aquela viúva casta, pia e sóbria (exatamente do teu gosto), agora mais alegre devido à esperança, mas mesmo assim sem diminuir seu pranto e lamentação, intercedia sem cessar em todas as suas horas de devoção para queixar-se a ti da minha situação. E suas orações a ti clamavam "dia e noite" (Sl 88.1); e no entanto tu permitias que eu ainda ficasse e me revolvesse naquela escuridão.

21 Tu me deste, enquanto isso, outra resposta, que rememoro, embora haja muitas coisas que omito, correndo em direção àquilo que mais desejo confessar a ti, e muitas coisas de que não me lembro. Tu deste a ela outra resposta, por meio de um dos teus sacerdotes, certo bispo criado dentro de tua Igreja e muito versado em teus livros. Quando essa mulher lhe suplicou que ele concordasse em conversar comigo, para refutar meus erros, dissuadindo-me de ideias perversas e ensinando-me coisas boas (pois isso ele com frequência fazia, quando encontrava pessoas preparadas para ouvi-lo), ele, sabiamente, se recusou, como eu depois percebi. Pois respondeu que eu era ainda incapaz de receber ensino por estar inflado com a novidade da heresia e por eu já ter confundido várias pessoas despreparadas com perguntas levianas, segundo ela mesma lhe dissera: "Não vamos incomodá-lo por enquanto", disse ele. "Apenas ore a Deus por ele; em suas leituras ele mesmo descobrirá o significado daquele erro e o tamanho de sua perversidade." Ao mesmo tempo lhe revelou como ele mesmo, na infância, fora entregue nas mãos dos maniqueus por sua iludida mãe; e não apenas havia lido, mas muitas vezes copiado quase todos os livros deles e tinha (sem nenhuma discussão ou prova de quem quer que fosse) visto em que medida aquela seita devia ser evitada, e foi o que ele fez. Tendo dito isso e vendo que ela não estava satisfeita, mas continuava insistindo com súplicas e lágrimas para que ele se encontrasse comigo e discutisse essas coisas, o bispo, um tanto aborrecido com essa insistência, disse: "Vai para casa, e que Deus te abençoe, pois não é possível que o filho de tantas lágrimas venha a perecer". Essa resposta ela a interpretou (conforme muitas vezes me disse em nossas conversas) como se viesse do céu.

Livro 4

1 Durante esse período de nove anos, dos 19 aos 28, vivi seduzido e seduzindo, enganado e enganando, ao sabor de diversos ardentes desejos: em público, seguindo as ciências que são chamadas de liberais; em segredo, seguindo uma falsidade que é chamada de religião. Ora orgulhoso; ora supersticioso; sempre vaidoso. Ora perseguindo o vazio do aplauso popular, descendo até o aplauso teatral, prêmios literários e concursos visando obter coroas de palha, as loucuras de sombras e a intemperança do ardor dos desejos. Ora movido pelo desejo de ser purificado dessas profanações, levando para os chamados "eleitos" e "santos" alimentos com os quais, na oficina de seu estômago, eles para nós forjariam anjos e deuses capazes de nos libertar. Essas coisas eu seguia e praticava com meus amigos, enganados por mim ou comigo. Que os arrogantes se riam de mim, assim como aqueles que, para a saúde de sua alma, não foram atingidos e humilhados por ti, ó meu Deus. Mas eu, em teu louvor, nunca deixaria de confessar a ti a minha vergonha. Permite-me, eu te suplico, e concede-me a graça de analisar em minha rememoração presente os delírios do meu passado e "oferecerei sacrifícios com aclamações" (Sl 27.6). Pois o que sou eu para mim mesmo sem ti, senão um guia para a minha queda? Ou o que sou eu, mesmo na melhor das hipóteses, senão um bebê que suga o leite que tu lhe dás e se alimenta de ti, "a comida que permanece para a vida eterna" (Jo 6.27)? Que espécie de homem é o homem, uma vez que é apenas um homem? Que os fortes e os poderosos se riam de nós, mas nós, "pobres e necessitados" (Sl 74.21), vamos te confessar.

2 Naqueles anos eu ensinava retórica e, movido pela ganância, comercializava a habilidade de conseguir vitórias nos tribunais mediante a arte do discurso. No entanto, tu sabes, Senhor, que eu preferia os estudiosos que, como se diz, são considerados honestos. A estes, sem enganar ninguém, eu ensinava como enganar, não para que isso fosse utilizado contra a vida de inocentes, mas às vezes em benefício de culpados. E tu, ó Deus, lá de longe me vias avançando aos tombos naquele caminho escorregadio, emitindo em meio a muita fumaça algumas fagulhas de fidelidade, que apareciam em minhas orientações àqueles que iam "amando ilusões e buscando mentiras" (Sl 4.2). Eu mesmo era companheiro deles. Naqueles anos eu tinha uma mulher, não vinculada a mim pelo casamento legítimo, mas uma que eu havia encontrado numa paixão dissoluta e desprovida de entendimento. Todavia, só tinha uma e lhe era fiel. Com ela eu aprendi, por experiência própria, a diferença que existe entre a autolimitação do contrato matrimonial, visando a prole, e o pacto do amor lascivo, caso em que os filhos nascem contra a vontade dos pais, embora, depois de paridos, o casal se esforce para amá-los.

3 Lembro também que, quando decidi participar de uma competição teatral aspirando a um prêmio, um adivinho me perguntou o que eu lhe daria em troca para sair vencedor. Mas eu, detestando e abominando aqueles rituais sujos, respondi: "Mesmo se o prêmio fosse uma coroa de ouro maciço, eu não permitiria que uma mosca fosse morta para me garantir o prêmio". Pois ele devia sacrificar algumas criaturas vivas em seus rituais, e mediante aqueles tributos propiciar-me o favor dos diabos. Mas esse mal eu também rejeitei, não motivado por um amor puro por ti, ó Deus do meu coração, pois eu, que não sabia como conceber coisa alguma que não fosse um objeto de beleza material, não sabia te amar. E acaso uma alma que fica suspirando por essas ficções não comete um ato de fornicação contra ti, não confia no erro e "alimenta-se de vento" (Os 12.1)? Mesmo assim, eu não queria que sacrifícios fossem oferecidos, em meu proveito, aos diabos, a quem eu, pela minha superstição, sacrificava a mim mesmo. Pois que mais pode significar "alimentar-se de vento", se não for alimentar demônios, isto é, mediante nossos erros nos tornarmos o alvo do prazer e zombaria deles?

4 Então, sem escrúpulo algum, eu consultei aqueles impostores que se intitulam astrólogos, porque aparentemente não se utilizavam de nenhum sacrifício, de nenhuma invocação a qualquer espírito para suas adivinhações. Essa arte, porém, a verdadeira piedade cristã sistematicamente rejeita e condena. Pois "como é bom render graças ao SENHOR" (Sl 92.1) e dizer: "Misericórdia, SENHOR, cura-me, pois pequei contra ti" (Sl 41.4); e não abusar de tua misericórdia vendo-a como uma permissão para pecar, mas lembrar-se das palavras do Senhor: "Olhe, você está curado. Não volte a pecar, para que algo pior não lhe aconteça" (Jo 5.14). Todos esses bons conselhos eles tentam destruir, dizendo: "A causa do pecado está inevitavelmente estabelecida no céu"; e "Isso é obra de Vênus, ou de Saturno, ou de Marte", de modo que o homem, feito de carne e osso, e de orgulhosa corrupção, possa ser inocentado, enquanto o Criador e Organizador do céu e das estrelas deve arcar com a culpa. E quem é ele, senão o nosso Deus, exatamente aquela fonte de doçura e de justiça, que "retribuirá a cada um conforme o seu procedimento" (Rm 2.6); "um coração quebrantado e contrito, ó Deus, não desprezarás" (Sl 51.17).

5 Havia naquele tempo um homem sábio, muito habilidoso em medicina, fato que o tornara famoso. Com sua própria mão proconsular ele pôs uma grinalda sobre minha cabeça, mas não como médico: pois esta doença somente a curas tu, que és um "Deus que se opõe aos orgulhosos, mas concede graça aos humildes" (1Pe 5.5). Mas tu não me afastaste de ti nem mesmo por meio daquele velho, nem deixaste de curar a minha alma. Pois depois de eu conhecê-lo melhor e de ouvir de maneira mais assídua e atenta as suas palavras (que, embora em termos simples, eram ardorosas e sérias); depois de ele perceber, pelo meu discurso, que eu me entregara à leitura de livros sobre astrologia, bondosa e paternalmente me aconselhou a descartá-los e a não dedicar nenhum cuidado e atenção, necessários para coisas úteis, a essas inutilidades. Explicou-me que numa época anterior de sua vida ele estudara aquela arte, a ponto de fazer dela o meio de ganhar seu pão e que, entendendo Hipócrates, logo conseguiu entender esse tipo de estudo; no entanto, ele o abandonara e abraçara a medicina pela simples razão de que havia considerado a astrologia totalmente falsa; e ele, homem sério como era, não ganharia seu sustento por meio da enganação dos outros. "Mas você", disse ele, "tem a retórica para se manter, de modo que segue isso por livre escolha, não por necessidade: com muito mais razão, portanto, deve dar crédito a mim, que trabalhei para dominar essa arte com perfeição tal que me permitisse viver só disso." Quando lhe perguntei como, então, era possível usá-la para predizer tantas coisas verdadeiras, ele me respondeu (do jeito dele) "que a força do acaso, difusamente espalhada em todas as coisas, era a causa disso. Pois se um homem abrir ao acaso o livro de algum poeta, que cante ou sugira algo completamente diferente, muitas vezes vai aparecer um verso que combina admiravelmente com a situação presente desse homem. Não deveria causar nenhuma surpresa se, da alma humana, inconsciente do que ali se passa, por meio de algum instinto superior, proviesse alguma resposta correspondente à atividade e ação do indagador: isso seria obra do acaso, e não de alguma arte".

6 E assim muitas coisas, provenientes desse homem ou através dele, tu me comunicaste e marcaste em minha memória, e isso eu mesmo pude mais tarde investigar. Mas naquela época nem ele, nem meu caríssimo Nebrídio, um jovem excelente e repleto de santo temor, que ridicularizava toda essa história de adivinhação, conseguiram me levar a descartá-la, e a autoridade dos autores me fazia oscilar ainda mais. Eu ainda não havia descoberto nenhuma prova concreta (tal qual a imaginava) mostrando-me acima de qualquer dúvida que as previsões daqueles que consultei resultavam do acaso, não da arte dos astrólogos.

7 Naqueles anos em que comecei a ensinar retórica na minha cidade natal, eu fizera um amigo, de quem muito gostava, devido à semelhança de nossos interesses. Ele tinha a minha idade, desabrochando para a juventude. Crescera comigo na infância, fôramos colegas de escola e tínhamos brincado juntos. Mas ele ainda não era meu amigo como viria a ser depois, e mesmo depois, não como uma verdadeira amizade deve ser. Pois ela não pode ser verdadeira, a não ser naqueles que tu uniste, os que se apegam a ti por aquele amor derramado por Deus "em nossos corações, por meio do Espírito Santo que ele nos concedeu" (Rm 5.5). No entanto, ela era muito doce, amadurecida pelo calor de estudos congêneres: pois da verdadeira fé (que ele em sua juventude ainda não abraçara por completo) eu também o fisgara arrastando-o para aquelas supersticiosas e perniciosas fábulas, que faziam minha mãe chorar por mim. Comigo ele agora estava mentalmente errado, e minha alma não podia prescindir de sua presença. Mas eis que tu estavas nos calcanhares dos teus fugitivos, sendo ao mesmo tempo o "Deus vingador" (Sl 94.1) e a fonte de misericórdia, direcionando-nos para ti por meios extraordinários: tu tiraste da minha vida aquele homem quando ele mal havia completado um ano de amizade comigo e me era mais caro do que tudo naquele momento.

8 "Quem poderá descrever todos os feitos poderosos do Senhor" (Sl 106.2) vivenciados na solidão? Que fizeste então, meu Deus? Como são insondáveis as profundezas dos teus julgamentos! Por um longo espaço de tempo, acometido por uma forte febre, ele ficou desmaiado, em suor mortal. Perdida a esperança de sua recuperação, ele foi batizado sem o saber. Eu mesmo nesse meio-tempo dei pouca importância ao fato, presumindo que sua alma reteria o que recebera de mim, não o que lhe era feito naquele estado de inconsciência. Mas não foi isso que aconteceu. Sua febre diminuiu, e ele se recuperou. Em seguida, tão logo pude conversar com ele (o que se deu assim que ele pôde falar, porque eu nunca o deixava, e nós estávamos sempre juntos), tentei brincar, pensando que ele brincaria comigo acerca daquele batismo recebido quando sua mente e sentidos estavam de todo ausentes, mas agora entendia o que havia recebido. Ele, porém, se retraiu de mim como se eu fosse um inimigo. Com súbita e extraordinária liberdade me avisou que, se eu quisesse continuar seu amigo, devia parar de falar com ele daquele jeito. Atônito e assustado, reprimi todas as minhas emoções: aguardaria até quando ele se recuperasse, e sua saúde estivesse boa o suficiente para discutir com ele como eu desejava. Mas ele foi levado embora de minha loucura, a fim de que contigo pudesse ser preservado para meu conforto. Alguns dias depois, na minha ausência, ele teve outra crise de febre e acabou morrendo.

9 Nesse luto meu coração ficou totalmente envolvido nas trevas. Tudo o que eu contemplava era morte. Minha terra natal tornou-se para mim um tormento, e a casa de meu pai, uma estranha infelicidade. Tudo o que eu havia compartilhado com ele, sem ele era uma tortura que me enlouquecia. Meus olhos o procuravam em toda parte, mas não o encontravam; e eu odiava todos os lugares, porque ele não estava presente. E ninguém podia me dizer "Ele vai chegar", como acontecia quando, durante a vida, estava ausente. Eu me tornei um grande enigma para mim mesmo e perguntava "por que você está assim tão triste, ó minha alma?" (Sl 42.5). Mas ela não sabia o que me responder. E se eu dissesse "Confie em Deus", ela acertadamente não me obedecia, porque aquele caríssimo amigo, que ela havia perdido, era, em sua pobreza, melhor e mais leal do que aquela fantasia que ela era convidada a aceitar. Somente as lágrimas me eram doces, pois elas foram as sucessoras do meu amigo na ordem dos meus sentimentos mais preciosos.

10 E agora, Senhor, essas coisas são passadas, e o tempo cicatrizou a ferida. Que eu aprenda contigo, que és a verdade. Que os ouvidos do meu coração prestem atenção às tuas palavras para que tu possas me dizer por que o pranto é doce para o infeliz. Acaso tu, mesmo estando presente em toda parte, atiraste para longe de ti a nossa miséria? E tu subsistes em ti mesmo, e nós somos jogados de cá para lá em várias provações? E, no entanto, a menos que nossas queixas cheguem aos teus ouvidos, não nos deve sobrar nenhuma esperança. Por que motivo, então, da amargura da vida, dos gemidos e das lágrimas, dos suspiros e das queixas, colhe-se um fruto doce? Será a esperança de que tu nos ouças que o torna doce? Isso se aplica à verdadeira oração, pois nela há um anseio de nos aproximarmos de ti. Mas será que também se aplica ao luto pelo que perdemos e à dor que me acabrunhou? Pois eu não esperava que ele retornasse à vida, nem o desejava em minhas lágrimas. Eu apenas chorava enlutado. Sentia-me infeliz, tinha perdido minha alegria. Ou será que o pranto é de fato uma coisa amarga, e exatamente pelo sentimento de repugnância pelas coisas de que antes desfrutávamos, quando delas nos retraímos, ele então nos dá prazer?

11 Mas por que falo dessas coisas, se agora não é o momento de perguntar, e sim o de confessar-me a ti? Infeliz era eu; e infeliz é toda alma presa por amizade a coisas perecíveis. A alma é dilacerada quando as perde, e sente-se então a miséria, que já estava presente, antes de perdê-las. Foi o que aconteceu comigo. Eu derramava lágrimas extremamente amargas, e encontrava meu repouso na amargura. Assim, eu era infeliz, e aquela vida infeliz era para mim mais cara do que o meu amigo. Pois embora eu de bom grado a tivesse mudado, todavia eu estava menos disposto a separar-me dela do que dele. Realmente não sei se eu me teria separado dela em benefício dele, como se conta (se não for ficção) acerca de Pílades e Orestes, os quais teriam de bom grado morrido um pelo outro ou juntos, pois a separação era para eles pior que a morte. Mas em mim se originara um sentimento inexplicável, diametralmente oposto a esse, pois eu ao mesmo tempo detestava muitíssimo viver e temia morrer. Suponho que quanto mais o amava, tanto mais odiava e temia (como um inimigo cruel ao extremo) a morte, que o roubara de mim. E eu imaginava que ela em breve acabaria com todos os seres humanos, uma vez que mostrara seu poder sobre ele. Era assim que me sentia, eu me lembro.

Eis o meu coração, ó meu Deus, examina-o até o fundo, pois eu me lembro bem disso, ó minha esperança, que me purificas da impureza desses sentimentos, tendo "os meus olhos sempre voltados para o Senhor, pois só ele tira os meus pés da armadilha" (Sl 25.15). Eu me admirava de que outros, sujeitos à morte, vivessem, uma vez que aquele que eu amava estava morto. E me admirava muito mais de que eu mesmo, sendo para ele um segundo eu, pudesse viver, estando ele morto. Bem disse alguém sobre seu amigo: "Tu, metade de minha alma",[1] pois eu sentia que a minha alma e a dele eram "uma alma em dois corpos", e, portanto, minha vida era para mim um horror, porque não podia viver sendo apenas uma metade. E talvez eu temesse a morte devido ao receio de que aquele que eu tanto amara viesse a morrer completamente.

12 Ó loucura, que não sabes como amar os homens em sua condição humana! Que tolo eu era então, suportando impacientemente a sorte humana! Eu me afligia, suspirava, chorava, ficava perturbado; não tinha sossego nem opinião. Carregava comigo uma alma estraçalhada e sangrando, desgostoso ante minha tolerância em relação a ela; contudo, onde lhe dar repouso eu não sabia. Não em calmos bosques, não em jogos e na música, nem em perfumados ambientes, nem em requintados banquetes, nem nos prazeres do leito e do divã, nem, finalmente, em livros ou na poesia ela encontrava repouso. Tudo parecia medonho; sim, até a própria luz. Tudo o que não era o que ele fora era revoltante e odioso, exceto os gemidos e as lágrimas. Pois somente neles eu encontrava um pouco de alívio. Mas quando minha alma se afastava deles, um enorme fardo de miséria pesava sobre mim. Para ti, ó Senhor, ela devia ter sido elevada, para que tu a aliviasses. Eu sabia, mas não podia nem queria fazê-lo; ainda mais porque quando eu pensava em ti, tu não eras nenhuma coisa sólida ou substancial. Pois tu não eras tu mesmo, mas um mero fantasma, e o meu erro era o meu deus. Se eu me predispunha

---

[1] Horácio, *Ode 1*, p. 3, v. 8.

a descarregar sobre ele o meu fardo, para poder encontrar descanso, ele deslizava no vazio e recaía pesadamente sobre mim. Eu me tornara, para mim mesmo, um lugar desagradável, onde não podia ficar e de onde não podia sair. Pois para onde deveria o meu coração fugir do meu coração? Para onde eu deveria fugir de mim mesmo? E, no entanto, fugi de minha terra natal, pois noutro lugar, onde meus olhos estavam menos habituados a vê-lo, eles passariam a procurar menos o amigo perdido. E assim de Tagaste fui para Cartago.

13 O tempo não perde tempo; tampouco passa em vão. Por meio de nossos sentidos ele realiza estranhas operações mentais. Eis que os dias foram se sucedendo e nessa sucessão introduziram em minha mente outras imaginações e outras lembranças. E pouco a pouco me reconstituíram minhas antigas fontes de prazer, e aí minha dor cedeu. E, no entanto, sobrevieram não outras novas mágoas, mas sim as causas de outras mágoas. Pois por que razão a antiga mágoa me havia ferido no mais fundo da alma, senão pelo fato de eu a ter derramado sobre o pó, amando alguém fadado à morte como se ele nunca devesse morrer? Pois o que me reanimou e revigorou acima de tudo foi o conforto dos amigos, com os quais eu continuei amando o que amava em vez de ti: e isso tudo era uma monstruosa fábula, uma prolongada mentira, que, com suas sensuais provocações, corrompia minha alma, arrastada pelo seu "comichão de ouvir". E para mim aquela fábula não queria morrer com a mesma facilidade com que morreram alguns de meus amigos. Neles havia outras coisas que mantinham minha mente mais ocupada: conversar e rir juntos, trocar favores uns com os outros, ler juntos livros agradáveis, fazer bobagens e agir seriamente juntos, às vezes discordar sem ofender-se, como quem discordasse de si mesmo, e até mesmo usar a raridade dessas discordâncias para condimentar nossas concordâncias mais frequentes, às vezes ensinando e às vezes aprendendo; sentir uma impaciente saudade pelos ausentes e festejar com alegria a volta dos que haviam partido. Essas expressões e outras semelhantes, que procediam

do coração daqueles que amavam e eram amados, por suas feições, sua conversa, seus olhos e mil gestos agradáveis, eram o combustível capaz de fundir nossas almas, transformando muitas numa só.

14 Isso é o que amamos nos amigos. E sendo amada assim, a alma humana se condena a si mesma se não aceitar nem retribuir o amor de quem a ama, não vendo nada no ser amado, exceto os indícios da benevolência dele. Daí o luto quando alguém morre, e as trevas da dor, que mergulhando o coração nas lágrimas transformam toda a doçura em amargura; e à perda da vida de quem morre sucede a morte de quem continua vivo. Feliz de quem te ama e ama seu amigo em ti e seu inimigo por causa de ti. Pois só não perde ninguém aquele para o qual todos são caros naquele que não se pode perder. E quem é esse, senão Deus, o "Deus que criou os céus e a terra" (Gn 1.1), e "enche os céus e a terra" (Jr 23.24), porque enchendo-os os cria? Ninguém te perde, senão quem te abandona. E quem te abandona, para onde vai ou para onde foge, senão de ti satisfeito para ti insatisfeito? Pois onde deixará de encontrar tua lei em sua própria punição? "A tua lei é a verdade" (Sl 119.142), e a verdade és tu.

15 "Restaura-nos, ó Senhor, Deus dos Exércitos; faze resplandecer sobre nós o teu rosto, para que sejamos salvos" (Sl 80.19). Pois para onde quer que se volte a alma humana, a não ser que se volte para ti, ela se fixa em tristezas; sim, mesmo quando contempla coisas belas. E, no entanto, fora de ti e da alma, essas coisas não existiriam se não procedessem de ti. Elas surgem e desaparecem; surgindo, elas, por assim dizer, começam a existir. Crescem para poder aperfeiçoar-se; aperfeiçoadas, envelhecem e definham. Nem todas envelhecem, mas todas definham. Sendo assim, então, quando surgem e lutam para existir, quanto mais rápido for seu crescimento para a existência, tanto mais rápida é a corrida para a inexistência. Essa é a lei de sua natureza. Isso é o que lhes designaste, porque elas são partes de coisas que não existem todas ao mesmo tempo, mas, desaparecendo e sucedendo-se, em seu conjunto elas completam o universo, do qual são partes. Exatamente da mesma forma a nossa fala se realiza por meio de sinais que produzem um som; isso, porém, só se realiza quando o som de uma sílaba desaparece para que outro possa sucedê-lo. Por todas essas coisas, permite que minha alma te louve, ó Deus, Criador de tudo. Contudo, que minha alma não se fixe nelas com a cola do amor por meio dos sentidos físicos. Elas acabam onde devem acabar, deixando de existir; e estraçalham a alma com venenosos sentimentos de saudade, porque a alma quer existir, mas quer repousar naquilo que ama. Nessas coisas, porém, não há lugar para repouso. Elas não são permanentes; são fugidias. E quem pode segui-las com os sentidos da carne? Sim, quem consegue agarrá-las quando estão ao alcance da mão? Os sentidos da carne são lentos porque são sentidos da carne e, por isso mesmo, limitados. São suficientes para realizar suas funções naturais, mas não para impedir que as coisas percorram seu curso desde o começo designado até o fim designado. Pois na tua Palavra, pela qual foram criadas, elas ouvem seu decreto: "Daqui até ali".

16 Não seja insensata, ó minha alma, nem deixe que o tumulto da loucura ao seu redor ensurdeça os ouvidos do seu coração. Ouça você também. A própria Palavra a chama de volta: ali está o lugar do descanso tranquilo, onde o amor não é abandonado, se ele mesmo não se abandona. Veja, estas coisas desaparecem para que outras possam substituí-las, e assim seja completado este universo inferior por todas as suas partes. Mas eu não me afasto de modo algum, diz a Palavra de Deus. Fixe nela a sua morada, confie a ela tudo o que tem deste mundo, ó minha alma, pelo menos agora que está cansada de vaidades. Confie aos cuidados da Verdade tudo aquilo que recebeu da Verdade, e então nada perderá; e sua deterioração novamente florescerá e terá "a cura de todas as doenças" (Sl 103.3). As partes mortais serão reformadas e renovadas em você: não lhe depositarão no lugar para onde elas descem; mas elas ficarão firmemente unidas a você e subsistirão para todo o sempre diante de Deus, por meio da palavra dele, semente "imperecível, viva e permanente" (1Pe 1.23).

17 Por que, sendo assim, você se perverte e segue seus instintos carnais? Eles, sim, devem converter-se e segui-lo. Tudo aquilo que você sente por meio dos sentidos físicos é parcial. O todo, do qual as coisas são partes, você não conhece; e no entanto elas lhe dão prazer. Mas se os sentidos físicos tivessem a capacidade de compreender o todo, e, para sua punição, não tivessem sido justamente limitados a uma parte dele, você desejaria que tudo o que agora existe desaparecesse para que assim o todo lhe desse mais prazer. O mesmo se aplica ao que falamos: pelos mesmos sentidos físicos você ouve, mas não gostaria que as sílabas permanecessem imutáveis, prefere que elas voem cedendo seu lugar umas às outras para que você ouça a frase inteira. Quando uma coisa é constituída de muitas outras, se todas pudessem ser percebidas em seu conjunto completo, a coletividade total agradaria mais do que seus elementos separados, se ela pudesse ser percebida simultaneamente. Mas muito melhor do que essas coisas é aquele que tudo criou. Ele é o nosso Deus. Ele não passa, pois não existe nada para sucedê-lo.

18 Se as coisas materiais lhe agradam, louve a Deus por elas e retribua seu agrado ao seu Criador, para evitar que essas coisas que lhe agradam desagradem a ele. Se as almas lhe agradam, que elas sejam amadas em Deus: pois são mutáveis, mas nele são firmemente estabilizadas; caso contrário, elas passariam e desapareceriam. Que nele elas sejam amadas. Você pode e deve dizer-lhes: "A ele vamos amar, a ele vamos amar: ele criou todas estas coisas e não está tão distante daqui. Pois ele não as criou e depois foi embora; mas elas são dele e estão nele. Ele está onde se ama a verdade. Está dentro do próprio coração; porém, o coração se desgarrou dele. 'Voltem para o seu coração, ó rebeldes' (Is 46.8), e apeguem-se àquele que os criou. Permaneçam com ele, e vocês terão firmeza. Descansem nele, e terão descanso. Para onde vocês querem ir em seus ásperos caminhos? Para onde? O bem que vocês amam vem dele; mas só é bom e agradável em relação a ele, e com justiça se tornará amargo se vocês amarem injustamente qualquer coisa que venha dele, se com isso ele for abandonado. Por que motivo então vocês ainda trilham esses caminhos difíceis e penosos? O descanso não está onde vocês o buscam. O que quer que vocês procurem não vão encontrá-lo onde estão procurando. Vocês buscam uma vida abençoada na terra da morte; ela não está ali. Pois como poderia haver uma vida abençoada onde não há vida?

19 "Mas nossa verdadeira vida veio ao nosso encontro, carregou a morte e a sufocou na abundância de sua própria vida: com aquela voz de trovão, ele nos chamou de volta para seu lugar secreto, de onde ele veio até nós, primeiro dentro do ventre da virgem onde ele se casou com a criação, nossa carne mortal, para que ela não temesse eternamente ser mortal, e depois disso 'como um noivo que sai do seu aposento e se lança em sua carreira com a alegria de um herói' (Sl 19.5). Pois ele não se deteve, mas correu chamando forte com palavras, feitos, morte, descida e ascensão; gritando forte a fim de que voltássemos para ele. Depois ele se afastou de nosso olhar a fim de que pudéssemos voltar para dentro do coração e ali encontrá-lo. Pois ele foi embora e eis que ele está aqui. Ele não permaneceria por muito tempo conosco, mas não nos deixou, porque partiu para o lugar de onde nunca tinha partido, porque 'o mundo foi feito por intermédio dele' (Jo 1.10). E 'Cristo Jesus veio ao mundo para salvar os pecadores' (1Tm 1.15). A ele minha alma se confessa dizendo-lhe: 'Cura-me, pois pequei contra ti' (Sl 41.4). Ó filhos dos homens, até quando vocês serão duros de coração? Mesmo agora, depois da descida da Vida para vocês, não irão se elevar e viver? Mas para onde se elevarão vocês que estão no alto e se pronunciam contra o céu? Desçam para poderem subir e ascender até Deus. Pois vocês, erguendo-se contra ele, decaíram". Diga isso àquelas almas para que elas possam chorar passando "pelo vale de lágrimas" (Sl 84.6), elevando-as com você para Deus; pois pelo seu Espírito você lhes diz isso, se falar ardendo no fogo da caridade.

20 Essas coisas eu então não sabia e amava essas belezas inferiores e desci até o fundo do poço. Aos meus amigos eu dizia: "Nós amamos alguma coisa que não seja bela? Então, o que é belo, o que é a beleza? O que é aquilo que nos atrai e nos conquista nas coisas que amamos? Pois se não houvesse nelas alguma graça e beleza, elas de modo algum poderiam nos atrair para si". Eu notava e percebia que nos próprios corpos havia uma beleza, pelo fato de eles formarem uma espécie de todo, e também outra beleza que resultava da correspondência mútua e adequada, como no caso da parte do corpo com seu todo, ou de um sapato com o pé, e fatos semelhantes. Essa consideração surgiu em minha mente, provindo do fundo do coração, e eu escrevi sobre "o belo e o adequado", acho que dois ou três livros. Tu sabes, ó Senhor, pois isso agora me foge da memória, porque não os tenho. Eles se perderam, não sei como.

21 Mas o que me levou, ó Senhor meu Deus, a dedicar esses livros a Hiério, um orador de Roma, que eu não conhecia pessoalmente, mas de quem gostava por sua fama de eminente erudito e por algumas palavras dele que eu ouvira e me agradaram? Mais, porém, eu gostava dele porque ele agradava a outros, que lhe dispensavam grandes elogios, admirando-se de que um sírio, inicialmente treinado em eloquência grega, viesse depois a tornar-se um maravilhoso orador latino, um dos mais cultos em assuntos pertinentes à filosofia. Um homem é elogiado e, sem nunca ter sido visto, é amado: será que esse amor entra no coração do ouvinte através da boca de quem faz os elogios? Não é isso. Um admirador é inflado por outro. O que provoca a admiração pelo elogiado é o fato de se perceber que os elogios partem de um coração sincero; isto é, quem elogia gosta da pessoa elogiada.

22 Era assim que naquela época eu gostava dos homens: segundo o julgamento de outros homens, não o teu, ó meu Deus, em quem ninguém se desilude. Mas, mesmo assim, por que eu não gostava deles por outras qualidades, como as de um famoso cocheiro de biga, ou de um lutador que enfrenta feras na arena, desfrutando uma grande popularidade vulgar? Eu gostava deles por motivos totalmente diferentes e sérios, e assim gostaria de ser eu mesmo elogiado. Não queria ser aplaudido como são os atores (embora eu gostasse deles e os aplaudisse), mas preferia ser desconhecido a ser conhecido dessa forma. Preferia até ser odiado a ser amado assim. Onde estão agora os impulsos para essas variadas e diversas formas de amor acumuladas numa única alma? Considerando que somos igualmente seres humanos, por que gosto de constatar, em outros, qualidades que em mim desprezaria e jogaria para bem longe? Tampouco é defensável dizer que, como alguém gosta de um cavalo, embora jamais quisesse ser um cavalo, se isso fosse possível, assim também podemos dizer o mesmo de um ator, que compartilha a nossa natureza. Será que eu, que sou um ser humano, gosto de constatar, num de meus semelhantes, o que eu detestaria ser? O próprio homem é um grande abismo, mas até "seus cabelos estão todos contados", ó Senhor, e "nenhum deles cai no chão sem o teu consentimento" (Mt 10.29-30). No entanto os cabelos de sua cabeça são muito mais fáceis de contar do que seus sentimentos ou as batidas do coração.

23 Mas aquele orador era do tipo que eu amava, desejando ser igual a ele. Cometi esse erro por causa de meu inflado orgulho, sendo "jogado para cá e para lá por todo vento" (Ef 4.14), mas ainda era guiado por ti, mesmo que muito misteriosamente. Como sei disso e por que motivo te confesso com tanta confiança que o amei mais por causa do amor daqueles que o elogiavam do que por causa das qualidades pelas quais ele era elogiado? Porque, se ele não tivesse sido elogiado por esses mesmos homens; se eles, com desprezo e desdém, me tivessem dito as mesmas coisas a respeito dele, eu nunca me teria sentido tão inflamado e entusiasmado a ponto de amá-lo. Mas as coisas não teriam sido diferentes, tampouco ele seria diferente; apenas mudariam os sentimentos dos que o elogiavam. Eis onde se situa nesse caso a alma impotente que ainda não tem a sustentação da verdade! Como sopros de línguas que saem da boca dos teimosos, assim ela oscila de um lado para outro, avançando e retrocedendo, e com isso a luz é ofuscada e não se enxerga a verdade. E vejam, ela está diante de nosso nariz. Para mim era muito importante que minha dissertação e meus estudos fossem conhecidos daquele homem: caso ele os aprovasse, eu ficaria ainda mais inflamado; mas se desaprovados, meu coração vazio, desprovido de tua solidez, se teria sentido ferido. E, no entanto, "o belo e o adequado", sobre o qual escrevi para ele, foi um tema que analisei com prazer, avaliando-o, admirando-o, embora ninguém colaborasse nisso comigo.

24 Naquela época eu não percebia que essa grave questão se transformava em tua sabedoria, ó tu onipotente, "o único que realiza feitos maravilhosos" (Sl 72.18), e minha mente girava em torno de formas físicas. Eu definia e distinguia como "belo" o que é tal em si mesmo, e como "adequado" aquilo cuja beleza se harmoniza com alguma outra coisa: isso eu sustentava com exemplos de corpos físicos. Depois passei a tratar da natureza da mente, mas a falsa noção que eu tinha de coisas espirituais não me deixava enxergar a verdade. Todavia, a força da verdade por si só saltou-me aos olhos, e eu desviei minha alma ofegante da substância incorpórea direcionando-a para linhas, cores e volumosas magnitudes. Não conseguindo vê-las como atributos de minha mente, julguei que a mente era invisível. E considerando que na virtude eu amava a paz e no vício detestava a discórdia, naquela observei uma unidade, mas neste uma espécie de divisão. Naquela unidade, concebi a consistência da alma humana, a natureza da verdade e do bem essencial; mas nessa divisão eu infelizmente imaginei a existência de alguma desconhecida substância de vida irracional e a natureza do mal essencial, que não apenas deveria ser uma substância, mas também uma vida real, porém não derivada de ti, ó meu Deus, de quem tudo procede. A primeira eu chamei de "mônada", como se fosse uma alma sem sexo; mas a segunda eu chamei de "díade": cólera, em atos violentos, e, em atos vergonhosos, concupiscência. Eu não sabia do que estava falando, pois eu não havia aprendido de doutos que o mal não era uma substância, nem que a alma não era o bem essencial e imutável.

25 Pois como surgem atos violentos, se corromper-se a emoção da alma, da qual brotam ações impetuosas, comportando-se ela de modo insolente e descontrolado; e como surge a concupiscência, diante desse comportamento desgovernado da alma por meio do qual são sorvidos prazeres carnais, assim também erros e opiniões falsas corrompem a conversação, se a própria alma racional se corromper. Era o que acontecia comigo então. Eu não sabia que a alma precisa ser iluminada por outra luz para poder ser partícipe da verdade, percebendo que a essência da verdade não é ela mesma. "Tu, SENHOR, manténs acesa a minha lâmpada; o meu Deus transforma em luz as minhas trevas" (Sl 18.28). "Toda boa dádiva e todo dom perfeito vêm do alto, descendo do Pai das luzes, que não muda como sombras inconstantes" (Tg 1.17).

26 Mas eu me esforçava para me aproximar de ti, e tu me rechaçavas para que eu sentisse o gosto da morte, pois "Deus se opõe aos orgulhosos" (Tg 4.6; 1Pe 5.5). Mas o que denuncia mais orgulho do que o fato de eu, em minha estranha loucura, sustentar que eu era por natureza o que tu és? Pois, embora estando sujeito a mudanças (tantas coisas evidenciavam isso, e o meu próprio desejo de tornar-me sábio era a vontade de melhorar o pior), mesmo assim preferia imaginar-te sujeito a mudanças a imaginar-me como não sendo o que tu és. Consequentemente, eu era rechaçado por ti, e tu resistias à minha vã arrogância. Eu imaginava formas físicas e, eu mesmo sendo de carne, acusava a carne; e, "brisa passageira que não retorna" (Sl 78.39), não voltava a ti: continuava transmitindo coisas que não existem nem em ti, nem em mim, nem no mundo físico. Coisas que tampouco eram criadas para mim pela tua verdade, mas sim criadas pela minha loucura de coisas físicas. E eu costumava perguntar aos teus pequenos, meus concidadãos (dos quais, sem me dar conta, eu estava afastado), cheio de insensatez e palavras vãs, costumava perguntar-lhes: "Por que, nesse caso, a alma criada por Deus comete erros?". Mas eu não queria que me perguntassem: "Por que, nesse caso, Deus comete erros?". Eu sustentava que tua essência imutável cometia erros em casos de necessidade, em vez de confessar que minha essência mutável se extraviara por sua própria vontade e agora persistia no erro, o que era seu castigo.

27 Tinha eu 26 ou 27 anos na época em que escrevi aqueles volumes, ponderando comigo mesmo ficções físicas. Elas zumbiam aos ouvidos do coração, e eu as transformava, ó doce verdade, em tua melodia interior, meditando sobre "o belo e o adequado", querendo muito me encontrar e prestar ouvidos a ti e "encher-me de alegria quando ouvisse a voz do noivo" (Jo 3.29). Mas eu não conseguia, pois pela própria voz de meus erros era impelido para longe de ti e, sob o peso do meu orgulho, afundava-me no abismo. Pois tu não me fizeste "ouvir de novo júbilo e alegria", e não exultaram "os ossos que esmagaste" (Sl 51.8).

28 E de que me adiantou eu ter lido por acaso e entendido sem a ajuda de ninguém uma obra de Aristóteles conhecida como *As dez categorias*? Eu tinha então pouco mais de 20 anos, e o nome do autor tinha grande importância para mim. Era como se o nome do filósofo fosse algo grande e divino devido às frequentes citações dessa obra feitas pelo meu professor de retórica em Cartago e por outros considerados eruditos, que, cheios de orgulho, se referiam a ela de boca cheia. Troquei ideias com outros leitores dessa obra, que afirmavam que mal conseguiam entendê-la mesmo com o auxílio de bons tutores. Eles não se limitavam a explicá-la com palavras, mas traçavam desenhos no chão, e mesmo assim não sabiam me dizer mais do que eu havia aprendido na minha leitura sem ajuda alguma. O livro me parecia falar com muita clareza de substâncias, tais como "homem", e de qualidades, tais como a figura do homem, seu tipo; a estatura, sua altura em centímetros; a relação, quem é seu irmão; ou o lugar que ocupa; ou o tempo em que nasceu; ou se está de pé ou sentado; ou se está calçado ou armado; ou se ele sofre alguma influência; e todas as inumeráveis coisas que poderiam ser listadas sob esses nove predicamentos, dos quais acabo de dar alguns exemplos, ou sob a categoria principal que é a substância.

29 De nada me servia tudo isso, visto que até me atrapalhava porque, uma vez que qualquer coisa que eu imaginasse era incluída nessas dez categorias, desse modo eu tentava entender, ó meu Deus, também a tua maravilhosa e imutável unidade, como se também tu estivesses sujeito à tua própria grandeza ou beleza, de maneira que essas tuas qualidades (como acontece com os corpos físicos) também devessem existir em ti, que serias o sujeito delas, quando realmente tu mesmo és tua grandeza e beleza. Um corpo físico não é grande e belo pelo fato de ser um corpo, uma vez que, mesmo que ele fosse menor ou menos belo, ainda seria um corpo. Mas a ideia que eu tinha concebido sobre ti era falsa. Não era a verdade, eram ficções de minha miséria, não realidades de tua bem-aventurança. Pois tu ordenaste (e foi o que aconteceu comigo) que a terra me desse "espinhos e ervas daninhas" e que "com o suor do meu rosto eu comesse o meu pão" (Gn 3.18,19).

30 Qualquer livro das assim chamadas artes liberais eu, pobre escravo de pobres desejos, lia e entendia sem precisar da ajuda de ninguém. De que me adiantava isso? Essas obras me davam prazer, mas eu não sabia de onde vinham todas aquelas verdades e certezas que elas continham. Eu estava de costas para a luz e tinha o rosto voltado para as coisas sobre as quais a luz incidia: portanto, meu rosto, com o qual eu contemplava as coisas iluminadas, não estava em si mesmo exposto à luz. Todos os escritos que tratavam de retórica ou lógica, geometria, música e aritmética eu os entendia facilmente sem precisar de nenhum instrutor. Tu sabes disso, ó Senhor meu Deus, porque a facilidade de entendimento, bem como a argúcia do discernimento, são dons que tu me concedeste: eu, porém, não os ofereci em sacrifício a ti. Assim, esse dom não tinha para mim nenhuma utilidade; mais contribuía para a minha perdição, pois eu saí pelo mundo para obter desse modo "a minha parte da herança" para meu próprio uso (Lc 15.12); e eu por ti não aguardei, "ó tu, minha força" (Sl 59.9). Eu te deixei e fui embora "para uma região distante" onde desperdicei meus bens "vivendo irresponsavelmente" (Lc 15.13). De que me adiantavam as boas qualidades, se não eram bem empregadas? Pois eu só percebi que aquelas artes eram conquistadas com grandes dificuldades, mesmo por pessoas diligentes e talentosas, depois que tentei explicá-las; então percebi que até os mais entendidos de modo geral me acompanhavam a duras penas.

31 Mas de que me adiantava imaginar que tu, ó Senhor Deus, que és a verdade, eras um vasto corpo brilhante do qual eu era um fragmento? Que grande perversão! Mas eu era assim. Eu, que naquele tempo não me envergonhava de professar diante dos homens minhas blasfêmias, latindo feito um cão contra ti, não me envergonho agora, ó meu Deus, de invocar-te e confessar as tuas misericórdias para comigo. De que me adiantava então minha ágil inteligência naquelas ciências e todos aqueles complicados volumes, elucidados por mim, sem o auxílio da instrução humana, visto que eu estava tão perfidamente errado e agia com uma desfaçatez tão sacrílega na doutrina da piedade? Ou que empecilho seria uma mente mais lerda para teus pequeninos, sabendo-se que eles não se afastam de ti, para que no ninho de tua Igreja eles possam emplumar-se em segurança, nutrindo suas asas na caridade, com o alimento de uma sólida fé? Ó Senhor nosso Deus, "sob a proteção de tuas asas nos escondes" (Sl 17.8); protege-nos e carrega-nos. Tu nos carregarás quando somos pequenos e até "mesmo na velhice quando tivermos cabelos brancos" (Is 46.4); pois quando tu és a nossa firmeza, então ela é vigor, mas quando ela depende de nós, é fraqueza. Nosso bem subsiste em ti, e quando dele nos afastamos, somos desvirtuados. Vamos agora, Senhor, retornar, para não sermos transtornados, porque em ti subsiste nosso bem que não se deteriora, o bem que és tu. Tampouco devemos temer que não haja para onde retornar por termos renegado o bem; pois durante nossa ausência a nossa mansão, a eternidade, não ruiu.

Livro 5

1 Aceita o sacrifício de minhas confissões pelo ministério da minha língua, tu que a originaste e a estimulaste a confessar teu nome. Cura todos os meus ossos, e "todo o meu ser exclamará: Quem se compara a ti, Senhor?" (Sl 35.10). Pois aquele que te reconhece não te revela o que acontece em seu íntimo, visto que um coração fechado não impede a penetração do teu olhar, nem pode a insensibilidade do coração humano rechaçar tua mão: pois tu o dobras a teu bel-prazer no compadecimento ou na vingança, "e nada escapa ao teu calor" (Sl 19.6). Mas permite que minha alma te louve, para poder te amar; que ela confesse teus gestos de clemência, para poder te louvar. Toda a criação te louva sem cessar, e teus louvores não acontecem no silêncio; e o espírito humano não se dirige a ti por meio de sua voz; nem a criação, animada ou inanimada, por meio da voz dos que meditam sobre ela. De modo que nossa alma, abandonando seu cansaço, pode elevar-se a ti, apoiando-se nas coisas que tu criaste e passando em seguida para ti, que as criaste de modo tão maravilhoso. E ali, contigo, ela encontra repouso e fortalecimento verdadeiro.

2 Mesmo que os maus e os ímpios se afastem e fujam de ti, tu os enxergas e os distingues nas trevas. O universo, para eles, é belo, embora eles sejam impuros. E como eles te ofenderam? Ou como envergonharam teu governo que, do alto céu até o ponto mais fundo da terra, é justo e perfeito? "Para onde poderiam fugir da tua presença?" (Sl 139.7). Onde não os encontrarias? Mas eles fugiram, para não ver que tu os vês e, cegos, acabaram tropeçando em ti, porque tu não abandonas nada do que criaste. Os injustos acabam tropeçando em ti e justamente se machucando. Afastam-se de tua bondade e, tropeçando em tua justiça, vão caindo em seus caminhos escabrosos. Ignoram, na verdade, que tu estás em toda parte, tu que não podes ser encerrado por lugar nenhum! Somente tu estás perto, mesmo "dos que te abandonam" (Sl 73.27). Que eles voltem e te procurem, pois ao contrário deles que abandonaram seu Criador, tu não abandonaste a tua criação. Que eles se convertam e te procurem. Tu estás lá no coração daqueles que te reconhecem e se entregam a ti e choram ao te abraçar depois de percorrer todos aqueles ásperos caminhos. Então tu suavemente lhes enxugas as lágrimas, e eles, chorando ainda mais, alegram-se ao chorar exatamente por ti, ó Senhor, não por um ser humano de carne e osso, mas por ti, Senhor, que os criaste, recriaste e fortaleceste. Mas onde estava eu quando não te via? Tu estavas diante de mim, mas de ti eu me afastara, e não me encontrava e muito menos encontrava a ti.

3 Gostaria de expor perante meu Deus aquele meu 29º ano de vida. Chegou a Cartago um bispo dos maniqueístas chamado Fausto, grande cilada do diabo, e muitos caíram na armadilha de sua fala suave. Embora eu elogiasse nele essa virtude, todavia não a podia separar da verdade das coisas que eu estava seriamente empenhado em aprender. Eu tampouco admirava muito o benefício da oratória como sendo a ciência que o tão elogiado Fausto tanto louvava e que me foi apresentada para que dela me servisse. A fama o anunciara como alguém versado em todas as áreas úteis do conhecimento, sendo especialmente habilidoso nas ciências liberais. Eu havia lido muitos escritos dos filósofos e guardava muitas coisas na memória. Comparando alguns dos conhecimentos deles com as longas fábulas dos maniqueístas, concluí que aqueles eram mais verossímeis, apesar de seus julgamentos se limitarem a este mundo inferior, sem poderem de modo algum descobrir o Senhor dele. Pois, "embora esteja nas alturas, o Senhor olha para os humildes, e de longe reconhece os arrogantes" (Sl 138.6). Tampouco, Senhor, tu te aproximas de um coração que não esteja arrependido, nem te mostras aos orgulhosos. Não, nem mesmo se eles, por meio

de uma estranha habilidade, pudessem contar as estrelas e os grãos de areia e medir os céus estrelados e descobrir o percurso dos planetas.

4 Pois com o conhecimento e criatividade que tu lhes concedes, eles investigam essas questões e já descobriram muitas coisas, prevendo com anos de antecedência os eclipses daquelas luminárias, o sol e a lua, anunciando o dia e a hora com números exatos, e seus cálculos não falharam: tudo aconteceu conforme o previsto. Eles puseram por escrito as regras descobertas, que podem ser lidas até hoje. Baseando-se nelas, outros previram em que ano, mês, dia e hora parte da lua ou do sol seria eclipsada, e tudo acontece conforme o previsto. Diante desses fatos, os homens que não conhecem essa ciência se admiram e espantam; e os que a conhecem exultam e se envaidecem, afastando-se de ti por seu enorme orgulho. Deixando de ver tua luz, eles prenunciam com grande antecedência um eclipse, que de fato acontecerá, mas não percebem que eles mesmos estão sendo eclipsados. Pois não pesquisam piamente de onde provém o entendimento com o qual descobrem o eclipse. Descobrindo que tu os criaste, eles não se entregam a ti, para preservação da tua criação, nem sacrificam a ti o que fizeram de si mesmos, nem abatem suas fantasias arrojadas como "as aves do céu", nem sua curiosidade egoísta na qual, como "os peixes do mar" (Sl 8.8), eles percorrem os desconhecidos caminhos das profundezas, nem sua própria sensualidade de animais selvagens para que tu, Senhor, como "fogo consumidor" (Dt 4.24), possas consumir aquelas suas preocupações mortais e recriá-los para a imortalidade.

5 Mas eles não conheciam o caminho, a tua Palavra, pela qual tu criaste essas coisas numeradas por eles, nem conheciam a si mesmos e os sentidos com os quais determinam o número das coisas e a inteligência que lhes permite determiná-lo. E não sabiam que "é impossível medir o seu entendimento [de Deus]" (Sl 147.5). Mas o Unigênito "se tornou sabedoria de Deus para nós, isto é, justiça, santidade e redenção" (1Co 1.30) e foi numerado entre nós, e ele mesmo pagou seu tributo "a César"

(Mt 17.27). Eles não conheciam esse caminho que deveriam seguir para descer de si mesmos até ele, e por ele ascender até ele. Não conheciam esse caminho e se julgavam elevados entre as estrelas e brilhantes, e, de repente, "os seus pensamentos tornaram-se fúteis e o coração insensato deles obscureceu-se" (Rm 1.21). Eles conhecem muitas coisas que realmente dizem respeito à criação. Mas a Verdade, o Autor da criatura, eles não procuram piamente e, portanto, não o encontram. Ou então, se o encontram, "tendo conhecido a Deus, não o glorificaram como Deus, nem lhe renderam graças, mas os seus pensamentos tornaram-se fúteis" (v. 21). "Dizendo-se sábios", atribuíram a si mesmos o que te pertence, e assim, na mais perversa cegueira, procuraram atribuir a ti o que é deles, forjando mentiras sobre ti, que és a Verdade, e "trocaram a glória de Deus imortal por imagens feitas segundo a semelhança do homem mortal, bem como de pássaros, quadrúpedes e répteis" (v. 22-23), "trocaram a verdade de Deus pela mentira, e adoraram e serviram a coisas e seres criados, em lugar do Criador" (v. 25).

6 Todavia, eu mantive muitas verdades atinentes à criação que aprendi desses homens, percebendo a razão de seus cálculos, a sucessão das épocas e os testemunhos visíveis das estrelas, comparando tudo com o que diz Mani, que, em seus desvarios, escrevera extensamente sobre esses temas, mas eu não descobrira nenhuma explicação dos solstícios ou equinócios, ou dos eclipses das luzes maiores. Também não descobrira nada disso nos livros de filosofia natural. Mas me mandaram acreditar; e, no entanto, aquilo diferia muito do que fora estabelecido pelos cálculos científicos e do que meus olhos haviam constatado.

7 Será então, ó Senhor Deus da verdade, que aquele que conhece essas coisas por isso mesmo te agrada? Infeliz é com certeza quem conhece tudo isso, mas não te conhece; mas feliz é quem te conhece, mesmo que desconheça essas coisas. E quem conhece a ti, bem como conhece essas coisas, não é mais feliz por causa delas, mas apenas por causa de ti se, tendo conhecido a Deus, glorifica-te como Deus, rende-te graças, e os seus pensamentos não "se tornaram fúteis" (Rm 1.21). Pois quem sabe que possui uma árvore e te agradece pela utilidade dela, embora não saiba quantos cúbitos de altura ela tem, ou qual é a extensão de sua copa, é mais feliz do que aquele que sabe medi-la e contar todos os seus galhos, mas não é proprietário dela, nem conhece ou ama seu Criador: assim, é uma insensatez duvidar de que um crente, a quem pertence toda a riqueza do mundo, "nada tendo, mas possuindo tudo" (2Co 6.10), apegando-se a ti, mesmo sem conhecer as órbitas das estrelas da Ursa Maior, está numa condição muito melhor do que de quem sabe calcular as medidas dos céus, o número das estrelas e o equilíbrio dos elementos, mas se esquece de ti, que "tudo dispuseste com medida, número e peso" (Sb 11.20, BJ).

8 Mas quem pediu que Mani também escrevesse sobre esses temas, prática na qual não há nenhum elemento de piedade? Tu disseste ao homem: "No temor do Senhor está a sabedoria" (Jó 28.28). Mani poderia ignorar isso, mesmo se conhecesse perfeitamente esses assuntos. Porém, o fato de ele, mesmo desconhecendo-os, ousar descaradamente ensiná-los, evidencia acima de qualquer dúvida que ele não devia ter nenhum conhecimento da piedade. Pois é sinal de vaidade dedicar-se a esses assuntos mundanos, mesmo quando se tem domínio sobre eles. A piedade, em contrapartida, consiste em confessar a ti. Portanto, esse aventureiro foi tão longe em seus discursos sobre essas coisas, condenado por aqueles que realmente as conheciam, que ficou evidenciada a natureza do conhecimento que ele tinha sobre outros temas mais complexos. Ele não aceitava ser considerado inferior a ninguém, por isso tentou convencer sua plateia, dizendo: "O Espírito Santo, o Consolador e Enriquecedor dos teus fiéis, estava dentro de mim conferindo-me plena autoridade". Assim, quando se descobriu a falsidade de seus ensinamentos sobre o céu, as estrelas e os movimentos do sol e da lua (mesmo que esses assuntos não pertençam à religião), ficou perfeitamente clara sua sacrílega presunção. Percebeu-se que ele falava de coisas sobre as quais não tinha nenhum

conhecimento e, além disso, eram fraudulentas. Com desvairado e vaidoso orgulho, ele pretendeu atribuí-las a si mesmo, como se fosse uma pessoa divina.

9 Quando ouço algum irmão cristão que desconhece esses assuntos e tem ideias erradas sobre eles, pacientemente posso aceitar suas opiniões. Não vejo como a ignorância sobre a posição ou a natureza da criação física possa prejudicá-lo, desde que ele não acredite que alguma coisa seja indigna de ti, ó Senhor, Criador de tudo. Mas ele será prejudicado se acreditar que se trata de alguma forma da doutrina da piedade, e mesmo assim insistir em afirmar teimosamente coisas que ele não conhece. Todavia, na infância da fé, até mesmo esse tipo de fraqueza é tolerado por nossa caridade materna, até que todos os recém-nascidos "cheguemos à maturidade, atingindo a medida da plenitude de Cristo, de modo que não sejamos mais como crianças, jogados para cá e para lá por todo vento de doutrina" (Ef 4.13-14). Mas no caso de Mani, que, estando nessa situação, presumia ser professor, fonte, guia, líder de todos os que ele conseguisse persuadir, de modo que quem o seguisse julgasse não estar seguindo meramente um ser humano, mas teu Espírito Santo, quem não consideraria isso uma grande loucura que, depois de condenada por ter propagado alguma fraude, devia ser detestada e completamente rejeitada? Mas eu ainda não havia concluído se as afirmações dele poderiam explicar coerentemente as vicissitudes de dias mais longos e dias mais curtos, do dia e da noite em si, com os eclipses das luzes maiores e todas as outras coisas dessa espécie; de modo que se elas, de alguma forma, pudessem explicar tudo isso, ainda me sobraria uma dúvida sobre a verdade do caso. Mas talvez, devido a sua fama de santidade, eu pudesse apoiar minha crença em sua autoridade.

10 Durante quase todos aqueles nove anos em que, vivendo na incerteza, eu fora discípulo deles, esperei muitíssimo a chegada de Fausto. Pois o resto dos seguidores da seita, que eu conhecera casualmente, diante da incapacidade de resolver minhas objeções sobre essas questões, ainda me prometiam a chegada desse tal de Fausto. Conversando com ele, essas dificuldades e outras maiores que eu pudesse apresentar seriam esclarecidas com a máxima presteza e completude. Quando por fim ele chegou, considerei-o um homem de fala agradável, que sabia discorrer fluentemente, usando termos melhores, embora sempre me apresentasse as mesmas coisas que eles costumavam dizer. De que me adiantava a máxima elegância do copeiro se eu tinha sede de uma bebida mais deliciosa? Meus ouvidos já estavam cheios de coisas como aquelas, que não me pareciam melhores só por serem apresentadas com palavras mais bonitas; nem mais verdadeiras, só por serem eloquentes; nem mais sábias, só porque o rosto do interlocutor era mais atrativo e a linguagem mais bela. Mas aqueles que o prometeram a mim não eram bons julgadores. Aos olhos deles Fausto era compreensivo e sábio, devido apenas a suas agradáveis palavras. Eu, porém, sentia que pessoas de outro tipo desconfiavam até mesmo da verdade e se recusavam a concordar com ela se ela fosse apresentada num discurso suave e fluente. Mas tu, ó meu Deus, já me tinhas instruído por meios maravilhosos e secretos, e por isso acredito que tu me ensinaste, porque é verdade, e não existe além de ti nenhum outro professor da verdade, não importando onde ou quando ela possa brilhar sobre nós. De ti, portanto, eu tinha agora aprendido que nada devia parecer expressar a verdade, só por causa da eloquência; nem, portanto, parecer expressar a falsidade, só por causa da elocução inarmônica; tampouco parecer verdadeira, só porque proferida rudemente; nem, portanto, parecer falsa, só por causa da rica linguagem. Eu tinha aprendido que a sabedoria e a insensatez são como o alimento sadio e o nocivo; como as frases enfeitadas e as toscas; como as vasilhas elegantes e as rústicas: os dois tipos de alimento podem ser servidos nos dois tipos de pratos.

11 A avidez que por muito tempo alimentei de conhecer aquele homem foi realmente satisfeita por seu modo de agir e pelo que senti durante suas discussões, com sua escolha fácil das palavras para apresentar suas ideias. Eu sentia então um grande prazer juntamente com outros e mais que eles o elogiava e exaltava. Um fato, porém, me incomodava: em reuniões, perante seus ouvintes, eu não tinha a mesma permissão que em minhas conversas informais com ele para introduzir e apresentar as questões que me atormentavam. Num momento adequado, quando tive a oportunidade de fazer isso e, juntamente com meus amigos, consegui a atenção dele, mostrei-lhe o que eu sentia. Descobri que ele ignorava totalmente as artes liberais, com exceção da gramática, da qual tinha conhecimentos elementares. Mas, uma vez que ele havia lido alguns dos discursos formais de Cícero, uns poucos livros de Sêneca, algumas obras de poetas e uns poucos volumes de autores de sua própria seita, bem redigidos em latim, e uma vez que ele praticava diariamente a arte de falar em público, tinha adquirido certa eloquência, que se mostrava ainda mais agradável e sedutora por ser conduzida por uma boa inteligência e uma espécie de simpatia natural. Não aconteceu assim, como eu me lembro, ó Senhor meu Deus, juiz de minha consciência? Expostos diante de ti estão meu coração e minha memória. Naquela época tu me orientaste e lançaste na minha cara aqueles erros vergonhosos, para que eu os visse e detestasse.

12 Depois que ficou evidente que Fausto ignorava aquelas artes nas quais julgava distinguir-se, comecei a perder a esperança de que ele pudesse elucidar e resolver os problemas que me desconcertavam. (Por mais que ignorasse aquelas artes, ele ainda assim poderia preservar as verdades da fé, se não fosse maniqueísta.) Ocorre que os livros deles estão cheios de verbosas fábulas sobre o céu e as estrelas, o sol e a lua, e eu já não o considerava capaz de resolver satisfatoriamente os problemas que tanto me inquietavam. Queria saber se, comparando essas coisas com os cálculos que conhecia através da leitura de outros autores, a explicação dada em livros maniqueístas era preferível ou pelo menos aceitável. Quando propus discutir isso com ele, Fausto, muito humildemente, declinou da tarefa. Pois ele sabia que não tinha conhecimento desses assuntos e não se envergonhava de confessá-lo. Ele não era desses tagarelas, muitos dos quais eu havia aturado, que se propuseram a me ensinar essas coisas e não me apresentaram nenhuma novidade. Esse homem tinha um coração. Mesmo não sendo correto em relação a ti, ele não era de todo falso consigo mesmo. Não se trata de alguém totalmente inconsciente de sua ignorância, nem seria ele capaz de se enrascar de maneira precipitada numa discussão da qual não pudesse nem recuar nem se sair discretamente bem. Até por isso eu gosto mais dele. Pois é mais bela a modéstia de uma inteligência ingênua do que o conhecimento daquelas coisas que eu desejava. E foi isso que constatei nele em todas as questões mais difíceis e sutis.

13 Meu fervor pelos escritos maniqueístas foi assim atenuado. Minha esperança de obter soluções de outros professores diminuiu ainda mais depois de perceber que, em vários assuntos que me desconcertavam, Fausto, tão famoso entre eles, se revelara como era. Passei a me envolver com ele no estudo daquela literatura que também a ele muito interessava (e que eu, professor de retórica, naquela época ensinava a jovens estudantes de Cartago). Líamos junto o que ele desejava ler ou o que eu julgava adequado para seu gênio. Mas todos os meus esforços, mediante os quais eu queria progredir naquela seita, depois de conhecer aquele homem, chegaram literalmente ao fim. Não me desliguei por completo dos maniqueístas, mas, como não encontrasse nada melhor, tive de me contentar nesse meio-tempo com qualquer coisa que já tivesse adotado, a menos que, por acaso, algo mais aceitável se apresentasse. Assim, aquele tal de Fausto, que para muitos foi uma cilada mortal, sem querer e sem perceber, havia começado a soltar o laço que me prendia. Pois tuas mãos, ó meu Deus, com aquele objetivo secreto de tua providência, não abandonaram a minha alma. O sangue do coração de minha mãe, mediante suas lágrimas derramadas noite e dia, era um sacrifício oferecido a ti em meu benefício. E "tu fizeste maravilhas em meu favor" (Jl 2.26). Tu o fizeste, ó meu Deus pois, "o Senhor firma os passos de um homem, quando a conduta deste o agrada" (Sl 37.23). Caso

contrário, como conseguiremos nos salvar, senão pela tua mão que recria o que criaste?

14 Tu me conduziste de modo a persuadir-me a ir para Roma. Lá, e não mais em Cartago, exerceria o ofício de professor. Não deixarei de relatar como fui persuadido a fazer isso, pois também nesse caso os profundos segredos de tua sabedoria e de tua indefectível misericórdia para conosco devem ser ponderados e confessados. Eu então não desejava ir para Roma porque lá teria lucros maiores e ofícios honoríficos mais altos garantidos pelos amigos que me persuadiram a mudar-me para lá (embora naquela época até mesmo essas coisas tivessem alguma influência sobre meu modo de pensar). Minha principal e quase única razão foi eu ter ouvido dizer que os estudantes de Roma eram mais tranquilos e mantidos sob o controle de uma disciplina mais regular. Assim, eles não invadiam de modo insolente uma escola da qual nem sequer eram alunos, como também não eram admitidos sem a permissão do professor. Ao passo que em Cartago reina entre os estudantes um vergonhoso e desenfreado abuso da liberdade. Eles irrompem escola adentro e com gestos quase desvairados perturbam a ordem interna estabelecida para o bem dos alunos. Inúmeras ofensas eles cometem, com seu espantoso atrevimento, que mereceria punição legal, se a tradição não os apoiasse. Essa tradição os mostra da forma mais infeliz, no sentido de que eles fazem agora licitamente o que segundo a tua lei eterna jamais será lícito. Eles julgam que agem com impunidade, mas são punidos com a própria cegueira por meio da qual fazem o que fazem e sofrem castigos incomparavelmente piores do que aquilo que fazem. Assim, os modos que eu, quando estudante, para mim não adotava era, como professor, obrigado a suportar nos outros. Por isso, me senti muito satisfeito de poder ir para um lugar onde, segundo me afirmavam todos os que lá haviam estado, coisas semelhantes não aconteciam. Mas tu, "meu refúgio, tudo o que tenho na terra dos viventes" (Sl 142.5), para que eu pudesse mudar minha residência terrena visando a salvação da minha alma, estimulaste-me a que me afastasse de Cartago; em Roma me apresentaste tentações, por meio das quais eu pudesse ser atraído para lá por homens apaixonados por uma vida moribunda. De um lado, os acontecimentos desvairados; do outro lado, a promessa de vaidades. E para corrigir minha rota tu te serviste da perversidade deles e da minha. Pois se os que perturbavam minha tranquilidade estavam cegos em seus vergonhosos desvarios, aqueles que me convidavam para outro lugar saboreavam a terra. E eu que aqui detestava a infelicidade real, lá buscava a felicidade irreal.

15 Mas o motivo de eu deixar um lugar e partir para outro tu o conhecias, ó Deus. Não o revelaste, porém, nem a mim nem à minha mãe, que sentidamente deplorava a minha viagem e me seguiu até o litoral. Mas eu a enganei. Ela me forçava dizendo que ou me impediria de viajar, ou iria comigo. Fingi que tinha um amigo que não podia abandonar até que soprasse um vento favorável para ele zarpar. Menti à minha mãe (e que mãe!) e fugi. Pois também isso tu misericordiosamente me perdoaste, preservando-me, assim cheio de execráveis impurezas, das águas do mar para as águas da tua graça. Quando por ela fui purificado, o rio de lágrimas de minha mãe, com as quais ela dia após dia irrigava por mim seu rosto, devia estar seco. E, no entanto, recusando-se ela a voltar para casa sem mim, eu mal consegui persuadi-la a passar aquela noite num lugar bem próximo do nosso navio, onde havia um oratório erigido em memória do bem-aventurado Cipriano. Naquela noite eu parti às escondidas, mas ela não fez por menos em suas lágrimas e orações. E o que, Senhor, pedia-te ela com tantas lágrimas, senão que não permitisses que eu zarpasse? Mas tu, nas profundezas de teus desígnios e ouvindo o ponto principal de seu desejo, não atendeste ao que ela então pedia, para poderes fazer de mim o que ela sempre pedira. O vento soprou e inflou nossas velas e afastou o litoral do nosso campo de visão. Ela, na manhã seguinte, louca de dor, encheu teus ouvidos com queixas e gemidos, que tu então ignoraste, enquanto através de

meus desejos me apressavas para o fim de todos os desejos, de modo que a parte terrena de seu afeto por mim estava sendo purificada pelo quinhão de dores que lhe fora designado. Pois ela gostava da minha companhia, como as mães costumam fazer, mas muito mais do que muitas. E ela não sabia que imensa alegria tu lhe estavas preparando para com a minha ausência. Ela não sabia. Por isso, chorava e gemia, e nessa agonia manifestava-se nela a herança de Eva, procurando com dor o que na dor havia trazido ao mundo. Todavia, depois de denunciar minha traição e crueldade, ela voltou a interceder por mim junto a ti. Ela voltou para casa, e eu fui para Roma.

16 E, de repente, fui vítima do açoite da enfermidade física. Estava caindo no inferno, carregando todos os pecados que havia cometido contra ti, contra mim mesmo e contra os outros, muitos e graves, somando-se e superando aquele vínculo do pecado original, pelo qual "em Adão todos morrem" (1Co 15.22). Pois tu não me havias perdoado nenhuma dessas coisas em Cristo, tampouco havia ele anulado com sua cruz a inimizade que eu, por meus pecados, criara contra ti. Pois como o faria, mediante a crucificação de um fantasma, que eu acreditava ser teu Filho? Tão certa era, portanto, a morte da minha alma, assim como a da carne dele me parecia falsa; e tão verdadeira era a morte do seu corpo, como era falsa a vida da minha alma, que não acreditava nela. E agora com o recrudescimento de minha febre, eu estava partindo e partindo para sempre. Se eu tivesse morrido então, para onde teria ido, senão para o fogo e os tormentos merecidos por meus delitos segundo a verdade de tua justiça? Disso, porém, ela não sabia; mas, mesmo ausente, orava por mim. Tu, no entanto, presente em toda parte, ouviste-a lá onde ela estava; e lá onde eu estava tiveste compaixão de mim: eu devia recuperar a saúde física, embora em meu coração sacrílego continuasse enfermo. Pois durante todo aquele estado de perigo eu não desejei o batismo. Eu tinha sido melhor como menino, quando o implorei à piedade de minha mãe, como já foi registrado e confessado. Mas eu tinha crescido para minha vergonha e, feito um demente, zombava dos remédios de tua medicina, mas tu não permitirias que, sendo eu o que era, sofresse uma dupla morte. Se o coração de minha mãe tivesse sido trespassado por esse ferimento, ele nunca teria podido sarar. Pois eu não sei expressar o afeto que ela nutria por mim, e com que angústia ela sentia agora as dores do parto no espírito muitíssimo mais fortes do que as havia sentido quando me dera à luz fisicamente.

17 Não consigo ver como ela poderia ter-se curado se essa minha morte houvesse trespassado o coração do seu amor. E onde acabariam aquelas suas fortes e incessantes orações, sempre endereçadas somente a ti? Mas será que tu, Deus de misericórdia, desprezarias "um coração quebrantado e contrito" (Sl 51.17), tão generoso em atos de caridade, tão obsequioso e atencioso com teus santos, a ponto de não deixares passar um dia sem fazer uma oferta em teu altar? Duas vezes ao dia, pela manhã e à tarde, ela sem falta comparecia à tua igreja, não para conversas fúteis e "fábulas profanas e tolas" (1Tm 4.7), mas a fim de poder te ouvir em teus sermões, e tu a ela em suas orações. Poderias desprezar e rejeitar teu auxílio a alguém assim, que não te pedia nem ouro nem prata, ou algum bem passageiro e mutável, mas sim a salvação de minha alma, tu, que a fizeste como ela era? Jamais, Senhor. Sim, tu estavas por perto, ouvindo e agindo, para que acontecesse o que havias previamente determinado. Longe de ti decepcioná-la nas visões e respostas que lhe deras, algumas das quais já mencionei, outras não, mas que ela guardava em seu coração fiel e, sempre orando, te apresentava como algo escrito de teu punho. Pois tu, cujo "amor dura para sempre" (Sl 106.1), àqueles a quem perdoas todas as dívidas também concedes que se tornem credores de tuas promessas.

18 Tu causaste minha recuperação da enfermidade e curaste o filho de tua serva, por enquanto fisicamente, para que ele vivesse e tu pudesses lhe conceder uma saúde melhor e mais segura. Nessa época, em Roma, juntei-me àqueles "santos" impostores e vítimas da impostura; não apenas com seus discípulos (a esse grupo pertencia aquele na casa do qual eu caíra enfermo e me recuperara), mas também com aqueles que eles chamam de "eleitos". Eu ainda achava "que não éramos nós que pecávamos, mas que alguma outra misteriosa natureza pecava em nós". Agradava à minha natureza ser isento de pecado e, depois de praticar algum ato maldoso, não ter de confessar nada dizendo "cura-me, pois pequei contra ti" (Sl 41.4). Mas gostava de me desculpar e acusar não sei que outra coisa que estava em mim, mas que não era eu. Na verdade, era apenas eu, e minha impiedade tinha me dividido contra mim mesmo. Tanto mais incurável era aquele pecado por meio do qual eu não me considerava pecador. Maldita iniquidade era isso que me fazia preferir que tu, ó Deus todo-poderoso, fosses vencido em mim para minha destruição a ser eu mesmo vencido por ti para minha salvação. Tu ainda não tinhas colocado, "Senhor, uma guarda à minha boca, vigiando meus lábios, não permitindo que o meu coração se voltasse para o mal, nem que eu me envolvesse em práticas perversas com os malfeitores" (Sl 141.3-4). Por isso, eu ainda andava com os "eleitos".

19 Mas agora, não tendo esperanças de progredir naquela falsa doutrina, passei a defender com menos diligência e intensidade até mesmo aquelas coisas com as quais eu me decidira dar-me por satisfeito, caso não encontrasse outras melhores. Comecei a formular uma ideia: aqueles que chamamos de "acadêmicos" sabiam mais que os outros porque sustentavam que os homens devem duvidar de tudo e afirmavam que nenhuma verdade pode ser compreendida pelo ser humano; pois assim, sem sequer entender o que eles queriam dizer, eu estava claramente convencido de que eles pensavam como costuma-se deles dizer. Mesmo assim, livre e abertamente aconselhei meu anfitrião a não alimentar uma confiança exagerada que nele percebi em relação àquelas fábulas sempre presentes nos livros dos maniqueístas. Todavia, eu me sentia mais confortável na companhia deles do que na de seguidores de outras heresias. Mas não

defendia o maniqueísmo com o entusiasmo de antes. Porém, a intimidade com membros dessa seita (Roma abriga secretamente muitos deles) retardou minha busca de algum outro caminho. Sobretudo porque eu não alimentava esperanças de descobrir a verdade na tua Igreja, da qual eles me haviam desviado, ó Senhor do céu e da terra, Criador de todas as coisas visíveis e invisíveis. Parecia-me muito impróprio crer que tu tivesses a forma de um ser humano e fosses limitado pelas características físicas de nossos membros. Uma vez que, quando eu queria pensar em Deus, não sabia em que pensar, a não ser numa magnitude física (pois o que não fosse isso a meu ver nada seria), esse era o maior e praticamente único motivo de meu inevitável erro.

20 Em consequência eu acreditava que o mal também tinha alguma espécie de substância desse tipo, bem como sua própria massa impura: quando era bruta a chamavam terra; quando era fina e sutil (como a substância do ar) a consideravam uma espécie de inteligência maligna infiltrando-se sorrateiramente na terra. E uma vez que, devido a certa piedade, apesar de indefinida, eu me sentia obrigado a acreditar que o bom Deus jamais criara alguma natureza maligna, concebi duas massas, opostas entre si, ambas ilimitadas. A maligna, porém, era mais reduzida; a boa, mais expandida. Dessa base nociva, deduzi os outros conceitos sacrílegos. Pois quando minha mente se esforçava para recorrer à fé católica, eu era empurrado para trás, pois a fé católica não era aquilo que eu imaginava. A meu ver eu me mostrava mais reverente se acreditasse em ti, meu Deus (a quem confesso tuas misericórdias vocalmente), como um ser infinito, pelo menos sob outros aspectos, embora naquele aspecto que mostrava a massa do mal que se opunha a ti eu fosse obrigado a confessar tua finitude; a meu ver, porém, eu me mostrava mais reverente do que se te imaginasse limitado de todos os lados pela forma de um corpo humano. A meu ver era melhor acreditar que tu não havias criado nenhum mal (que aos olhos da minha ignorância parecia não ser somente algo indefinido, mas uma substância física, porque eu não

conseguia conceber uma mente que não fosse um corpo sutil ocupando espaços definidos) do que acreditar que a natureza do mal, tal como eu a concebia, pudesse provir de ti. Sim, eu acreditava que até mesmo o nosso Salvador, o Unigênito, nos fora enviado para nossa salvação dessa luminosíssima substância. Assim, eu não acreditava em nada a respeito dele, a não ser o que minha vaidade conseguia imaginar. Sendo, então, essa a sua natureza, eu pensava que ele não poderia ter nascido da virgem Maria sem misturar-se com a carne. E eu não entendia como aquilo que imaginava por mim mesmo pudesse misturar-se sem se manchar. Eu temia, portanto, que, acreditando que ele tivesse nascido da carne, eu fosse obrigado a acreditar que ele fora manchado por ela. Agora os teus espiritualistas podem suave e amorosamente rir-se de mim, se vierem a ler estas minhas confissões. Mas eu era assim.

21 Além disso, eu não julgava defensável o que os maniqueístas haviam criticado nas tuas Escrituras. Eu às vezes realmente sentia o desejo de trocar ideias sobre vários pontos com alguém muito versado naqueles livros para saber o que ele achava: de fato, as palavras de certo Helpídio, durante discussões cara a cara com os maniqueístas, haviam começado a me impressionar até mesmo em Cartago. Ele apresentava fatos extraídos das Escrituras difíceis de refutar. A resposta que lhe davam os maniqueístas me parecia fraca. Era uma resposta que não gostavam de dar em público, mas apenas para nós em particular. Diziam que as Escrituras do Novo Testamento haviam sido corrompidas por não sei quem, com o intuito de enxertar a lei judaica na fé cristã. No entanto, eles não apresentavam nenhuma cópia incorrupta. Mas eu, que só concebia realidades corpóreas, era essencialmente mantido sob sujeição, fortemente oprimido e de certo modo sufocado por aquelas "magnitudes". Arquejando sob o peso delas, não conseguia respirar o ar puro de tua verdade.

22 Comecei então a praticar com diligência aquilo para o qual vim para Roma: o ensino da retórica. Primeiro, reuni na minha casa pessoas que eu passara a conhecer e através de quem

me tornara conhecido. Então, de repente, descobri em Roma outras ofensas que eu não havia sofrido na África. É verdade que aquelas "desordens" de jovens libertinos não eram praticadas aqui, como me haviam dito. Mas, de repente, disseram eles, para não pagar o estipêndio do professor, vários jovens tramam e se transferem em grupo para outra escola, descumprindo seu contrato, desprezando a justiça por amor ao dinheiro. Por esses também meu coração sentiu "ódio", porém não "implacável" (Sl 139.22), pois talvez eu os tenha odiado mais porque eles me causariam prejuízos do que por praticarem atos totalmente ilícitos. Na verdade, assim são as pessoas ignóbeis: elas se prostituem contra ti, amando essas zombarias obscenas de coisas temporais e o lucro vil que suja a mão de quem dele se aproveita; abraçando este mundo fugaz e desprezando-te, que permaneces, chamas de volta e perdoas a alma adúltera do homem que retorna a ti. Agora detesto essas pessoas depravadas e desonestas, embora as ame se forem corrigíveis, de modo a darem mais valor ao possível aprendizado do que ao dinheiro, e mais a ti, ó Deus, do que ao aprendizado. Tu és a plenitude do bem garantido, a mais pura paz. Mas naquela época eu detestava a maldade delas por amor a mim mesmo mais do que gostava delas e lhes desejava o bem por amor a ti.

23 Assim, quando chegou de Milão uma solicitação endereçada ao prefeito de Roma pedindo que fosse enviado para aquela cidade um professor de retórica, com a passagem paga com verba pública, eu me candidatei (exatamente por intermédio daquelas pessoas intoxicadas de vaidades maniqueístas, das quais me libertaria de lá para onde estava indo, mas sem que nenhum de nós soubesse disso). Símaco, então prefeito de Roma, me examinou apresentando-me um tema e em seguida me designou para ocupar o cargo. Para Milão eu fui, para o bispo Ambrósio, conhecido no mundo inteiro como um dos melhores homens, teu devoto servo, cujo discurso eloquente naquela época distribuía com fartura a farinha do teu trigo, o contentamento de teu azeite e a moderadora intoxicação de teu

vinho. Por ti fui levado para ele sem o saber, a fim de que, sabendo, eu fosse levado para ti. À minha chegada, aquele homem de Deus me recebeu como um pai, mostrando-me uma bondade digna de um bispo. Desde aquele momento passei a amá-lo, no início não de fato como um mestre da verdade (que eu absolutamente não esperava mais encontrar na tua Igreja), mas como uma pessoa bondosa para comigo. Atento, eu ouvia sua pregação ao povo, não com aquela atitude que lhe era devida, mas, por assim dizer, investigando sua eloquência. Queria saber se ela correspondia à sua fama; se era mais caudalosa ou menos fluente do que dela se dizia. Ouvia suas palavras com atenção, mas quanto ao assunto eu era como um observador indiferente e zombador. Dava-me prazer a suavidade do seu discurso, mais erudito, embora pelo estilo fosse menos cativante e harmonioso que o de Fausto. Quanto ao assunto, porém, não havia comparação, pois um divagava entre ilusões maniqueístas, o outro ensinava a salvação da maneira mais sólida possível. Mas "a salvação está longe dos ímpios" (Sl 119.155); e eu era um deles na presença de Ambrósio. E, no entanto, pouco a pouco, sem o saber me aproximava dela cada vez mais.

24 Embora eu não me esforçasse para aprender o que ele dizia, querendo apenas ouvir como ele o dizia (pois apenas essa vã preocupação me havia sobrado, não tendo mais esperança de achar um caminho, disponível para o homem, que levasse a ti); mesmo assim, juntamente com as palavras que eu acolhia, também entravam em minha mente as próprias coisas que eu recusava. Eu não conseguia separar as duas coisas. E quando abri o coração para receber a eloquência de suas palavras, nele também entraram as verdades que ele dizia. Mas isso apenas pouco a pouco. Em primeiro lugar, essas coisas agora também começaram a me parecer defensáveis. E eu que antes achava que nada se pudesse dizer contra as objeções maniqueístas em prol da fé católica, via agora que essa fé podia ser defendida sem nenhum cinismo, especialmente após ouvir uma ou duas passagens do Antigo Testamento explicadas, muitas vezes "como em espelho"

(1Co 13.12), passagens que entendidas literalmente me conduziram à morte espiritual. Depois de ouvir a explicação de muitas passagens das Escrituras, eu agora censurava meu desespero por acreditar na impossibilidade de alguma resposta àqueles que detestavam e ridicularizavam a Lei e os Profetas. Todavia, nem por isso percebi então que se devia adotar o método católico porque ele também tinha seus eruditos advogados, que em geral e com demonstrações racionais sabiam responder a objeções; tampouco que eu, consequentemente, devia ser condenado, pois era possível defender os dois lados. Assim, a fé católica não me parecia subjugada, como também ainda não me parecia vitoriosa.

25 Comecei a pensar seriamente sobre isso para ver se, de algum modo, eu podia, mediante alguma prova evidente, condenar os maniqueístas por falsidade. Se eu ao menos pudesse conceber uma essência espiritual, todas as fortalezas deles seriam destruídas e totalmente afastadas da minha mente. Mas eu não podia. Apesar disso, acerca da estrutura deste mundo e de toda a natureza, que os sentidos físicos conseguem captar, cada vez mais ponderando e comparando as coisas, concluí que os princípios da maioria dos filósofos têm se mostrado mais verossímeis. Assim, seguindo o suposto método dos acadêmicos de duvidar de tudo e entre tudo oscilar, eu decidi que àquela altura devia abandonar os maniqueístas. Achei que, mesmo na dúvida, não poderia continuar numa seita à qual preferira alguns filósofos, aos quais, não obstante, por não ostentarem o nome de Cristo, eu me recusava terminantemente a confiar a cura de minha alma enferma. Por isso decidi que por enquanto eu seria um catecúmeno da Igreja Católica, à qual eu fora confiado por meus pais, até que se me apresentasse algo evidente, que me permitisse determinar minha rota.

Livro 6

1 Ó tu, "minha confiança desde a juventude" (Sl 71.5), onde estavas para mim, para onde tinhas ido? Tu não me tinhas criado e separado dos animais do campo e das aves do céu? Tu me fizeras mais sábio, mas eu caminhava nas trevas e por sendas escorregadias, buscando fora de mim sem conseguir achar o Deus do meu coração. Chegara às profundezas do oceano, e desconfiava desesperado de que jamais viesse a encontrar a verdade. Minha mãe viera agora ao meu encontro, resoluta em sua piedade, seguindo-me por terra e por mar, em todos os perigos confiando em ti. Nos perigos do mar, ela confortou os próprios marinheiros (pelos quais os passageiros inexperientes do mar geralmente costumam ser confortados em momentos de aflição), garantindo-lhes uma chegada segura, que tu, numa visão, lhe tinhas garantido. Ela me encontrou quando eu corria um grande perigo, depois de perder a esperança de jamais descobrir a verdade. Quando lhe disse que eu já não era maniqueísta, mas ainda não era cristão católico, ela não se mostrou arrebatada, como quem depara algo inesperado, mesmo sentindo-se agora aliviada a respeito daquele aspecto de minha miséria que a fizera chorar por mim como se chora um morto que, mesmo devendo ser ressuscitado por ti, está sendo levado no caixão de seus próprios pensamentos, para que tu pudesses dizer ao filho da viúva: "'Jovem, eu lhe digo, levante-se!' O jovem sentou-se e começou a conversar, e Jesus o entregou à sua mãe" (Lc 7.14-15). O coração dela não explodiu num entusiasmo tumultuoso, quando ouviu que aquilo que ela diariamente, com suas lágrimas, havia desejado de ti em grande parte já se realizara, no sentido de que, mesmo não tendo chegado à verdade, eu já fora resgatado

da falsidade. Mas, como lhe fora assegurado que tu, que havias prometido o todo, mais cedo ou mais tarde lhe darias o resto, com a máxima calma e o coração repleto de confiança, ela me respondeu que, em Cristo, ela acreditava que antes de partir desta vida me veria transformado num crente católico. Só isso ela me disse. Mas diante de ti, Fonte de misericórdias, ela derramou as mais copiosas orações e lágrimas, pedindo-te para apressar teu socorro e iluminar minha escuridão. Ela frequentava a igreja com entusiasmo redobrado e ouvia enlevada as palavras de Ambrósio, orando e pedindo "uma fonte de água a jorrar para a vida eterna" (Jo 4.14). Ela amava aquele homem como um anjo de Deus, porque sabia que, por intermédio dele, eu fora trazido, por enquanto, para aquele duvidoso estado de fé onde agora me encontrava. Nessa minha condição ela antevia com a máxima confiança que eu passaria de um estado de enfermidade para a recuperação da saúde depois de um acesso, por assim dizer, de um paroxismo que os médicos denominam "a crise".

2 Certa vez, quando minha mãe, seguindo um costume trazido da África, levou bolos, pães e vinho para as igrejas erigidas em memória dos santos e foi proibida pelo porteiro de fazer isso, assim que ela soube que a proibição provinha do bispo, acolheu seus desejos com tanta piedade e obediência que eu mesmo me surpreendi vendo com que prontidão ela desaprovou aquela prática em vez de discutir a proibição. O hábito de beber vinho não dominava seu espírito, tampouco o gosto pelo vinho provocou-lhe o ódio pela verdade, o que acontece com muitos (homens e mulheres) que rejeitam uma lição de sobriedade, como fazem os embriagados diante de uma bebida misturada com água. Mas ela, quando trazia sua cesta com os costumeiros alimentos para uma festa, que ela se limitava a provar e depois distribuía, nunca aceitava mais que uma pequena taça de vinho, diluído de acordo com seus hábitos abstêmios, que, por delicadeza, ela degustava. E se havia muitas igrejas dedicadas a santos, honrados dessa maneira, ela sempre carregava consigo a mesma

taça para ser usada em toda parte. Essa bebida, às vezes já aguada e quente, ela distribuía, em pequenos goles, entre quem estivesse a seu redor. Nisso ela buscava a devoção, não o prazer. Assim que minha mãe soube que esse costume fora proibido por aquele famoso pregador e piíssimo prelado, mesmo entre aqueles que o praticavam com sobriedade, para evitar que os beberrões tivessem uma ocasião de cometer excessos, e porque essas solenidades de aniversários fúnebres se pareciam muito com as superstições dos gentios, ela o abandonou com a máxima boa vontade. E, em vez de uma cesta de frutos da terra, ela aprendeu a levar para as igrejas dos mártires um coração cheio de petições mais puras e a doar o que pudesse aos pobres. Assim a comunhão do Corpo de Cristo poderia ser celebrada corretamente ali, onde, seguindo o exemplo da Paixão de Cristo, os mártires haviam sido sacrificados e coroados. Contudo, quer me parecer, ó Senhor meu Deus, e assim pensa meu coração diante de teus olhos, que ela talvez não tivesse cedido tão prontamente à proibição daquele costume, se esta fosse imposta por outra pessoa que ela não amasse tanto como amava Ambrósio. Visando a minha salvação, ela o amava de todo o coração, e ele lhe retribuía o mesmo amor, devido à sua conversação repleta de religião, que ela traduzia em boas obras. Sendo "fervorosa no espírito" (Rm 12.11), ela sempre estava na igreja. Assim, quando Ambrósio me via, muitas vezes explodia em elogios, felicitando-me por eu ter tal mãe, sem saber como era o filho dela, que duvidava de todas essas coisas e pensava que era impossível descobrir o verdadeiro caminho da vida.

3 Eu ainda não gemia em minhas orações pedindo que me ajudasses. Mas meu espírito estava totalmente concentrado na aprendizagem e, impaciente, desejava uma discussão. Considerava Ambrósio um homem feliz, pelos critérios do mundo, que tem as grandes pessoas em alta estima. Apenas seu celibato me parecia um problema difícil. Mas eu não podia imaginar, por não ter tido sua experiência, que esperança havia em seu íntimo, que lutas ele travava contra a tentação que atacava suas qualidades

superiores ou que conforto nas adversidades ou que doces alegrias teu pão proporcionava à boca oculta de seu espírito. Ele tampouco conhecia as marés de meus sentimentos, ou as profundezas do meu perigo. Pois eu não podia perguntar-lhe o que queria como queria, por ser excluído de seus ouvidos e de sua conversa por multidões de pessoas ocupadas, de cujas fraquezas ele cuidava. Quando não estava ocupado com gente nessas condições, no pouco tempo que lhe restava, ou ele estava revigorando seu corpo com o alimento absolutamente indispensável, ou sua mente estava lendo. Durante a leitura, seus olhos deslizavam sobre as páginas, e seu coração procurava o sentido, mas sua voz e língua permaneciam em repouso. Muitas vezes quando aparecíamos (pois ninguém era proibido de entrar, e não era seu costume exigir que quem aparecesse fosse anunciado), nós o víamos lendo em silêncio, nunca de outra forma. Ficávamos lá sentados por um longo tempo (pois quem ousaria perturbar alguém tão concentrado?), depois tendíamos a ir embora, imaginando que, naquele breve espaço de tempo que ele conseguia, longe da grande confusão das outras atividades, para revigorar sua mente, ele não queria ser perturbado. E talvez temendo que, se o autor tratava obscuramente de algum assunto que ele devia explicar a algum de seus ouvintes mais atentos ou confusos, ou de algum assunto que discutia algumas das questões mais difíceis, se ele gastasse seu tempo para outras coisas, não poderia consultar todos os volumes desejados. Mas a preservação de sua voz (que um breve discurso enfraquecia) talvez fosse a razão mais verdadeira de sua leitura silenciosa. Fosse qual fosse sua intenção, com certeza num homem como ele ela era boa.

4 Eu, porém, certamente não tinha nenhuma oportunidade de perguntar o que queria àquele teu santo oráculo, seu coração, a não ser que o assunto pudesse ser resolvido numa resposta breve. Mas as paixões que eu tinha dentro de mim para derramar sobre ele exigiam todo o seu tempo livre, e nunca o consegui. Eu de fato o ouvia todos os domingos, "como obreiro que maneja corretamente a palavra da verdade" (2Tm 2.15) entre o povo, e ficava cada vez mais convencido de que todos os nós daquelas astuciosas calúnias, que aqueles nossos impostores haviam tramado contra os Livros Divinos, poderiam ser desfeitos. Mas então percebi que a afirmação de que "o homem foi criado por ti, à tua imagem" (Gn 1.26) não era entendida por teus filhos espirituais, os da Mãe Católica que tu regeneraste por meio da graça, como se eles acreditassem em ti e te concebessem como sendo limitado pela forma humana (embora eu não fizesse a menor ideia de que substância espiritual se tratasse). Todavia, com alegria corei percebendo que por tantos anos eu havia latido, não contra a fé católica, mas contra as fantasias de imaginações carnais. Eu tinha sido tão precipitado e irreverente que aquilo que devia ter aprendido por meio da investigação eu denunciara e condenara. Pois tu, altíssimo e pertíssimo; secreto e presente ao máximo; que não tens membros, nem maiores nem menores, mas estás inteiramente em toda parte e não estás em espaço algum, não tens nenhuma forma corpórea, no entanto criaste o homem à tua imagem. E eis que, dos pés à cabeça, ele está contido no espaço.

5 Ignorando então como pudesse subsistir essa tua imagem no homem, eu deveria ter batido à tua porta propondo a pergunta de como se podia acreditar naquilo, e não, com insultos, ter-me insurgido, como se eu acreditasse. Então, quanto mais a dúvida do que era certo defender corroía fortemente meu coração, tanto mais eu me envergonhava porque, após ter sido por tanto tempo iludido e enganado pela promessa de certezas, alimentadas com veemência numa ignorância infantil, agora tagarelava sobre tantas incertezas. Mais tarde ficou claro para mim que se tratava de falsidades. Todavia, eu tinha certeza de que eram incertas as coisas que antes eu havia considerado certas, quando, com espírito litigioso, acusava a Igreja Católica. Mas agora eu descobria não que ela realmente ensinava doutrinas verdadeiras, mas que pelo menos não ensinava aquilo pelo qual eu seriamente a havia criticado. Assim fui refutado e convertido. E me alegrei, ó meu Deus, pelo fato de que a única Igreja, o Corpo de teu Filho (no seio da

qual o nome de Cristo me fora imposto na infância), não gostava de absurdos infantis; tampouco defendia em sua doutrina algum princípio que devesse confinar a ti, o Criador de tudo, nalgum espaço que, por maior e mais amplo que fosse, te manteria preso dentro dos limites de um corpo humano.

6 Alegrei-me também porque as Escrituras da Lei e dos Profetas me foram apresentadas não para serem lidas sob aquele ângulo que antes as fazia parecer absurdas, quando eu insultava teus santos por pensarem assim, ao passo que eles pensavam de modo diferente. Com alegria ouvi Ambrósio em seus sermões recomendar ao povo com o máximo empenho que este texto fosse tomado como regra: "A letra mata, mas o Espírito vivifica" (2Co 3.6). Embora ele retirasse o véu do mistério, deixando espiritualmente às claras o que, segundo a letra, parecia ensinar uma doutrina incerta, com isso ele não estava ensinando nada que me ofendesse, mesmo ao apresentar aquilo que eu ainda não sabia se era verdadeiro ou falso. Pois eu por enquanto evitava que meu coração acreditasse em qualquer coisa, temendo cair de cara no chão. Contudo, mantendo minha fé suspensa, enfrentava uma morte ainda pior. Eu queria ter, sobre coisas que não via, a mesma certeza que tinha de que sete mais três são dez. Pois não estava louco a ponto de pensar que nem isso se podia compreender. Mas desejava que outras coisas fossem tão claras como essa, coisas físicas que estão ausentes aos meus sentidos, ou espirituais, que eu só sabia conceber fisicamente. Acreditava que eu poderia ser curado, e assim a visão de minha alma seria clara; acreditava que de algum modo poderia ser encaminhado para a tua verdade, que sempre permanece e em nada falha. Mas como quem passou pelas mãos de um mau médico passa a desconfiar de um médico bom, assim acontecia com a saúde de minha alma, que não podia curar-se a não ser acreditando, mas, para evitar a adoção a falsidades, recusava-se a ser curada; eu resistia a tuas mãos, que prepararam os remédios da fé e os aplicaram às enfermidades do mundo inteiro, conferindo à fé uma autoridade extraordinária.

7 Mas, levado a preferir a doutrina católica, eu sentia que sua conduta era mais simples e honesta, no sentido de que ela exigia que se acreditasse em coisas não demonstradas (ou porque elas por sua própria natureza não eram passíveis de demonstração, ou porque não podiam ser demonstradas para certas pessoas), ao passo que entre os maniqueístas nossa credulidade era ridicularizada com a promessa de um conhecimento evidente, e em seguida nos eram impostas muitas coisas extremamente fantásticas e absurdas. Tu, então, ó Senhor, pouco a pouco, com tua mão delicadíssima e cheia de misericórdia, tocando e recompondo o meu coração, me persuadiste, levando-me a considerar o número infinito de coisas em que acreditava sem tê-las visto e sem estar presente quando aconteceram, como tantos fatos da história secular, tantos relatos de lugares e de cidades que eu não tinha visto; tantos amigos, tantos médicos, tantos outros homens; se não acreditássemos nisso, nada poderíamos fazer nesta vida; enfim, com que inabalável certeza eu sabia dizer de que pai e mãe eu tinha nascido, coisa que eu não podia saber, se não acreditasse no que ouvira contar; levando-me a considerar tudo isso, tu me convenceste de que não os que acreditavam nos teus Livros (que tu estabeleceste com tão grande autoridade entre todas as nações), mas sim os que neles não acreditavam deviam ser censurados; não mereciam ser ouvidos os que me diziam: "Como você sabe que aquelas Escrituras foram concedidas à humanidade pelo Espírito do único verdadeiro Deus?". Pois exatamente essa verdade era a que mais merecia crédito, uma vez que nenhum espírito litigioso de questionamentos blasfemos, dentre os inúmeros que eu tinha lido nos textos contraditórios de filósofos, podia arrancar de mim esta crença: "Que tu existes" (embora eu não soubesse o que poderias ser) e "Que o governo das coisas humanas te pertence".

8 Nisso eu acreditava, às vezes de modo mais intenso, às vezes menos; mas sempre acreditei que tu existes e te preocupas conosco, embora não soubesse o que pensar de tua essência e do que conduzia ou reconduzia a ti. Eu era então demasiado fraco

para descobrir a verdade mediante o raciocínio puro: exatamente por isso precisava da autoridade das Sagradas Escrituras. Eu agora havia começado a crer que tu nunca terias conferido uma autoridade tão insuperável a essa Escritura em todas as partes do mundo, se não tivesses a intenção de, com isso, levar as pessoas a crerem em ti e a te procurar. Na verdade agora aquelas coisas que antes pareciam estranhas nas Escrituras, que geralmente me ofendiam, depois de ouvir muitas delas explicadas de modo satisfatório, eu as atribuía à profundidade dos mistérios. Agora a autoridade das Escrituras me parecia mais venerável e mais digna de fé, no sentido de que, embora sua leitura estivesse disponível para todos, ela reservava a majestade de seus mistérios no âmbito de seu significado mais profundo, descendo ao nível de todos na imensa simplicidade de suas palavras e humildade de seu estilo, mas exigindo a máxima aplicação de pessoas sérias. Assim ela pode acolher a todos em seu amplo seio e, através de passagens estreitas, conduzir alguns poucos em direção a ti, em maior número, porém, do que aconteceria se ela não pairasse no alto amparada por tão elevada autoridade; tampouco abrigaria multidões em seu seio se não fosse por sua santa humildade. Sobre isso eu meditava, e tu estavas comigo. Eu suspirava, e tu me ouvias. Eu vacilava, e tu me conduzias. Eu vagava pela ampla estrada do mundo, e tu não me abandonavas.

9 Eu almejava honras, lucros, casamento, e tu te rias de mim. Nesses meus desejos vivi as mais amargas tribulações. Tu, quanto mais benevolente, tanto menos permitias que coisa alguma me fosse doce, a não ser tu. Contempla meu coração, ó Senhor, tu que quiseste que eu rememorasse tudo isso e o confessasse a ti. Permite que minha alma se agarre a ti, agora que a libertaste daquele laço apertado de morte. Como minha alma era miserável! E tu estimulavas a sensibilidade de sua ferida, para que, abandonando tudo o mais, ela pudesse converter-se a ti, converter-se e curar-se. Tu estás acima de tudo, sem ti tudo seria nada. Como eu era miserável então, e como tu lidaste comigo, para me fazeres sentir minha miséria naquele dia quando

eu estava me preparando para proferir um discurso exaltando o imperador! Nele devia dizer muitas mentiras e, mentindo, devia ser aplaudido por aqueles que sabiam que eu mentia. Meu coração batia forte devido à ansiedade, fervendo na febre de pensamentos desgastantes. Aconteceu o seguinte: caminhando por uma das ruas de Milão, notei um pobre mendigo que, a meu ver já embriagado, estava alegre e brincalhão. Suspirei, comentando com meus amigos ali presentes sobre as inúmeras aflições de nossa loucura. Mediante todos os nossos esforços, tais como os que naquela ocasião eu labutava, arrastando sob a instigação do desejo o fardo de nossa miséria e, nesse arrastar, aumentando seu peso, nós só esperávamos chegar exatamente àquela alegria que aquele mendigo já havia conseguido antes de nós, que talvez nunca chegássemos a atingir. Pois o que ele havia conseguido mediante algumas moedas recebidas como esmola, isso mesmo eu planejava para mim mediante muitos penosos desvios e curvas: a alegria de uma felicidade transitória. A alegria dele certamente não era verdadeira; e no entanto eu, com aqueles meus ambiciosos planos, estava à procura de uma alegria muito menos verdadeira. E com certeza ele estava alegre, e eu ansioso; ele vazio de preocupações, eu cheio de medos. Mas se me perguntassem se eu preferia estar assim alegre ou receoso, eu responderia: "Alegre". Novamente, se me perguntassem se eu preferia ser como era, ou ser o que ele era, eu escolheria a minha situação, apesar do desgaste das preocupações e medos. Mas estaria julgando mal; pois aquilo era a verdade? Eu não deveria preferir-me a ele por ser mais erudito, constatando que aquilo não me alegrava; com aquilo eu apenas procurava agradar aos outros, o que não era instruir, mas simplesmente agradar. Por isso também tu quebraste meus ossos com teu bastão corretivo.

 10 Longe fiquem de minha alma aqueles que lhe dizem: "A origem das alegrias humanas não faz nenhuma diferença. Aquele beberrão se alegrava na bebedeira. Tu desejavas alegrar-te na glória". Que glória, Senhor? Aquela que não se encontra em ti.

Pois, assim como a alegria dele não era verdadeira, também a minha glória não era. Isso me abalou ainda mais na alma. Naquela mesma noite ele digeriria sua embriaguez; mas eu tinha dormido e acordado com a minha, e tu sabes, ó Deus, quantas vezes eu iria novamente dormir e acordar com ela. Mas "a origem da alegria humana faz diferença". Eu sei disso, e a alegria de uma esperança genuína se situa incomparavelmente além dessa vaidade. Sim, e do mesmo modo ele se situava acima de mim: pois ele realmente era o mais feliz de nós dois, não apenas por ele estar encharcado de alegria, mas por eu estar dilacerado de preocupações. Ele conseguira seu vinho mediante desejos justos; eu, mediante a mentira, procurava o elogio vazio, inflado. Muitas coisas nesse sentido disse eu a meus amigos, e muitas vezes observei neles qual era a minha situação. Percebi que eu não estava muito bem. Lamentando, eu redobrava meu próprio mal-estar. E se alguma felicidade me sorria, relutava em apanhá-la, pois quando estava prestes a fazê-lo, ela se desfazia.

11 Essas coisas nós que vivíamos juntos lamentávamos juntos. Mas sobre isso eu conversava principalmente e com mais intimidade com Alípio e Nebrídio. Alípio era da minha cidade natal, de uma família da alta sociedade, e era mais jovem que eu. Havia sido meu aluno primeiro em nossa cidade e depois em Cartago. Ele gostava muito de mim porque eu lhe parecia bondoso e erudito. Eu gostava dele por causa de sua grande disposição de alcançar a virtude, o que era bastante extraordinário em alguém ainda tão jovem. Todavia, o sorvedouro dos hábitos de Cartago (onde aqueles espetáculos inúteis têm entusiasmados seguidores) o arrastou para a demência do circo. Mas enquanto ele miseravelmente se agitava naquele mundo, eu tinha lá uma escola de retórica, que ele ainda não frequentava devido a uma desavença entre mim e seu pai. Naquela época eu tinha descoberto sua paixão extrema pelo circo e lamentava profundamente o fato de que ele parecia, ou melhor, tinha de fato jogado fora um futuro muito promissor. Contudo, eu não dispunha de meios para aconselhá-lo ou recuperá-lo com a imposição de alguns limites, seja pela bondade de amigo ou pela autoridade de mestre. Eu achava que ele me via como seu pai, mas não era assim. Ignorando a opinião de seu pai, ele passou a me cumprimentar e a frequentar ocasionalmente minha sala de aula. Aparecia, ficava um pouco ali e desaparecia.

12 Eu, todavia, me esquecera de como lidar com ele para convencê-lo de não desperdiçar no vício cego daqueles passatempos vazios um talento tão grande. Mas tu, ó Senhor, que estabeleces a rota de todas as tuas criaturas, não te havias esquecido daquele que um dia deveria ser, entre teus filhos, sacerdote e ministro do teu sacramento. E para que sua regeneração pudesse ser claramente atribuída a ti mesmo, tu a efetuaste por meu intermédio, mas sem que eu o soubesse. Aconteceu que um dia, quando eu estava lá sentado no local de costume, diante de meus alunos, ele entrou, saudou-me, sentou-se e ficou atento ao que eu estava discutindo. Durante a discussão, uma passagem que por acaso eu tinha nas mãos naquele momento me fez pensar numa comparação extraída dos jogos circenses; achei que aquilo provavelmente me possibilitaria uma explicação mais agradável e clara, temperada com um escárnio mordaz dirigido aos viciados naquela loucura. Deus, tu sabes que eu não pensei naquele momento em curar Alípio de sua enfermidade. Mas ele tomou aquilo como algo dirigido inteiramente a ele e achou que minha fala fora proferida só para seu bem. E onde outra pessoa teria visto uma ofensa pessoal, aquele jovem honesto viu um motivo de se ofender consigo mesmo e de gostar ainda mais de mim. Tu já o disseras muito tempo antes no teu Livro: "Repreenda o sábio, e ele o amará" (Pv 9.8). Eu não o tinha censurado, mas tu, que te serves de todos, sabendo eles ou não, naquela ordem que tu conheces (e essa ordem é justa), transformaste meu coração e minha língua em brasas vivas para incendiar aquela mente esperançosa, que estava deprimida. E assim a curaste. Que não te louve aquele que não leva em consideração a tua misericórdia, que eu a ti confesso do fundo de minha alma. Pois Alípio, depois daquela minha fala, irrompeu e saiu daquele profundo buraco onde deliberadamente se metera e se tornara cego devido àquelas malditas diversões. Sacudiu sua mente com vigoroso autodomínio. Depois disso todos os males da diversão do circo o abandonaram, e ele nunca mais compareceu a nenhum espetáculo circense. Desse modo, ele persuadiu seu teimoso pai a permitir-lhe ser meu aluno. O pai recuou e cedeu. Quando passou a ser novamente meu ouvinte, Alípio estava envolvido na mesma superstição comigo e apreciava nos maniqueístas aquela exibição de continência, que ele considerava verdadeira e genuína. Mas tratava-se de uma continência absurda e sedutora, que enredava almas valiosas, ainda incapazes de atingir a profundidade da virtude, mas facilmente enganadas com a aparência superficial do que era apenas uma virtude nebulosa e fingida.

13 Persuadido por seus pais, Alípio fora para Roma estudar direito e lá se deixou levar por uma paixão incrível pelos espetáculos de gladiadores. Avesso a esse tipo de exibição que ele abominava, um dia se encontrou por acaso com vários conhecidos e colegas de escola que haviam acabado de jantar. Usando a força da amizade, eles o arrastaram para o anfiteatro ignorando sua veemente recusa e resistência. Antevendo aquelas exibições cruéis e mortais, ele protestava, dizendo: "Embora vocês arrastem meu corpo para esse lugar e lá me segurem, será que também podem forçar minha mente e meus olhos a contemplarem aqueles espetáculos? Mesmo presente, estarei ausente, e assim vou prevalecer contra vocês e contra eles". Apesar de ouvirem isso, eles o levaram, talvez querendo exatamente verificar se ele seria capaz de cumprir o que dizia. Quando chegaram à arena e acharam um lugar para se sentar, o recinto inteiro já vibrava com aquela diversão selvagem. Ele, porém, fechando a passagem da visão, proibiu a mente de vaguear entre aquelas perversidades. Quem dera também tivesse fechado os ouvidos! Aconteceu que, durante uma luta, quando um gladiador caiu, ele se impressionou fortemente com o estrondoso alarido de toda a multidão e foi dominado pela curiosidade. Como se estivesse preparado para desprezar aquilo e mostrar-se superior ao que quer que fosse, mesmo vendo, abriu os olhos: um golpe ainda mais profundo que aquele recebido pelo corpo do gladiador feriu sua alma, e ele sofreu uma queda muito mais lamentável. Ante a queda do lutador, houve um estrondoso alarido, que lhe penetrou os ouvidos e lhe abriu os olhos, possibilitando o golpe que derrubou sua alma, mais ousada que resoluta, enfraquecida por ter depositado em si mesma a confiança que devia ter depositado em ti. Pois no instante em que viu aquele sangue, Alípio absorveu aquela selvageria. Em vez de os desviar, ele fixou os olhos, bebendo em delírio, inconscientemente, deleitando-se com a luta criminosa, inebriado com aquela diversão sangrenta. Ele já não era o homem que entrara naquele recinto: era só mais um entre a multidão à qual se juntara; isso mesmo, um verdadeiro associado daqueles que o levaram para lá. Para que dar mais detalhes? Ele olhava, gritava, vibrava, e saiu de lá tomado por aquela loucura que o instigaria a voltar não apenas com os amigos que o levaram pela primeira vez, mas também antes deles, de fato arrastando outros consigo. Todavia, de lá, com mão fortíssima e extremamente misericordiosa, tu o arrancaste e lhe ensinaste a confiar não mais em si mesmo, mas em ti. Isso, porém, foi muito tempo depois.

14 Mas isso já ia se acumulando na memória dele para ser usado como remédio dali em diante. O mesmo se aplica também ao que aconteceu quando ele era meu aluno em Cartago. Certa ocasião ele estava lá no mercado ao meio-dia, decorando o que deveria depois recitar (como de hábito fazem os alunos), e tu permitiste que ele fosse preso como ladrão pelos funcionários do local. Por nenhum outro motivo, julgo eu, tu, nosso Deus, permitiste aquilo, a não ser para que ele, que depois deveria mostrar-se um homem tão ilustre, já começasse a aprender que no julgamento das causas não se deve prontamente condenar ninguém com base numa credulidade precipitada. Aconteceu que, enquanto ele caminhava de cá para lá, na frente do posto da guarda, segurando seu caderno e uma caneta, um jovem advogado, o verdadeiro ladrão, munido secretamente de um machadinho, entrou sem que Alípio o notasse, foi até a grade de arame que cerca as lojas dos artesãos que trabalham prata e começou a cortar o metal. Ouvindo o barulho das machadadas, os artesãos iniciaram um tumulto e mandaram prender quem fosse descoberto. Mas, ao ouvir os gritos deles, o ladrão fugiu, deixando o machado no local, para não ser apanhado com ele. Alípio, que não o vira entrar, percebeu sua fuga em desabalada corrida. Querendo saber o que estava se passando, entrou no local. Lá estava ele examinando o machado que havia encontrado quando de repente os encarregados da captura o pegaram ali sozinho tendo na mão o machado cujo barulho os havia assustado e trazido para aquele ponto. Prendem-no, arrastam-no dali e reunindo os moradores do mercado alardeiam a prisão de um famoso larápio, e assim ele foi levado embora para que fosse apresentado ao juiz.

15 Mas até esse ponto Alípio devia ser instruído. Só em seguida, ó Senhor, tu socorreste sua inocência, da qual só tu eras testemunha. Quando ele estava sendo conduzido ou para o cárcere ou para o castigo, encontrou-se com o grupo certo arquiteto que era o principal responsável pelos prédios públicos. Ficaram especialmente felizes por encontrar aquele que costumava suspeitar de que eram eles que roubavam mercadorias do mercado, como se agora pudessem finalmente lhe mostrar quem cometia esses furtos. O arquiteto, porém, tinha visto Alípio muitas vezes na casa de um senador, que ele com frequência ia visitar. Reconhecendo-o imediatamente, conversou com ele à parte. Ao interrogá-lo sobre a ocasião desse grande infortúnio, ouviu a história toda e mandou que todos os presentes, entre muitos gritos e ameaças, o acompanhassem. Assim, chegaram à casa do rapaz autor da façanha. Lá, na frente da porta, havia um menino tão jovem que, provavelmente, não temendo nenhum mal de seu patrão, contou a história toda. Ele havia acompanhado seu patrão até o mercado. Assim que Alípio se lembrou dele, contou o fato ao arquiteto. Este, mostrando o machadinho ao menino, perguntou-lhe: "De quem é isto?". "É nosso", respondeu ele de imediato. Após outras perguntas, ele revelou tudo. Desse modo o crime foi transferido para aquela casa, e envergonhada sentiu-se a multidão que havia começado a tripudiar sobre Alípio. Aquele que viria a ser ministro da tua palavra e examinador de muitas causas no seio de tua Igreja voltou para casa mais experiente e mais sábio.

16 Encontrei-me depois com ele em Roma, e ele se apegou a mim por um fortíssimo vínculo de amizade. Viajou comigo a Milão para não se separar de mim e para poder pôr em prática parte de seus estudos de direito, o que fazia mais para agradar a seus pais do que a si mesmo. Lá foi assessor jurídico em três ocasiões, portando-se com tal lisura que causou muita admiração, enquanto ele se admirava ao constatar que outros prefeririam o ouro à honestidade. Seu caráter foi posto à prova, não apenas mediante a isca da cobiça, mas também com a pressão da intimidação. Em Roma ele foi assessor do Secretário Geral do Tesouro da Itália. Havia na época um senador muito poderoso, a quem muitos deviam favores e muitos temiam. Exercendo seu costumeiro poder, ele queria que lhe fosse permitida certa iniciativa que a lei proibia. Alípio lhe opôs resistência. Foi-lhe proposto um suborno, que ele de todo o coração desprezou. Fizeram-lhe ameaças, que ele calcou sob os pés. Todo mundo se admirou perante um espírito tão extraordinário, que nem desejava a amizade, nem temia a inimizade de alguém tão famoso por seus inúmeros meios de favorecer ou prejudicar. O próprio juiz, que tinha Alípio como seu conselheiro, embora também não quisesse conceder a permissão requerida, no entanto não a recusou abertamente, mas deixou a questão nas mãos de Alípio, alegando que ele não concederia a permissão. Na verdade, se o juiz a tivesse concedido, Alípio teria tomado outra decisão. A única coisa que quase o desviou do caminho certo foi seu amor pela aprendizagem. Ele descobriu que poderia mandar copiar livros para seu uso pessoal usufruindo a vantagem de pretor [isto é, às custas do erário público]. Mas, consultando seu senso de justiça, ele alterou essa decisão para melhor, calculando que a equidade pela qual ele era impedido lhe era mais proveitosa do que o privilégio pelo qual ele era favorecido. São coisas pequenas, mas "quem é fiel no pouco, também é fiel no muito" (Lc 16.10). E nada daquilo que sai da boca da tua verdade pode ser insignificante. "Assim, se vocês não forem dignos de confiança em lidar com as riquezas deste mundo ímpio, quem lhes confiará as verdadeiras riquezas? E se vocês não forem dignos de confiança em relação ao que é dos outros, quem lhes dará o que é de vocês?" (v. 11-12). Com essa mentalidade, naquela época ele se agarrava a mim e juntamente comigo não tinha noção exata de que rumo deveria dar à própria vida.

17 Nebrídio também, depois de deixar sua terra natal perto de Cartago e a própria cidade de Cartago, onde havia morado por muito tempo, abandonou a bela propriedade da família, sua casa e sua mãe (que não o seguiria), viera para Milão não por outro motivo senão o de poder viver comigo a mais ardente busca da verdade e sabedoria. Como eu ele suspirava, como eu ele hesitava, ardoroso investigador da verdadeira vida e analista extremamente perspicaz dos problemas mais complexos. Assim, lá estava a boca de três pessoas indigentes, expressando com suspiros suas respectivas carências, com seus "olhos voltados para ti, e tu lhes dás o alimento no devido tempo" (Sl 145.15). E em todas essas contrariedades, que por tua misericórdia acompanhavam nossos afazeres mundanos, procurávamos descobrir por que devíamos sofrer tudo aquilo, e as trevas se abatiam sobre nós. E nós seguíamos em frente gemendo e dizendo: "Quanto tempo durarão essas coisas?". Dizíamos isso com frequência, mas não as abandonávamos, pois ainda não surgira nenhuma certeza sobre aquilo a que, abandonando-as, poderíamos nos agarrar.

18 E eu, vendo e revendo as coisas, mais me admirava com a extensão do tempo decorrido desde os meus 19 anos, quando havia começado a me inflamar com o desejo da sabedoria e tinha decidido que, quando a encontrasse, abandonaria todas as vãs esperanças e as mentirosas loucuras dos desejos vãos. Vivia agora meu 30º ano, atolado no mesmo lamaçal, ávido de prazeres do presente, que passando deixavam minha alma devastada. Enquanto isso, dizia a mim mesmo: "Amanhã vou encontrá-la. Ela vai aparecer claramente, e eu vou agarrá-la. De repente, o maniqueísta Fausto vai chegar e me explicará tudo! Ó grandes homens, senhores acadêmicos e filósofos, então é verdade que não se pode conseguir nenhuma certeza de ordenar a vida! Não, vamos procurar com mais cuidado, sem perder a esperança.

Vejam, os temas dos livros da Igreja não nos parecem absurdos agora, como às vezes acontecia, e podem ser explicados de outras maneiras e fazer muito sentido. Assumirei a posição no ponto em que, na infância, meus pais me colocaram, até que a verdade clara seja descoberta. Mas onde ou quando ela deveria ser procurada? Ambrósio não dispõe de tempo para mim; nós não dispomos de tempo para leituras; onde vamos encontrar até mesmo os livros? Onde ou quando consegui-los? De quem vamos emprestá-los? Vamos fixar horários, separando certas horas para a saúde da alma. Uma grande esperança se anuncia: a fé católica nos ensina não o que pensávamos e do que em vão a acusávamos. Seus homens mais eruditos ensinam que é profano acreditar que Deus está limitado pela figura de um corpo humano. E nós vamos hesitar em "bater à porta" para que o resto se abra (Mt 7.7)? Nossas tardes são ocupadas por nossos alunos; que fazemos durante o resto do dia? Por que não isso? Mas quando vamos então obsequiar nossos amigos poderosos, de cujos favores precisamos? Quando vamos escrever o que vender aos alunos? Quando vamos restaurar as forças e descansar a cabeça de nossas intensas preocupações?

19 "Acabemos com tudo isso! Vamos abandonar essas vaidades ocas e partir em busca da única verdade! A vida é fútil, a morte é incerta. Se ela nos apanhar inesperadamente, em que estado partiremos deste mundo? E onde aprenderemos o que aqui negligenciamos? Será que não seremos castigados por essa negligência? E se a morte cortar e puser um termo a todas as preocupações e sentimentos? Então essas coisas também devem ser investigadas. Mas que Deus não permita isso! Não é

algo fútil e vazio que a excelente autoridade da fé cristã propagou pelo mundo inteiro. Deus jamais faria coisas tão grandiosas por nós, se com a morte do corpo a vida da alma chegasse ao fim. Por que, nesse caso, adiar o abandono de esperanças mundanas em favor de nossa entrega total à busca de Deus e de uma vida abençoada? Mas calma! Essas coisas mundanas também são agradáveis. Elas nos dão um prazer que não é pequeno. Não devemos abandoná-las de modo inconsequente, pois seria vergonhoso retornar depois para elas. Vejam, não é grande coisa simplesmente obter agora uma boa posição social e depois não desejar mais nada. Temos muitos amigos poderosos. Se nada mais se nos oferecer e se estivermos com muita pressa, pelo menos um cargo administrativo devemos conseguir: e uma esposa com algum dinheiro, que não venha a aumentar nossas despesas. E isso atingirá o limite do meu desejo. Muitos grandes homens, que em sua maioria merecem ser imitados, dedicaram-se ao estudo da sabedoria na condição de maridos".

20 Enquanto eu reconsiderava tudo isso, e esses ventos mudavam de rumo levando meu coração para cá e para lá, o tempo ia passando, mas eu adiava voltar-me para o Senhor. Dia a dia, adiava viver em ti, e não adiava morrer em mim mesmo. Gostando de uma vida feliz, eu a temia em sua própria morada e a procurava fugindo dela. Achava que seria miserável demais, a menos que braços de mulher me envolvessem, e, sem tê-lo provado, eu não pensava no remédio da tua misericórdia para curar minha enfermidade. Quanto à continência, eu imaginava que ela estava a nosso alcance (embora em mim mesmo não encontrasse esse poder), sendo tolo a ponto de não saber o que está escrito: "Ninguém pode ser casto se tu não lhe concederes esse dom" (cit. n.i.); e tu o concederias se eu, com gemidos do fundo da alma, martelasse meu pedido em teus ouvidos e com fé firme confiasse a ti as minhas preocupações.

21 Alípio de fato impediu-me de me casar, alegando que, se o fizesse, não poderíamos de modo algum dispor de tempo livre, isento de perturbações, para convivermos no amor à sabedoria,

conforme nosso antigo desejo. Ele mesmo nessa época levava a vida mais pura nesse ponto, e era maravilhoso. Tanto mais porque, logo no início de sua juventude, ele provara os prazeres sensuais, mas não se apegara muito a eles. Pelo contrário, sua experiência lhe valeu remorso e repulsa, e a partir daquela época até o presente levava uma vida de máxima continência. Mas eu o contradizia com os exemplos daqueles que, embora casados, cultivaram a sabedoria, servindo a Deus de modo aceitável, mantendo e amando fielmente os amigos. A grandeza de espírito deles fazia-me muita falta. Preso à enfermidade da carne com suas mortais doçuras, eu arrastava minhas correntes, temendo ser libertado. Depois de sofrer um curativo, eu rejeitava seus bons argumentos como se fossem as mãos de alguém que quisesse desatar as bandagens da minha ferida. Além disso, por meus lábios a serpente falou aos ouvidos do próprio Alípio. Minha língua armou e pôs em seu caminho prazerosas ciladas, capazes de enredar seus pés virtuosos e livres.

22 Pois quando ele se admirou de que eu, a quem ele estimava muito, me agarrava com grande vigor à imundície daquele prazer, a ponto de declarar, sempre que discutíamos, que eu jamais conseguiria levar uma vida de solteiro, e eu, constatando sua admiração, insistia em minha defesa de que havia uma grande diferença entre seu conhecimento momentâneo daquela experiência de vida de que ele mal se lembrava, de modo que agora podia facilmente desprezá-la, e minha familiaridade contínua com aquilo. Se à minha experiência simplesmente se acrescentasse o honrado nome de casamento, ele não deveria se admirar de que eu não desprezasse aquele estilo de vida. Diante dessa argumentação, ele começou a desejar o casamento, não para dominar o desejo do prazer implícito, mas por curiosidade. Queria saber, disse ele, o que seria aquilo sem o qual minha vida, a seu ver tão agradável, não pareceria vida, e sim castigo. Sua mente, livre daquela cadeia, estava assombrada diante de minha incitação, e por meio daquele assombro avançava em direção ao desejo de prová-la. Faria pessoalmente aquela experiência, para depois talvez mergulhar naquela escravidão diante da qual se admirava, fazendo conscientemente "um pacto com a morte" (Is 28.15); sabendo que "o que ama o perigo nele cairá" (Eclo 3.26, BJ). Mas, na maior parte do tempo, o hábito de satisfazer um apetite insaciável me atormentava ao mesmo tempo que me mantinha cativo. Ele, por sua vez, estava preso por um admirado espanto. Essa era nossa condição, até que tu, ó Altíssimo, que não te esqueces de nosso pó, compadecendo-te de nossa miséria, vieste em nosso socorro por meios prodigiosos e secretos.

23 Houve seguidas tentativas de levar-me ao casamento. Cortejei, fiquei noivo, principalmente por intermédio de minha mãe. Uma vez casado, o salutar batismo poderia purificar-me, e ela se alegrava ao verificar que dia após dia eu me preparava para isso e observava que suas orações (e tuas promessas) iam se cumprindo em minha fé. Realmente nessa época, a meu pedido e por desejo dela, com altos brados de seu coração ela todos os dias implorava para que tu, mediante uma visão, lhe revelasses alguma coisa a respeito do meu futuro casamento. Tu nunca o fizeste. Ela de fato viu certas coisas fantásticas e vazias, daquela espécie que a energia do espírito humano que disso se ocupa consegue juntar. Falava-me dessas coisas, não com aquela confiança que costumava ter quando tu lhe mostravas algo, mas sem lhes dar importância. Ela disse que, por meio de certo sentimento que não se pode expressar em palavras, sabia distinguir as tuas revelações dos sonhos de sua alma. No entanto, a questão foi estimulada, e uma donzela, dois anos abaixo da idade núbil, recebeu uma proposta de casamento. Uma vez que ela me agradava, aceitei ficar à sua espera.

24 Em nossas conversas entre amigos, que detestavam a turbulenta desordem da vida, havíamos debatido nossa situação e agora estávamos quase decididos a levar uma vida longe das atividades e do alvoroço dos homens. Faríamos o seguinte: juntaríamos tudo o que cada um possuísse e criaríamos uma casa única para todos. Assim, por meio da lealdade de nossa amizade, nada deveria pertencer especialmente a ninguém; mas o todo obtido de todos deveria pertencer a cada um, e tudo pertenceria

a todos. Achamos que poderíamos formar um grupo de mais ou menos dez pessoas. Algumas delas eram muito ricas, especialmente Romaniano, nosso conterrâneo, meu amigo desde a infância, que sérias complicações de suas atividades o haviam levado a atuar no tribunal de justiça. Ele era o mais entusiasmado pelo projeto, no qual sua voz tinha grande peso, porque sua grande propriedade excedia a de todos os outros. Também havíamos estabelecido que a cada ano dois diretores, por assim dizer, deveriam prover tudo o que fosse necessário, e os demais não seriam perturbados. Mas quando começamos a ponderar se as esposas, que alguns já tinham e outros esperavam vir a ter, aceitariam nosso projeto, todo aquele plano, tão bem concebido, esfacelou-se em nossas mãos. Acabou frustrado e abandonado. Depois disso tivemos de nos limitar a suspiros e gemidos, e nossos passos seguiram "o amplo caminho" (Mt 7.13) do mundo. Havia muitas ideias em nosso coração, mas "os planos do SENHOR permanecem para sempre" (Sl 33.11). Em vista do teu plano, tu te riste do nosso e preparaste o teu. Tu nos "dás o alimento no devido tempo. Abres a tua mão e satisfazes os desejos de todos os seres vivos" (Sl 145.15-16).

25 Enquanto isso, meus pecados se multiplicavam. Minha concubina, vista como um empecilho ao casamento, fora arrancada de mim. Apegado a ela, meu coração ferido sangrava. Jurando a ti que jamais conheceria outro homem, ela voltou para a África, deixando comigo o filho que me dera. Infeliz de mim que não soube imitar aquela mulher. Impaciente com a espera, pois só dali a dois anos eu poderia ter a que escolhi, sendo escravo da concupiscência mais que amante do casamento, procurei outra mulher, não como esposa, mas para que, obedecendo a uma antiga tradição, a enfermidade da minha alma pudesse alimentar-se e ser levada em seu pleno vigor, se não ainda maior, para o estado do matrimônio. Não foi curada aquela minha ferida causada pela remoção da amante anterior; mas, depois da inflamação e da dor mais aguda, ela foi controlada e a dor diminuiu, embora o desespero fosse maior.

26 Louvor e glória a ti, ó Fonte de misericórdias! Eu me sentia mais infeliz, e tu te aproximavas de mim. Tua mão direita estava sempre pronta para me tirar do lamaçal e lavar-me por inteiro, e eu não sabia disso. Nada me fazia retroceder daquele crescente abismo de prazer carnal, exceto o medo da morte e do teu julgamento futuro. Em meio a todas as minhas mudanças, isso nunca deixou meu peito. Nas discussões com meus amigos Alípio e Nebrídio sobre a natureza do mal, eu sustentava que, a meu ver, Epicuro teria levado a palma, se eu não acreditasse na sobrevivência da alma após a morte e na existência de lugares de recompensa de acordo com os méritos de cada um, coisas nas quais Epicuro não acreditava. Minha questão era esta: "Se fôssemos imortais e devêssemos viver numa condição de perpétuo prazer físico, sem medo de perdê-lo, por que não deveríamos nos sentir satisfeitos?". Que mais deveríamos procurar? Eu não sabia que exatamente isso implicava uma grande miséria: afundado e cego, eu não conseguia entender aquela luz da excelência e da beleza a ser adotada por si só; luz que os olhos da carne não conseguem discernir e que só é vista pelo homem interior. Eu, infeliz, também não ponderava de que fonte ela surgia, e até mesmo sobre essas coisas, por mais sórdidas que fossem, com prazer discutia com meus amigos; tampouco eu podia, mesmo de acordo com as ideias que naquela época eu tinha sobre a felicidade, ser feliz sem amigos, em meio a qualquer abundância de prazeres carnais. E, no entanto, esses amigos eu amava simplesmente por si mesmos, e me sentia amado por eles simplesmente por mim mesmo.

Ó caminhos tortuosos! Ai daquela alma orgulhosa, que, abandonando a ti, esperava conseguir alguma coisa melhor! Ela se havia virado e revirado, ficara de costas, de lado, de bruços, mas tudo doía, e apenas tu és repouso. E, de repente, tu estás por perto e nos livras de nossas pobres andanças e nos colocas no teu caminho e nos confortas, dizendo: "Corre! Eu te carregarei. Sim, eu te conduzirei até o fim, e lá também te carregarei".

Livro 7

1 Morta não estava minha maldosa e abominável juventude, mas eu já estava passando para a fase inicial da idade adulta. Ainda mais corrompida foi ela por coisas fúteis à medida que eu crescia em anos e não conseguia imaginar nenhuma substância, a não ser o que é visível aos olhos. Não pensava em ti, ó Deus, sob a figura de um corpo humano; desde que comecei a ouvir alguma coisa sensata, sempre evitei isso; e alegrei-me por ter descoberto a mesma coisa na crença de nossa mãe espiritual, tua Igreja Católica. Mas eu não sabia de que outro modo conceber-te. Eu, um ser humano, e tão humano, procurava conceber-te como o Deus verdadeiro, único e soberano. No fundo de minha alma acreditava que eras incorruptível, imutável e jamais sujeito a ofensas. Pois, mesmo não sabendo nem por que nem como, eu via com clareza e tinha certeza de que aquilo que é passível de corrupção deve ser inferior àquilo que não é; o que não está sujeito a ofensas eu preferia sem pestanejar ao que poderia ser ofendido, o imutável eu preferia ao mutável. Meu coração gritava veementemente contra todos os meus fantasmas, e com esse único golpe eu procurava afastar da visão de minha mente todo aquele bando de impurezas que zumbiam ao redor. E eis que, mal elas haviam sido afastadas, num piscar de olhos juntavam-se de novo me envolvendo e, voando contra meu rosto, o anuviavam. Assim, embora não sob a forma humana, todavia eu era obrigado a conceber a ti (o incorruptível, imutável e jamais sujeito a ofensas, que eu preferia ao corruptível, mutável e sujeito a ofensas) como existindo no espaço, ou infuso no mundo ou infinitamente difuso fora dele. Pois tudo o que eu concebia, destituído desse espaço, parecia-me nada, sim, absolutamente nada, nem mesmo um vazio, como quando um corpo fosse tirado de seu lugar e o lugar permanecesse vazio de outro corpo qualquer, de terra e água, de ar e céu, não obstante permaneceria um lugar vazio, como se fosse um vasto nada.

2 Tendo esse coração insensível, confuso até para mim mesmo, eu considerava como absolutamente nada qualquer coisa que não ocupasse certos espaços, nem se difundisse, nem se condensasse, nem se expandisse, nem contraísse ou pudesse contrair algumas dessas dimensões. Essas formas que meus olhos estão ajustados para explorar, meu coração naquela época explorava: eu ainda não percebia que essa mesma noção intelectual que me permitia formar exatamente essas imagens não era dessa natureza; e, no entanto, ela não as poderia ter formado se ela mesma não fosse algo grande. Da mesma forma eu me esforçava para conceber a ti, Vida da minha vida, como sendo vasto, atravessando vastos espaços, penetrando de todos os lados toda a massa do universo e fora dele, em todas as direções, por espaços ilimitados e imensuráveis. Assim, a terra deveria conter-te, o céu deveria conter-te, todas as coisas deveriam conter-te, e todas deveriam ter seus limites em ti, e tu não deverias ser limitado em parte alguma. Pois como o corpo do ar que está acima da terra não impede que a luz do sol o atravesse, penetrando-o, sem explodi-lo ou cortá-lo, mas enchendo-o completamente, assim eu julgava que o corpo não apenas do céu, do ar ou do mar, mas também o da terra estava sujeito a ti, de modo que em todas as partes, as maiores e as menores, ele admitisse tua presença, mediante uma influência secreta, interior e exterior, que dirige todas as coisas que tu criaste. Isso eu conjecturava, só por não ser capaz de conceber outra coisa, pois se tratava de uma falsidade. De fato, dessa maneira uma parte maior da terra deveria conter uma porção maior de ti; uma parte menor, uma porção menor. E todas as coisas deveriam dessa maneira estar repletas de ti, de modo que o corpo de um elefante deveria conter mais de ti do que o de um pardal: quanto maior o corpo, tanto maior o espaço ocupado. E assim tu deverias tornar as diferentes porções de ti presentes nas diferentes porções do mundo, em fragmentos grandes nos corpos grandes e pequenos nos pequenos. Mas tu não és assim. Todavia, ainda não tinhas iluminado minhas trevas.

3 Isto me bastava, Senhor, para me opor àqueles enganadores enganados e parvos tagarelas, pois a tua Palavra não soava nas palavras deles; bastava-me o que, muito tempo antes, quando ainda estávamos em Cartago, Nebrídio costumava propor para espanto de todos os que o ouviam: "Aquela raça de trevas, que os maniqueístas estão dispostos a apresentar como uma massa oposta, acima de ti e contra ti, o que poderia fazer contra ti se tu te recusasses a lutar contra ela? Se eles respondessem que 'ela poderia te causar alguma ofensa', então tu deverias estar sujeito a ofensas e à corrupção. Mas se dissessem que 'ela não poderia te causar nenhum dano', então não haveria motivo para que tu lutasses contra ela; e lutasses de tal forma que certa porção ou membro de ti, ou progênie de tua substância, devesse misturar-se com forças opostas e naturezas não criadas por ti, sendo por elas tão corrompida e piorada a ponto de ser transformada de felicidade em miséria, precisando de tua ajuda para que essa parte de ti pudesse ser libertada e purificada. Essa progênie de tua substância era a alma humana, que depois de escravizada, profanada e corrompida, poderia ser socorrida por tua Palavra livre, pura e íntegra. Essa Palavra em si seria, entretanto, corruptível, porque sua substância era idêntica à da alma. Assim, portanto, se eles afirmassem que tu és incorruptível, não importando o que sejas, isto é, não importando qual seja a tua substância, então todas essas afirmações deles seriam falsas e abomináveis; mas se dissessem que és corruptível, essa mesma afirmação se mostraria falsa e repugnante". Naquela época, essa argumentação de Nebrídio era suficiente para combater aqueles que mereciam ser vomitados do meu estômago revolto. Assim, pensando e falando de ti, eles não tinham escapatória que os isentasse de uma horrível blasfêmia de coração e língua.

4 Mas eu também, até aquela altura, embora defendesse e firmemente acreditasse que tu, nosso Senhor e verdadeiro

Deus, criador da alma, bem como do corpo, e não apenas da alma mas também de todas as coisas, eras incorruptível e inalterável e de modo algum mutável, mesmo assim não entendia, com clareza e sem dificuldade, a causa do mal. E, no entanto, o que quer que ela fosse, eu percebia que deveria ser procurada de modo a não me obrigar a crer que o Deus imutável era mutável, para que não me transformasse no mal que estava procurando. Livre de ansiedades, tendo certeza da inverdade do que afirmavam os maniqueístas, dos quais de todo o coração me afastei, fui procurar outra solução desse problema, pois vi que eles, através de sua busca da origem do mal, estavam cheios de maldade, preferindo pensar que tua essência estava sujeita ao mal a pensar que a própria essência deles o cometia.

5 Eu me esforçava para entender o que agora ouvia: que o livre-arbítrio era a causa do mal que praticávamos, e teu justo julgamento era a causa do castigo que sofríamos. Mas eu não conseguia discernir isso com clareza. Então, esforçando-me para desviar minha atenção mental daquele profundo abismo, sentia-me mais uma vez mergulhado nele: sempre que tentava, sempre era novamente empurrado para o fundo. Mas isso me fez subir um pouco em direção à tua luz: com a mesma certeza que tinha de estar vivo, eu sabia que tinha uma vontade. Assim, quando queria ou recusava alguma coisa, eu tinha certeza absoluta de que era eu e ninguém mais que queria ou recusava. Praticamente vi que ali estava a causa do meu pecado. Mas em relação àquilo que fazia contra a minha vontade, eu via que era mais vítima que autor do que fazia, e concluí que aquilo não era uma falha, mas um castigo. Porém, considerando-te justo, imediatamente confessava que eu não estava sendo castigado injustamente. Mas de novo insistia: Quem me criou? Não foi Deus, que não é apenas justo, mas é a própria bondade? Como cheguei a querer o mal e a não querer o bem, de modo que agora sou justamente punido? Quem colocou isso em mim, quem me enxertou nessa planta de amargura, sabendo-se que eu fui totalmente formado pelo meu amabilíssimo Deus? Se o autor disso foi o diabo, de onde vem

o próprio diabo? E se ele também, por sua própria vontade perversa, de anjo bom transformou-se num diabo, mais uma vez, de onde surgiu nele essa vontade perversa, sabendo-se que toda a natureza dos anjos foi criada por aquele boníssimo Criador? Esses pensamentos me esmagavam e sufocavam. Mas eu não fui conduzido para o fundo do inferno do erro, onde "quem morreu não se lembra de ti" (Sl 6.5); não preferi pensar que tu és vítima do mal a pensar que é o homem que o comete.

6 Eu estava de tal forma lutando para descobrir o resto, como alguém que já havia descoberto que o incorruptível deve ser necessariamente melhor que o corruptível, que, sendo assim, reconheci que tu eras incorruptível. Pois jamais alguém conseguiu ou conseguirá conceber alguma coisa, o que quer que seja, melhor do que tu, que és o soberano e sumo bem. Mas, uma vez que, com a máxima sinceridade e certeza, o incorruptível é preferível ao corruptível (como eu agora sentia), então, se tu não fosses incorruptível, eu poderia em pensamento conceber algo melhor do que o meu Deus. Portanto, onde eu via o incorruptível como preferível ao corruptível, ali deveria te procurar e pesquisar onde reside o próprio mal; isto é, de onde provém a corrupção pela qual a tua substância não pode de modo algum ser prejudicada. Pois a corrupção absolutamente não prejudica o nosso Deus: nenhuma vontade, nenhuma necessidade, nenhum acaso imprevisto pode fazê-lo, porque ele é Deus, e o que ele quer é bom. Ele mesmo é o próprio bem, mas corromper-se não é bom. Tampouco és tu forçado a fazer alguma coisa contra a tua vontade, porque a tua vontade não é maior que o teu poder. Mas se ela fosse maior, tu serias maior do que tu mesmo. Isso porque a vontade e o poder de Deus são o próprio Deus. E o que há que não possa ser revisto por ti que conheces todas as coisas? Não existe coisa de espécie alguma que tu não conheças. Que mais poderíamos dizer respondendo à pergunta "Por que a substância que é Deus não poderia ser corruptível?", sabendo-se que se ela fosse corruptível Deus não seria Deus?

7 Eu queria responder à pergunta "De onde provém o mal?". Procurava a resposta de uma forma perversa, não vendo o mal na minha pesquisa. Colocava agora diante dos olhos do meu espírito toda a criação, tudo aquilo que nela se pode ver (como o mar, a terra, o ar, as estrelas, as árvores, as criaturas mortais) e também tudo aquilo que não se pode ver, como o firmamento do céu, além de todos os anjos e todas as criaturas espirituais que lá moram. Mas esses mesmos seres, como se fossem dotados de um corpo, minha fantasia colocava cada um em seu lugar. Do total de tua criação eu fiz uma grande massa, distinta em relação às espécies de corpos: alguns sendo reais, outros sendo aquilo que eu mesmo imaginava como seres espirituais. Imaginava essa massa imensa, não como realmente era (pois isso eu não poderia saber), mas como julgava conveniente: em todas as direções ela era finita. Mas a ti, Senhor, eu imaginava em todas as partes englobando e penetrando tudo, mas sendo em todas as direções infinito. Era como se houvesse um mar por tudo, de todos os lados, ocupando um espaço imensurável, um único mar sem limites, e ele contivesse em si uma espécie de esponja, imensa mas limitada. Essa esponja deve ser enchida, em todas as suas partes, por aquele mar imensurável. Assim eu concebia a tua criação, em si mesma finita, mas repleta de ti, o Infinito. E eu dizia: Eis Deus e eis o que ele criou. Deus é bom; sim, imensa e incomparavelmente melhor do que tudo isso. Mas ele, a Bondade, criou todas as coisas boas, e vejam como ele as engloba e as enche. Onde então está o mal? Como ele entrou aqui? Qual é sua raiz? Qual é sua semente? Ou será que ele não tem ser? Por que, nesse caso, temos e evitamos o que não existe? Ou se o temos sem um motivo, então esse mesmo temor, pelo qual a alma é instigada e torturada em vão, é o mal. Sim, e um mal muito maior porque não temos nada a temer, e mesmo assim sentimos medo. Portanto, ou o mal é aquilo de que temos medo, ou então o mal consiste no fato de termos medo. Então, de onde ele provém, sabendo--se que Deus, a Bondade, criou todas essas coisas boas? Ele de fato, o maior e o principal Bem, criou os bens menores. Mas o Criador é bom, e as criaturas são todas boas. De onde provém o mal? Ou será que existia alguma matéria má a partir da qual ele criou, formou e ordenou sua criação, mas deixou nela alguma coisa que ele não transformou em bem? Nesse caso, por que fez isso? Sendo ele onipotente, não tinha o poder de transformar e mudar o todo, de modo que não sobrasse nenhum mal na criação? Finalmente, por que ele simplesmente criaria o que quer que fosse daquela matéria, em vez de empregar a mesma onipotência para a aniquilar de vez? Ou será que o mal aconteceu contra sua vontade? Ou se o mal existia desde a eternidade, por que Deus permitiu que assim fosse por infinitos espaços de tempo no passado? E por que ele houve por bem, depois de tanto tempo, criar alguma coisa daquilo? Ou se ele de repente quis criar alguma coisa, não deveria o Onipotente ter aniquilado aquela matéria má, passando a existir somente ele, o todo, o verdadeiro, o soberano e infinito Bem? Ou se não convinha para aquele que era bom não conceber algo bom, então aquela matéria má não deveria ser removida e reduzida a nada, podendo ele então formar matéria boa e por meio dela criar todas as coisas? Ele não seria onipotente se não pudesse criar algo bom sem recorrer àquela matéria que não fora criada por ele. Esses pensamentos eu remoía em meu pobre coração, sobrecarregado com angustiantes preocupações, temendo a chegada da morte antes de eu ter descoberto a verdade. No entanto, a fé em teu Cristo, nosso Senhor e Salvador, professada na Igreja Católica, estava firmemente enraizada em meu coração, que em muitos pontos, de fato, ainda não estava formado e divergia da doutrina verdadeira. Todavia, minha mente não a abandonou; pelo contrário, ela aumentava dia a dia dentro de mim.

8 A essa altura eu já havia rejeitado também as mentirosas adivinhações e os ímpios absurdos dos astrólogos. Permite, ó meu Deus, que tuas misericórdias também te confessem isso, do fundo de minha alma. Tu, somente tu (pois quem mais nos chama de volta da morte de todos os erros, exceto a Vida que não pode morrer e a Sabedoria que, sem precisar de luz, ilumina as mentes que dela precisam; dirige o universo controlando até o tremular das folhas das árvores?), somente tu tomaste providências para moderar a teimosia com a qual eu lutava contra Vindiciano, homem sábio, e contra Nebrídio, jovem de admirável talento. O primeiro defendia sua posição com veemência. O segundo muitas vezes (embora fazendo algumas ressalvas) dizia: "Não existe essa arte que permite prever acontecimentos futuros. As conjecturas dos homens equivalem a uma espécie de loteria: dentre muitos acontecimentos previstos por eles, alguns de fato se concretizaram, sem que deles tivessem consciência os que os anunciaram antecipadamente; eles apenas acabaram acertando por acaso algumas de suas inúmeras previsões". Tu me deste então um amigo, não um consulente desatento dos astrólogos; nem alguém que àquela altura fosse hábil em adivinhações, mas, como eu disse, um consulente movido pela curiosidade em relação àquelas artes. Mas ele sabia alguma coisa que tinha ouvido da boca de seu pai. Até que ponto isso o ajudava a derrubar a apreciação da astrologia, ele não sabia dizer. Esse homem, portanto, chamado Firmino, tinha uma educação liberal e um bom treinamento em retórica. Veio consultar-me vendo em mim alguém de quem ele gostava muito para saber, de acordo com suas assim chamadas "constelações", o que eu achava acerca de algumas de suas atividades, nas quais ele vinha alimentando esperanças mundanas. E eu, que a essa altura já me inclinava para a opinião de Nebrídio, não me recusei inteiramente a fazer conjecturas e a lhe dizer o que me veio à mente indecisa. Mas acrescentei que, àquela altura, eu já estava praticamente convencido de que aquilo era uma bobagem vazia e ridícula. Diante disso, ele me contou que seu pai se dedicara muito a livros de astrologia e tinha um amigo que, como ele, também levava aquilo muito a sério. Estudando e conferindo juntos, eles alimentavam a chama de seu gosto por essas ninharias. Chegavam a observar a hora exata em que pariam os obtusos animais em volta de suas casas, anotando depois a relativa posição dos astros, para fazer novas experiências nessa assim chamada arte. Firmino contou-me então uma história que ouvira de seu pai. Quando sua mãe estava prestes a dá-lo à luz, uma escrava do amigo de seu pai também estava grávida, fato que não passara despercebido a seu dono, que cuidava com a máxima diligência do parto de seus animais. E aconteceu que um, o que foi parido por sua mulher, e o outro, parido pela escrava, nasceram exatamente no mesmo instante, fato registrado pela mais cuidadosa observação, anotando-se o dia, a hora e as divisões menores das horas. Assim, ambos foram obrigados a aceitar que a posição dos astros era idêntica, até nos detalhes, para Firmino e para o filho da escrava. Isso porque quando as duas mulheres começaram a sentir as dores do parto, o pai de Firmino e seu amigo notificaram um ao outro o que se passava nas respectivas casas, e os mensageiros estavam a postos para levar informações, de uma casa para a outra, assim que o parto real fosse constatado. Cada um na sua província tomou as devidas providências, para que a notificação fosse imediata. Ocorreu então que os mensageiros das respectivas casas se encontraram, disse ele, num ponto exatamente equidistante das duas casas, de modo que nenhum dos dois pôde calcular nenhuma diferença na posição dos astros e nenhum outro detalhe divergente. E, no entanto, Firmino, nascido numa família nobre, percorreu em sua vida caminhos dourados, viu sua riqueza aumentada, conseguiu honrarias; ao passo que o escravo continuou escravo nas mãos de seus donos, sem que houvesse nenhuma suavização de seu jugo, conforme me disse Firmino, que o conhecia.

9 Após acreditar nessa história contada por alguém tão confiável, toda a minha resistência ruiu. Primeiro esforcei-me para livrar o próprio Firmino de sua curiosidade dizendo-lhe que, analisando seu mapa astral, se eu tivesse que fazer previsões sinceras, nele eu teria de prever a presença de um pai e uma mãe eminentes, de uma família nobre em sua terra natal, de um berço elevado, de uma boa escolarização com formação nas artes liberais. Mas se aquele escravo me consultasse apresentando-me o mesmo mapa astral, que também era dele, eu deveria novamente, falando-lhe com absoluta sinceridade, ver em seu mapa uma linhagem extremamente pobre, uma condição servil, e cada detalhe totalmente diverso em relação ao que dissera ao consulente anterior. Em consequência, falando com sinceridade, com base na mesma posição dos astros, eu deveria prever coisas diversas; se previsse as mesmas coisas, não estaria sendo sincero. A conclusão disso é que, com absoluta certeza, tudo aquilo que, sendo previsto nos astros, correspondia à verdade, não se devia à arte, mas ao acaso; e tudo aquilo que, sendo previsto nos astros, não correspondia à verdade, não se devia à ignorância na arte, mas à falha do acaso.

10 Diante dessa clareira que se abriu em minhas trevas, ruminando sobre casos semelhantes, para que nenhum daqueles imbecis (que viviam daquela arte e a quem eu queria atacar e lançar no ridículo) pudesse insistir que Firmino me transmitira, ou recebera de seu pai, informações erradas, passei a refletir sobre os que nascem gêmeos. A maioria deles deixa o ventre da mãe num espaço de tempo tão exíguo que o pequeno intervalo (por mais força que, na natureza das coisas, o povo possa atribuir a ele) não pode ser notado pela observação humana, nem ser expresso nos números que o astrólogo deve analisar para fazer previsões verdadeiras. Todavia, essas previsões não podem ser verdadeiras, pois analisando o mesmo mapa astral ele é obrigado a fazer as mesmas previsões para Esaú e Jacó, ao passo que não lhes aconteceram as mesmas coisas. Portanto, o astrólogo forçosamente profere falsidades; ou, se for sincero, ao analisar os mesmos dados astrológicos, deve dar aos diferentes consulentes a mesma resposta. Não graças à arte, portanto, mas graças ao acaso, ele faria previsões verdadeiras. Pois tu, ó Senhor, justíssimo soberano do universo, embora os consulentes e os consultados não saibam disso, mediante tua secreta influência, levas o consulente a ouvir aquilo que, segundo os

méritos secretos das almas, ele deve ouvir, devido à insondável profundeza de teu justo julgamento. Portanto, que ninguém te pergunte "O que é isso? Por que aquilo?". Que ninguém fale assim, sendo apenas um ser humano.

11 Agora, ó meu Socorro, tu me havias libertado daquelas cadeias, e eu indagava: "De onde provém o mal?", sem achar nenhuma resposta. Mas tu não permitias que, devido a alguma das minhas hesitações mentais, eu fosse levado para longe da fé segundo a qual acreditava não só que tu existes, mas também que tua substância é imutável; que tu cuidas de nós e julgarás os homens; que em Cristo, teu Filho e nosso Senhor, e nas Sagradas Escrituras, impostas pela autoridade da Igreja Católica, tu havias estabelecido o caminho da salvação da humanidade, visando aquela vida que haverá depois da morte. Com essas verdades seguras e irremovíveis estabelecidas em minha mente, eu indagava ansioso: "De onde provém o mal?". Que tormentos extravasavam do meu coração, que gemidos, ó meu Deus! Mas até mesmo a isso teus ouvidos estavam abertos, e eu não sabia. E quando em silêncio buscava, aqueles sofrimentos silenciosos de minha alma soavam como altos brados implorando a tua misericórdia. Tu sabes o que eu sofri, e ninguém sabia. Pois o que era aquilo que do meu íntimo era, por minha língua, instilado nos ouvidos dos meus amigos mais íntimos? Será que os atingia todo o tumulto de minha alma, para o qual nem o tempo nem a expressão vocal bastavam? No entanto, tudo aquilo subia chegando à tua escuta, tudo aquilo que bramia nos gemidos do meu coração. E meus desejos estavam diante de ti, e a luz dos meus olhos não estava comigo: pois ela estava dentro de mim, e eu estava do lado de fora. E ela não se concentrava em lugar algum, mas eu estava concentrado em coisas contidas num lugar definido, onde não encontrava lugar nenhum para meu descanso. Elas tampouco me recebiam de modo que eu pudesse dizer "Está bem, já basta!", e ainda não me permitiam voltar para um lugar onde eu pudesse me sentir bem. Pois a essas coisas eu era superior, mas era inferior a ti.

E tu és minha verdadeira alegria quando me sujeito a ti, e tinhas sujeitado a mim o que havias criado abaixo de mim. Esta era a verdadeira disposição espiritual, a região intermediária de minha salvação: permanecer à tua imagem e, servindo-te, dominar meu corpo. Mas quando me insurgi orgulhosamente contra meu Deus, "afrontando-o com arrogância, com um escudo grosso e resistente" (Jó 15.26), até mesmo essas coisas inferiores foram colocadas acima de mim e me empurravam para baixo, e não havia lugar algum onde eu pudesse repousar ou respirar. Elas me saltavam aos olhos de todos os lados, aos montes, aos bandos, e mentalmente as imagens delas eram invisíveis, quando eu queria voltar para ti, como se me dissessem: "Para onde você vai, indigno e sujo?". Essas coisas resultavam de minha ferida, pois tu humilhaste o soberbo como alguém que está ferido. Minha arrogância me separava de ti. Sim, minha cara inchada de orgulho fechava-me os olhos.

12 Mas tu, Senhor, "reinarás para sempre" (Sl 102.12); contudo, não te manténs eternamente zangado conosco, porque te compadeces de nosso pó e cinza. Foi do agrado dos teus olhos corrigir minhas deformidades. Com estímulos interiores tu me despertaste para que me sentisse pouco à vontade enquanto não te mostrasses à minha visão interior. Assim, com a mão secreta do teu medicamento, o inchaço diminuiu, e a vista turvada e obscurecida da minha mente, com os unguentos ardidos de tristezas salutares, ia dia a dia sendo curada.

13 E tu, querendo primeiro me mostrar como "Deus se opõe aos orgulhosos, mas concede graça aos humildes" (Tg 4.6; 1Pe 5.5) e com que grande ato de tua misericórdia tu tinhas traçado para os homens o caminho da humildade, quando tua Palavra se fez carne e habitou entre os homens, providenciaste para mim, por meio de alguém inflado do mais extraordinário orgulho, certos livros dos platônicos, traduzidos do grego para o latim. Neles eu li, não realmente com estas mesmas palavras, mas com este mesmo sentido, reforçado por muitos e diferentes argumentos, que "No princípio era aquele que é a Palavra. Ele estava com Deus, e era Deus. Ele estava com Deus no princípio. Todas as coisas foram feitas por intermédio dele; sem ele, nada do que existe teria sido feito. Nele estava a vida, e esta vida era a luz dos homens. A luz brilha nas trevas, e as trevas não a derrotaram" (Jo 1.1-5). E li que a alma humana, mesmo não sendo ela mesma a luz, dá "testemunho da luz" (v. 8), mas "a Palavra", sendo Deus, era "a verdadeira luz, que ilumina todos os homens" (v. 9). "Aquele que é a Palavra estava no mundo, e o mundo foi feito por intermédio dele, mas o mundo não o reconheceu" (v. 10). "Veio para o que era seu, mas os seus não o receberam. Contudo, aos que o receberam, aos que creram em seu nome, deu-lhes o direito de se tornarem filhos de Deus" (v. 11-12).

14 Naqueles livros também li que o Deus que é a Palavra não nasceu da carne nem do sangue, "nem pela vontade do homem, nem pela vontade da carne" (Jo 1.13). Mas que a "Palavra tornou-se carne e viveu entre nós" (v. 14), isso não li nos platônicos. Naqueles livros descobri várias diferentes passagens dizendo que o Filho veio na forma do Pai e não considerava "que o ser igual a Deus era algo a que devia apegar-se" (Fp 2.6), pois naturalmente ele tinha a mesma substância. "Mas esvaziou-se a si mesmo, vindo a ser servo, tornando-se semelhante aos homens. E, sendo encontrado em forma humana, humilhou-se a si mesmo e foi obediente até a morte, e morte de cruz! Por isso Deus o exaltou à mais alta posição e lhe deu um nome que está acima de todo nome, para que ao nome de Jesus se dobre todo joelho, nos céus, na terra e debaixo da terra, e toda língua confesse que Jesus Cristo é o Senhor, para a glória de Deus Pai" (v. 7-11). Isso aqueles livros não diziam. Pois antes de todos os tempos e acima de todos os tempos, o Filho Unigênito permanece imutável, eterno contigo, e "todos recebemos da sua plenitude" (Jo 1.16), para que possamos ser abençoados. Participando da sabedoria que em nós habita, somos renovados, para sermos sábios. Isso está naqueles livros. Mas que "no devido tempo, Cristo morreu pelos ímpios" (Rm 5.6); e que "[o Deus Pai] que não poupou seu próprio Filho, mas o entregou por todos nós" (Rm 8.32), isso não se lê naqueles livros. Pois ele "escondeu estas coisas dos sábios e cultos, e as revelou aos pequeninos"; para que "venham a ele os que estão cansados e sobrecarregados", e ele lhes dará "descanso", porque ele é "manso e humilde de coração" (Mt 11.25,28-29); e os "humildes ele conduz na justiça", e aos mansos "ensina seu caminho", "olhando nossa humildade e tribulação e perdoando-nos todos os pecados" (Sl 25.9,18). Mas aqueles homens que tomaram o caminho arrogante de alguma suposta elevada aprendizagem, não lhe dão ouvidos quando ele diz: "Aprendam de mim, pois sou manso e humilde de coração, e vocês encontrarão descanso para as suas almas" (Mt 11.29). "Porque, tendo conhecido a Deus, não o glorificaram como Deus, nem lhe renderam graças, mas os seus pensamentos tornaram-se fúteis e o coração insensato deles obscureceu-se. Dizendo-se sábios, tornaram-se loucos" (Rm 1.21-22).

15 Por isso naqueles livros também li que eles "trocaram a glória do Deus imortal por imagens feitas segundo a semelhança do homem mortal, bem como de pássaros, quadrúpedes e répteis" (Rm 1.23), ou seja, o alimento egípcio que levou Esaú à perda de seu direito de primogênito. Teu povo primogênito adorou a cabeça de um quadrúpede, em vez de adorar a ti, "e em seu coração voltaram para o Egito" (At 7.39), e curvando tua imagem (a própria alma deles) perante "a imagem de um boi que come capim" (Sl 106.20). Isso descobri aqui, mas não me alimentei disso. Pois foi do teu agrado, Senhor, retirar a censura da idade menor de Jacó porque "o mais velho servirá ao mais novo" (Rm 9.12), e tu convocas os gentios a participar da tua herança. E eu te buscava saindo dentre os gentios, fixando minha mente naquele ouro que tu quiseste que teu povo retirasse do Egito, visto que era teu tudo o que existia. E aos atenienses, por meio do apóstolo, tu disseste que em ti nós "vivemos, nos movemos e existimos, como disseram alguns dos poetas de vocês" (At 17.28). E de fato aqueles livros foram escritos por gentios. Mas eu não fixei minha mente nos ídolos do Egito, a quem eles serviram com teu ouro, e "trocaram a verdade de Deus pela mentira, e adoraram e serviram a seres criados, em lugar do Criador" (Rm 1.25).

16 Sendo assim admoestado por aqueles livros para voltar-me para dentro de mim mesmo, entrei no mais fundo de minha alma, tendo a ti como guia. Isso eu consegui porque vieste em meu socorro. Entrei e vi com os olhos da alma, acima de meus próprios olhos e acima de minha mente, a Luz Imutável. Não esta luz comum, que toda carne contempla, nem como se fosse uma luz mais forte da mesma natureza, como se seu brilho fosse muitas vezes multiplicado e com sua grandeza enchesse todo o espaço. Não era assim a luz que vi: era diferente, totalmente diferente de todas as outras. Tampouco pairava sobre minha alma como óleo sobre água, nem como o céu sobre a terra. Mas acima de minha mente, porque a mim me criou; e abaixo dela porque por ela eu fui criado. Quem conhece a verdade sabe o que é essa luz; e quem a conhece conhece a eternidade. O amor a conhece. Ó Verdade que és Eternidade! Ó Amor que és Verdade! Ó Eternidade que és Amor! Tu és meu Deus, por ti suspiro noite e dia. Quando pela primeira vez te conheci, tu me elevaste para que eu pudesse ver que havia coisas que eu poderia vir a enxergar, mas que ainda não via. Tu reduziste a fraqueza de minha visão despejando sobre mim teus mais intensos raios de luz, e eu tremi de amor e assombro; percebi que estava longe de ti, numa região estranha, e pareceu-me ouvir tua voz dizendo lá das alturas: "Eu sou o alimento de homens adultos. Cresce, e tu te alimentarás de mim. Tu não me mudarás, como acontece com o alimento da carne, mas serás mudado por mim". E eu aprendi que "tu repreendes e disciplinas o homem por causa do seu pecado; como a traça destróis o que ele mais valoriza" (Sl 39.11). E eu ouvi: "Sim, realmente Eu Sou o que Sou" (Êx 3.14). E ouvi como ouve o coração, e não havia espaço para dúvidas. Eu mais facilmente duvidaria de que estou vivo do que da inexistência da Verdade, "claramente vista por meio das coisas criadas" (Rm 1.20).

17 Contemplei outras coisas abaixo de ti e percebi que elas não são nem totalmente reais nem totalmente irreais. São reais porque provêm de ti, mas são irreais porque não são o que tu és. Pois aquilo que permanece imutável realmente existe. "Para mim, bom é estar perto de Deus" (Sl 73.28), pois se eu não permanecer nele não posso permanecer em mim mesmo; mas Deus "sem nada mudar, tudo renova" (Sb 7.27, BJ). "Tu és o meu Senhor" (Sl 16.2), e não precisas de minha bondade.

18 Para mim ficou claro que todas as coisas são boas, mesmo as que são corrompidas. Elas não poderiam ser corrompidas se fossem absolutamente boas. Se não fossem boas, não poderiam ser corrompidas. Se absolutamente não fossem boas, nelas nada haveria que pudesse ser corrompido. A corrupção prejudica, mas se não houvesse uma diminuição do que é bom, ela não poderia prejudicar. Sendo assim, ou a corrupção não prejudica, o que não é possível, ou então, o que é absolutamente certo, tudo aquilo que se corrompe é privado do bem. Mas se alguma coisa for privada de todo bem, ela deixará de existir. Pois se as coisas subsistirem e já não puderem ser corrompidas, passarão a ser melhores do que eram, por permanecerem incorruptíveis. E que é mais monstruoso do que afirmar que as coisas se tornam melhores mediante a perda de seu bem? Portanto, se forem privadas de todo bem, elas já não existirão. Então, enquanto existirem, elas são boas; então, tudo o que existe é bom. Então, o mal que eu procurava, indagando sua origem, não é nenhuma substância, pois se fosse uma substância, deveria ser algo bom. Pois ou deveria ser uma substância incorruptível, e seria então um sumo bem; ou uma substância corruptível, o que só seria possível se ela fosse boa. Percebi, portanto, e para mim ficou claro que boas tu criaste todas as coisas, e absolutamente não existe nenhuma substância que não tenha sido criada por ti. E tu não criaste todas as coisas iguais, mas todas existem e cada uma delas é boa, e todas em conjunto são muito boas, porque o nosso "Deus viu tudo o que havia feito, e tudo havia ficado muito bom" (Gn 1.31).

19 E para ti o mal absolutamente não existe. Na verdade, não somente para ti, mas também para a tua criação em sua totalidade, porque não há nada fora de ti que possa invadir e corromper aquela ordem que tu estabeleceste para ela. Mas alguns elementos de suas partes, por não se harmonizarem com outros, são considerados maus; ao passo que aqueles que se harmonizam são bons no conjunto e em si mesmos. Todas as coisas que não se harmonizam entre si, ainda assim se harmonizam com outras coisas da parte inferior, denominada terra, que se harmoniza com seu nebuloso e tempestuoso céu. Longe de mim, portanto, dizer: "Estas coisas não deveriam existir". Pois se eu nada mais visse, exceto elas, deveria de fato desejar coisas melhores. Mas mesmo unicamente por elas devo louvar-te, pois que tu és louvado mostram-no os homens "que estão na terra, serpentes marinhas e todas as profundezas, relâmpagos e granizo, neve e neblina, vendavais que cumprem o que ele determina, todas as montanhas e colinas, árvores frutíferas e todos os cedros, todos os animais selvagens e os rebanhos domésticos, todos os demais seres vivos e as aves, reis da terra e todas as nações, todos os governantes e juízes da terra, moços e moças, velhos e crianças. Louvem todos o nome do SENHOR" (Sl 148.7-13). Mas também "louvem o SENHOR desde os céus, louvem-no nas alturas! Louvem-no todos os seus anjos, louvem-no todos os exércitos celestiais. Louvem-no sol e lua, louvem-no todas as estrelas cintilantes. Louvem-no os mais altos céus e as águas acima do firmamento. Louvem todos eles o nome do SENHOR" (v. 1-5). Diante disso, eu já não desejava coisas melhores porque meu pensamento abrangia todas as coisas; e julgando melhor entendia que o que provinha do alto era melhor do que as coisas que temos aqui embaixo. Mas estas em seu conjunto total eram melhores do que as do alto tomadas separadamente.

20 Não são sadios os que veem defeitos em qualquer coisa da criação. Tampouco sou eu sadio quando me desagradam muitas coisas que tu criaste. Uma vez que minha alma não ousava ver defeito em meu Deus, ela não admitia que algo que lhe desagradasse proviesse de ti. Por isso ela havia adotado o conceito das duas substâncias e não se cansava de falar à toa. Abandonando depois esse conceito, ela criara para si mesma um deus que abrangia todo o espaço infinito, que ela julgava seres tu, e o colocou em seu coração, tornando-se novamente o templo de seu próprio ídolo, a teus olhos abominável. Mas depois que tu havias esfriado minha cabeça, sem que eu o soubesse, e desviado "os meus olhos das coisas inúteis" (Sl 119.37), abandonei um pouco aquele meu modo de ser, e minha loucura foi acalmada até adormecer. Depois despertei em ti e te vi infinito, mas de outra maneira, e essa visão não derivava da minha carne.

21 Olhei ao redor observando outras coisas, e vi que elas deviam sua existência a ti e estavam todas contidas em ti, mas de um modo diferente: não como se ocupassem um espaço, mas porque tu tens todas as coisas em tuas mãos, em tua Verdade. E todas as coisas são verdadeiras na medida em que têm uma existência. E não existe nenhuma falsidade, a não ser quando se julga que exista algo que não existe. E eu vi que todas as coisas se harmonizavam, não com seus respectivos lugares, mas com as épocas. E que tu, o único eterno, não começaste a trabalhar depois que inumeráveis eras haviam passado; porque todas as eras, as que passaram e as que passarão, nem vão nem vêm, mas através de ti são atuantes e permanentes.

22 Percebi e não achei isto estranho: o pão que é agradável a um paladar sadio é detestável a um paladar enfermo; aos olhos inflamados é ofensiva a mesma luz que aos olhos sadios é prazerosa. Se tua justiça desagrada aos perversos, muito mais lhes desagradam a víbora e os répteis; e bons tu os criaste, combinando com as partes inferiores da tua criação, nas quais os próprios perversos se encaixam numa proporção tanto maior quanto mais eles se tornam diferentes de ti; mas eles combinam mais com as criaturas superiores na medida em que se tornam mais parecidos contigo. Indagando o que era a iniquidade, descobri que não era nenhuma substância, mas a perversão da vontade, que se afastava de ti, ó Deus, o Supremo,

e se voltava para essas coisas inferiores e, despejando suas "vísceras repugnantes", se infla de valores exteriores (Eclo 10.9, BJ).
23 Eu me admirava então com o fato de amar a ti, e não a algum fantasma teu. No entanto, não me estimulava a desfrutar de meu Deus, mas era elevado para ti por tua beleza, e logo em seguida meu próprio peso me obrigava a descer, afundando-me na angústia dessas coisas inferiores. Esse peso provinha dos hábitos carnais. Todavia, permanecia em mim uma lembrança de ti, e de modo algum eu duvidava de que existia alguém a quem devia me agarrar, embora ainda não estivesse preparado para agarrar-me a ti; pois "um corpo corruptível pesa sobre a alma e — tenda de argila — oprime a mente pensativa" (Sb 9.15, BJ). Eu tinha absoluta certeza de que "desde a criação do mundo os atributos invisíveis de Deus, seu eterno poder e sua natureza divina, têm sido vistos claramente, sendo compreendidos por meio das coisas criadas" (Rm 1.20). Indagando por que eu admirava mais a beleza dos corpos celestes ou terrestres, e o que me ajudava a avaliar corretamente coisas mutáveis e a dizer: "Isto deve existir, isto não"; investigando, quero dizer, por que avaliava as coisas daquela maneira, eu havia descoberto a imutável e verdadeira eternidade da Verdade, acima de minha mente mutável. Assim, gradativamente, passei dos corpos para a alma, que percebe através dos sentidos físicos; depois para suas faculdades interiores, às quais os sentidos físicos representam coisas exteriores, ponto atingido até pelas faculdades dos animais; depois para a faculdade racional, à qual o que é captado pelos sentidos físicos é referido para ser avaliado. Descobrindo que ela mesma era em mim algo mutável, essa faculdade elevou-se para sua própria inteligência e descartou os pensamentos impostos pelo hábito, afastando-se daquela multidão de fantasmas contraditórios, visando descobrir o que era aquela luz que a inundava quando, acima de qualquer dúvida, ela gritava que o imutável deve ser preferido ao mutável. A partir desse ponto, aquela faculdade também descobriu o Imutável que, se, de algum modo não houvesse descoberto, ela não teria motivo sólido para preferir

ao mutável. E assim, mediante um trêmulo vislumbre, ela chegou a AQUILO QUE É. Foi então que eu vi teus "atributos invisíveis compreendidos por meio das coisas criadas" (Rm 1.20). Mas não conseguia fixar neles meu olhar. Sofrendo uma recaída em minha enfermidade, fui novamente empurrado para meus hábitos antigos, levando comigo apenas uma carinhosa lembrança do que havia provado. Era como se eu sentisse o cheiro da comida, mas ainda não conseguisse me alimentar.

24 Tentei, então, descobrir um jeito de ganhar a força suficiente para deleitar-me contigo, e só fui encontrá-la quando abracei aquele "mediador entre Deus e os homens; o homem Cristo Jesus" (1Tm 2.5), "que é Deus acima de todos, bendito para sempre" (Rm 9.5), que me chamava dizendo: "Eu sou o caminho, a verdade e a vida" (Jo 14.6), e misturava aquele alimento divino que eu não conseguia ingerir com nossa carne humana. "Aquele que é a Palavra tornou-se carne" (Jo 1.14), para que a tua sabedoria, por meio da qual criaste todas as coisas, pudesse fornecer o leite para nossa condição infantil. Pois eu não ainda era humilde o suficiente para aprovar o Senhor Jesus Cristo, nem sabia para onde nos levaria a sua fraqueza. Pois tua Palavra, a eterna Verdade, muito acima das partes da tua criação, eleva os que diante dela se humilham. Mas neste mundo inferior ela construiu para si mesma, usando nossa argila, uma humilde morada, para poder humilhar e conquistar para si aqueles que estivessem dispostos a sujeitar-se a ela, curando-os de sua soberba e fomentando neles o amor, para que eles não avançassem mais em sua autoconfiança, mas, pelo contrário, aceitassem sua própria fraqueza, vendo a seus pés a Divindade humilhada vestindo nossas "roupas de pele" (Gn 3.21), e, exaustos, pudessem entregar-se a ela, para que ela os levantasse.

25 Mas eu pensava de modo diferente. Concebia meu Senhor Cristo como um homem de excelente sabedoria, a quem ninguém podia se igualar, sobretudo porque, tendo nascido miraculosamente de uma virgem, em conformidade com esse fato e através do cuidado divino por nós, ele parecia ter atingido um alto grau de autoridade como exemplo de desprezo pelas coisas temporais em troca da obtenção da imortalidade. Mas eu nem sequer conseguia imaginar que mistério estava envolvido na frase "A Palavra se fez carne". Dos textos que nos foram transmitidos a respeito dele, eu só tinha aprendido que ele de fato comia, bebia, dormia, caminhava, ficava alegre, ficava triste, conversava; que a carne não se unia sozinha à Palavra, mas juntamente com uma alma e uma inteligência humanas. Sabem disso todos os que conhecem a imutabilidade de tua Palavra, que eu agora conhecia, no grau máximo possível, e disso eu não tinha nenhuma dúvida. Pois ora movimentar à vontade os membros do corpo, ora não; ora deixar-se tomar por fortes emoções, ora não; ora dizer coisas inteligentes por meio de sinais humanos, ora calar-se; tudo isso é próprio da alma e da mente sujeitas à mudança. Se essas coisas fossem falsamente escritas sobre ele [o Deus Palavra], tudo o mais também correria o risco de sofrer a mesma acusação de falsidade, e naquelas Escrituras não sobraria nenhuma fé salvadora. Sendo, portanto, que elas foram escritas de acordo com a verdade, eu reconheci em Cristo um homem perfeito, não apenas o corpo de um homem, tampouco, juntamente com o corpo, uma alma sensível desprovida de uma mente racional, mas um verdadeiro homem. Eu o julguei preferível a todos os demais homens não apenas por ele ser uma forma da Verdade, mas também por possuir uma natureza humana de grande excelência e uma participação mais perfeita na sabedoria. Alípio, porém, imaginava que os católicos acreditam que Deus estava revestido de carne humana a tal ponto que, além de Deus e carne, não havia em Cristo nenhuma alma, e ele não achava que lhe fosse atribuída uma mente humana. Uma vez que ele estava muito convencido disso, de que as ações realizadas por ele só podiam ser realizadas por uma criatura vital e racional, Alípio se movia mais lentamente em direção da fé cristã. Mais tarde, porém, quando percebeu que aquele pensamento era o erro cometido pelos hereges apolinaristas, ele se alegrou e adotou a fé cristã.

Mas confesso que só algum tempo mais tarde eu realmente entendi em que sentido essa fé cristã difere da falsidade de Fotino quando ele explica a expressão "A Palavra se fez carne". Pois a rejeição da proposta dos hereges realça e esclarece muito mais os princípios da tua Igreja e da sólida doutrina. "Pois é preciso que haja divergências entre vocês, para que sejam conhecidos quais dentre vocês são aprovados" (1Co 11.19).

26 Mas depois de ler aqueles livros dos platônicos, e tendo assim aprendido a investigar a verdade incorpórea, eu vi "os atributos divinos de Deus, compreendidos por meio das coisas criadas" (Rm 1.20). Mesmo repelido, eu percebia aquilo que, por entre as trevas de minha mente, não me era permitido contemplar, tendo certeza de que tu existias e eras infinito, mas não estavas difuso num espaço, finito ou infinito; e que tu realmente sempre és quem és sem jamais mudar, sem variar em parte alguma, nem em movimento algum; e que todas as outras coisas derivam de ti é um fato provado apenas por esta causa segura: elas existem. Dessas coisas eu tinha certeza, mesmo estando inseguro demais para deleitar-me contigo. Eu tagarelava como se fosse um entendido no assunto, mas se não procurasse o caminho em Cristo, nosso Salvador, provavelmente eu não teria sido instruído, mas destruído. Pois, a essa altura, totalmente imerso em meu próprio castigo, eu havia começado a querer parecer sábio; mas, em vez de me encher de remorso, meu conhecimento me enchia de orgulho. Onde estava aquela edificação do amor a Deus construída sobre o fundamento da humildade, ou quando deveriam aqueles livros [dos platônicos] me ensinar isso? Eu creio que tu quiseste que eu me debruçasse sobre eles, antes de estudar as tuas Escrituras, para que ficasse impresso em minha memória o modo como eles me afetaram e para que, depois, quando eu fosse dominado pelas tuas Escrituras e quando minhas feridas fossem tratadas por tuas mãos que curam, eu pudesse distinguir entre a presunção e a contrição; distinguir entre aqueles que viam para onde deviam ir, mas sem enxergar o caminho, e o caminho que conduzia não apenas a contemplar

o país abençoado, mas também a morar nele. Pois se eu primeiro me formasse em tuas Sagradas Escrituras, e se tu, em minha familiarização no uso delas, as tivesses tornado atraentes para mim, e se eu, em seguida, me tivesse debruçado sobre aqueles outros volumes, eles talvez tivessem me afastado do sólido chão da piedade; ou então, se eu tivesse continuado naquela estrutura mental que tinha adquirido neles, poderia ter pensado que ela fora adquirida apenas por meio dos estudos daqueles livros.

27 Com enorme avidez eu me fixei, então, nos veneráveis escritos do teu Espírito, especialmente os do apóstolo Paulo. Em consequência disso, desapareceram para mim as dificuldades nos pontos em que outrora ele me parecia contradizer a si mesmo, e o texto de seu discurso parecia não concordar com os testemunhos da Lei e dos Profetas. Aqueles textos me pareceram ter sempre o mesmo aspecto, e eu aprendi a "exultar com tremor" (Sl 2.11). Assim comecei, e todas as outras verdades que tinha lido naqueles outros livros, eu as descobri aqui em meio aos louvores à tua graça. Quem a enxerga não deve orgulhar-se, "como se não fosse" uma dádiva, não apenas do que enxerga, mas também da capacidade de enxergar, pois "o que você tem que não tenha recebido?" (1Co 4.7). Por meio disso ele não apenas é exortado a contemplar a ti que és sempre o mesmo, mas também a curar-se e a agarrar-se a ti. Assim, quem não consegue te ver a distância pode, todavia, escolher aquele caminho que leva para ti, para te enxergar e te possuir. Pois "no íntimo do meu ser tenho prazer na Lei de Deus; mas vejo outra lei atuando nos membros do meu corpo, guerreando contra a lei da minha mente, tornando-me prisioneiro da lei do pecado que atua em meus membros" (Rm 7.22-23). "Porque és justo, ó Senhor, em tudo o que nos fizeste e todas as tuas obras são verdadeiras" (Dn 3.27, BJ), mas nós pecamos e cometemos iniquidades, agindo de modo perverso, e tua mão pesou sobre nós, e nós somos justamente entregues àquele antigo pecador, o rei da morte, porque ele persuadiu nossa vontade a ser semelhante à vontade dele, de modo que ela não permaneceu na tua verdade. "Miserável homem que eu sou! Quem me libertará do corpo sujeito a esta morte? Graças a Deus por Jesus Cristo, nosso Senhor!" (Rm 7.24), que tu geraste coeterno contigo mesmo, "como o princípio do teu caminho" (Pv 8.22), em quem o príncipe deste mundo não achou nada digno da morte, e no entanto tu o entregaste à morte, e assim foi apagada a escrita que nos condenava. Isso não está nos escritos dos platônicos. Suas páginas não apresentam a imagem dessa piedade, "a escrita da dívida" (Cl 2.14), o sacrifício que te agrada de "um espírito quebrantado; um coração quebrantado e contrito" (Sl 51.17), a salvação do povo, "a Cidade Santa" (Ap 21.2), "o Espírito como garantia do que está por vir" (2Co 5.5). Nelas ninguém canta: "A minha alma descansa somente em Deus; dele vem a minha salvação. Somente ele é a rocha que me salva; ele é a minha torre segura! Jamais serei abalado!" (Sl 62.1-2). Nelas ninguém ouve o convite dele: "Venham a mim todos os que estão cansados e sobrecarregados" (Mt 11.28). Nelas se desdenham os ensinamentos de teu Filho por ele ser "manso e humilde de coração" (v. 29); "porque escondeste estas coisas dos sábios e cultos, e as revelaste aos pequeninos" (v. 25). Pois uma coisa é, lá do topo da montanha arborizada, contemplar a terra da paz e não descobrir o caminho que conduz a ela e tentar em vão caminhos inviáveis, obstados por ciladas de fugitivos e desertores, capitaneados pelo "leão e a cobra" (Sl 91.13); outra coisa é seguir o caminho que leva até lá, guardado pelo exército do General celeste, onde os desertores do exército do céu não podem prejudicar ninguém, pois eles evitam esse caminho como um verdadeiro suplício. Essas coisas penetravam em meu coração de modo admirável, quando eu lia "o menor dos apóstolos" (1Co 15.9) e meditava sobre tuas obras, tremendo muitíssimo.

Livro 8

1 Ó meu Deus, enquanto te agradeço, permite-me relembrar e a ti confessar tuas misericórdias para comigo. Que meus ossos sejam borrifados com teu amor. Que de ti se diga: "Quem se compara a ti, SENHOR?" (Sl 35.10). Tu "livraste-me das minhas correntes. Oferecerei a ti um sacrifício de gratidão" (Sl 116.16-17). Como tu as quebraste eu explicarei, e todos os que te adoram, ouvindo minha história, dirão: "Bendito seja o Senhor! No céu e na terra, grande e maravilhoso é seu nome". Tuas palavras haviam calado fundo no meu coração. "Acaso não puseste uma cerca em volta dele?" (Jó 1.10). De tua vida eterna eu não tinha certeza; dela, porém, enxergava "apenas um reflexo obscuro, como em espelho" (1Co 13.12). Todavia, eu já deixara de duvidar de que havia uma substância incorruptível, da qual provinham todas as outras substâncias. Tampouco desejava agora ter mais certeza a teu respeito, mas sim aderir a ti mais firmemente. Mas em relação à minha vida temporal, tudo era incerto, e meu coração precisava livrar-se "do fermento velho" (1Co 5.7). Aquele que é "o caminho", o próprio Salvador (Jo 14.6), muito me agradava, mas àquela altura eu retrocedia diante do caminho mais estreito. E tu me fizeste pensar numa iniciativa que a meu ver era boa: procurar Simpliciano, que me parecia ser um bom servo teu; nele brilhava a tua graça. Eu também ouvi dizer que, desde a juventude, ele conduzira uma vida totalmente dedicada a ti. Agora ele era um idoso e, por causa de uma existência tão longa que ele vivera seguindo zelosamente os teus caminhos, parecia-me provável que ele tivesse aprendido muitas coisas. E tinha mesmo. Eu desejava que ele, utilizando seu estoque de experiências, me dissesse, depois de me ouvir expressar minhas ansiedades, qual era a maneira mais adequada para eu seguir nos teus caminhos.

2 Eu vi a igreja cheia: uns seguiam um caminho, outros seguiam outro. Mas eu me sentia insatisfeito seguindo minha vida secular. Sim, agora que meus desejos já não me inflamavam, já não alimentando esperanças de honrarias e lucros, era para mim um fardo muito pesado suportar uma escravidão tão dura. Pois, numa comparação com tua suavidade e a beleza do "lugar da tua habitação, onde a tua glória habita" (Sl 26.8), aquelas coisas já não me agradavam. Mas, mesmo assim, eu era escravo do amor por mulheres. O apóstolo também não me proibia o casamento, embora me aconselhasse algo melhor, principalmente dizendo a solteiros e viúvas que "é bom que permaneçam como eu" (1Co 7.8). Mas, sendo fraco, eu era jogado para um lado e para outro, impotente e desgastado com exaustivas preocupações, porque em outras questões era forçado, contra minha vontade, a conduzir-me de acordo com uma vida de casado, à qual me entregara assumindo assim suas restrições. Ouvi da boca da tua verdade que alguns "se fizeram eunucos por causa do Reino dos céus. Quem puder aceitar isso, aceite" (Mt 19.12). "Sim, naturalmente vãos foram todos os homens que ignoraram Deus e que, partindo dos bens visíveis, não foram capazes de conhecer Aquele que é" (Sb 13.1, BJ). Mas eu já não estava em busca daquelas vaidades, já superadas. E, mediante o testemunho comum de todas as tuas criaturas, tinha descoberto a ti, nosso Criador, e tua Palavra, Deus contigo, e contigo o único Deus, por meio do qual todas as coisas foram criadas. Mas há ainda outro tipo de descrentes, "que tendo conhecido a Deus, não o glorificaram como Deus, nem lhe renderam graças" (Rm 1.21). Nessa categoria eu também me encaixava, mas "tua mão direita me sustentou" (Sl 18.35), e me tirou de lá, e tu me colocaste onde eu pudesse me recuperar. Pois tu disseste ao homem: "No temor do Senhor está a sabedoria" (Jó 28.28) e "Não seja sábio aos seus próprios olhos" (Pv 3.7); porque aqueles que "dizendo-se sábios, tornaram-se loucos" (Rm 1.22). Mas eu tinha agora encontrado "uma pérola de grande valor", que, vendendo "tudo o que tinha", devia comprar (Mt 13.46), mas estava indeciso.

3 Fui então consultar Simpliciano, que, na distribuição da tua graça, era pai do bispo Ambrósio, que realmente o amava com amor filial. Fiz-lhe um relato dos erros cometidos em minhas andanças. Mas quando mencionei que havia lido certos livros dos platônicos, traduzidos para o latim por Vitorino (outrora professor de retórica em Roma, o qual, segundo ouvi dizer, morrera como católico), ele me mostrou sua alegria por eu não me haver debruçado sobre outros autores, cheios de "filosofias vãs e enganosas, que se fundamentam nas tradições humanas" (Cl 2.8), ao passo que os múltiplos caminhos dos platônicos conduziam para a crença em Deus e em sua Palavra. Depois, para exortar-me a praticar a humildade de Cristo, escondida "dos sábios e cultos e revelada aos pequeninos" (Mt 11.25), ele me falou do próprio Vitorino, que conhecera intimamente em Roma. A respeito dele contou-me uma história que não vou omitir, pois ela constitui um grande louvor à tua graça, que deve ser confessado a ti. É a história daquele ancião, muito erudito e habilidoso nas ciências liberais, que havia lido e ponderado muitíssimas obras de filósofos e fora o mentor de numerosos nobres senadores. Ele também, como reconhecimento do seu excelente desempenho de seu ofício, merecera e recebera uma estátua no Fórum de Roma, coisa que os homens deste mundo consideram grande honra. Ele, que até aquela altura da vida, fora adorador de ídolos e praticante dos ritos sacrílegos dos quais fazia parte quase toda a nobreza de Roma e havia inspirado as pessoas com o amor de

> Anúbis, uma divindade que latia, e todos
> Os deuses monstros de todas as espécies, que lutavam
> Contra Netuno, Vênus e Minerva:[1]

---
[1] Virgílio, *Eneida*, livro 8, v. 698.

quando Roma, depois de conquistada, agora adorava todos os deuses que o ancião Vitorino, com tonitruante eloquência, havia defendido por tantos anos. Vitorino agora não se envergonhava de ser o filho do teu Cristo, o bebê recém-nascido de tua fonte batismal, submetendo o pescoço ao jugo da humildade e abaixando a cabeça à repreensão da Cruz.

4 Ó Senhor, Senhor, tu que estendes "os teus céus e desces, tocas os montes para que fumeguem" (Sl 144.5), por quais meios tu te transportaste para aquele coração? Conforme me contou Simpliciano, ele costumava ler as Sagradas Escrituras: com a máxima diligência ele investigava e pesquisava os escritos cristãos. Não em público, mas na intimidade, conversando com seu amigo Simpliciano, ele dizia: "Entenda que eu já sou cristão". E ouvia a resposta: "Não acredito nisso, nem vou colocar você entre os cristãos, a menos que o veja dentro da Igreja de Cristo". Gracejando, o outro respondia: "Então os muros fazem cristãos?". Com frequência ele repetia que já era cristão e sempre ouvia de Simpliciano a mesma resposta, e a imagem dos "muros" era sempre evocada. Vitorino temia que seus amigos, orgulhosos adoradores de demônios, do alto de sua dignidade babilônica, como se eles fossem "os cedros do Líbano" que o Senhor ainda não havia despedaçado (Sl 29.5), caíssem sobre ele com o peso de sua inimizade. Mas em seguida, depois de leituras e sérias ponderações, ele conseguiu firmeza e passou a temer o fato de que "se alguém se envergonhar de mim e das minhas palavras, o Filho do homem se envergonhará dele, quando vier em sua glória e na glória do Pai e dos santos anjos" (Lc 9.26). A seus próprios olhos pareceu culpado de grave ofensa, por se envergonhar dos sacramentos da humildade de tua Palavra e não se envergonhar dos ritos sacrílegos daqueles orgulhosos demônios, dos quais havia imitado o orgulho e adotado os ritos. Tornou-se então corajoso contra a vaidade e penitente em relação à verdade. De repente, de modo inesperado, ele disse a Simpliciano (conforme este me contou): "Vamos para a igreja. Quero tornar-me cristão". Mal se contendo em si de alegria,

Simpliciano o acompanhou. Depois de admitido ao primeiro sacramento, tornou-se catecúmeno. Não muito tempo mais tarde, entregou seu nome a fim de poder regenerar-se pelo batismo, para espanto de Roma e júbilo da Igreja. O orgulhoso "o vê e fica irado, range os dentes e definha" (Sl 112.10). Mas o Senhor Deus era a esperança de teu servo, e este não atentou à vaidade e a insanidade falaciosa daqueles.

5 Enfim, chegada a hora de sua profissão de fé (ato que lá em Roma os que estão prestes a abordar tua graça fazem publicamente de um lugar elevado, à vista de todos os fiéis, proferindo uma fórmula verbal fixa memorizada), os presbíteros, contou Simpliciano, ofereceram a Vitorino (como costumavam fazer com aqueles que, devido à vergonha, pareciam sentir-se assustados) a possibilidade de fazer sua profissão de modo mais privado. Mas ele preferiu professar sua salvação na presença de toda a multidão. Se, em público e sem medo, ele ensinara, não a salvação, mas a retórica, que motivo teria agora para temer teu manso rebanho ao pronunciar tua palavra aquele que não se intimidara ao dirigir-se a uma multidão insensata? Assim, quando ele se levantou para fazer sua profissão, todos os que o conheciam sussurraram uns aos outros o nome dele felicitando-se com isso. E acaso alguém não o conhecia? Houve então um burburinho geral saindo de todas as bocas da multidão: "Vitorino! Vitorino!". Repentino foi o grito de arrebatamento. Mas os que o enxergavam logo pediram silêncio para poderem ouvi-lo. Ele proferiu a verdadeira fórmula de fé com extraordinária coragem, e todos quiseram abrigá-lo em seu próprio coração. Sim, o amor e a alegria dos presentes o arrebataram. Foi por mãos assim que ele foi carregado.

6 Ó Deus de infinita bondade, o que acontece com o homem para que ele, no caso da salvação de uma alma já considerada perdida que foi livrada de um grave perigo, mais se alegre do que faria se sempre tivesse havido para essa alma esperança de salvação, ou se o perigo incorrido tivesse sido menor? Do mesmo modo também tu, Pai misericordioso, "mais alegria tens no

céu por um pecador que se arrepende do que por noventa e nove justos que não precisam arrepender-se" (Lc 15.7). E que imensa alegria sentimos sempre que ouvimos falar da "ovelha perdida" que, encontrada, é colocada "alegremente nos ombros" do pastor e levada para o aprisco (v. 5); e a dracma que foi por uma mulher perdida e encontrada para alegria de "suas amigas e vizinhas" (v. 9)! E que alegria nos proporciona o culto solene de tua casa levando-nos às lágrimas, quando ali se lê a história de teu filho mais novo que "estava morto e voltou à vida; estava perdido e foi achado" (v. 24). Pois tu te alegras conosco e com teus anjos, que santos são por sua santa caridade. Pois tu és sempre o mesmo, e embora nem todas as coisas permaneçam para sempre iguais, tu sempre as conheces da mesma maneira.

7 O que acontece na alma, quando ela, ao descobrir e recuperar as coisas que ela ama, se alegra mais do que se sempre as tivesse possuído? Sim, e outros fatos dão testemunho disso. E todas as coisas estão cheias de testemunhos, gritando: "É isso mesmo!". O comandante conquistador é que triunfa. Contudo, ele não teria conquistado sem lutar; e quanto maior foi o perigo da batalha, tanto maior é a alegria no triunfo. A tempestade abala os marinheiros, ameaça um naufrágio. Todos empalidecem diante da morte que se aproxima. Depois o céu e o mar se acalmam, e todos se sentem muito felizes, como quem sentiu muito medo. Um amigo adoece, seu pulso prenuncia perigo. Todos anseiam por sua recuperação, adoecendo mentalmente com ele. Ele se restabelece, e embora ainda não consiga caminhar com o mesmo vigor de antes, no entanto a alegria é maior que antes, quando ele estava firme e forte. Sim, os próprios prazeres da vida são conquistados por meio de dificuldades; não apenas aqueles que nos sobrevêm de modo inesperado, contra a nossa vontade, mas até mesmo os que são conquistados por meio de aflições deliberadamente aceitas, visando o prazer. O comer e o beber não causam prazer nenhum, se não forem precedidos pelo desconforto da fome e da sede. Quem está habituado a beber, consome alimentos salgados para conseguir

certa sensação de secura, que a bebida suaviza, causando prazer. Também existe a tradição de não entregar a noiva prometida de imediato, para evitar que o futuro marido subestime aquela que, comprometida, não o fez suspirar.

8 A mesma regra que se aplica em casos de impura e malfadada alegria, também se aplica a uma situação de alegria permitida e legal. É o que acontece nos casos da amizade mais perfeita; no caso de quem "estava morto e voltou à vida, estava perdido e foi achado!" (Lc 15.24). Em todos os casos a alegria maior é antecipada pelo sofrimento maior. O que significa isso, ó Senhor meu Deus, considerando-se que tu és a própria alegria eterna, e ao teu redor algumas coisas se rejubilam eternamente em ti? Que significa o fato de uma porção de coisas ir fluindo e refluindo, alternadamente insatisfeitas e reconciliadas? Esse é o padrão adequado? É o que estabeleceste para elas, considerando que dos mais altos céus aos pontos mais baixos da terra, do começo do mundo até o fim dos tempos, dos anjos até os vermes, do primeiro movimento até o último, tu colocas cada coisa em seu lugar apropriado, cada uma em sua estação, cada coisa sendo boa de acordo com sua natureza? Ai de mim! Como é grande a altura em que te encontras, como é profundo o abismo mais profundo! E tu nunca te ausentas, e nós raramente voltamos a ti.

9 Guia-nos, Senhor, e mostra tua ação; desperta-nos e manda-nos voltar; incita-nos e puxa-nos para ti; inflama-nos e mostra-nos teu encanto. Vamos agora amar, "vamos depressa!" (Ct 1.4). Acaso não é verdade que muitos, saindo de um inferno de cegueira mais profundo que o de Vitorino, voltam a ti, se aproximam e são iluminados, recebendo a tua Luz e, com isso, "o direito de se tornarem filhos de Deus"? (Jo 1.12). Mas se eles se tornarem menos conhecidos entre as nações, até mesmo aqueles que os conhecem alegram-se menos por eles. Pois quando muitos festejam juntos, cada um também sente uma alegria mais exultante, porque todos se incitam e se inflamam mutuamente. Além disso, pelo fato de aquelas pessoas serem conhecidas, elas influenciam muito mais gente em sua busca da salvação, e fazem muitos seguidores. Por isso também muito se alegram aqueles que as precederam, porque nelas não se alegram sozinhos. Mas longe de mim pensar que em teus tabernáculos os cidadãos ricos devam ter maior aceitação do que os pobres; ou os nobres mais do que os plebeus, visto que "Deus escolheu o que para o mundo é loucura para envergonhar os sábios, e escolheu o que para o mundo é fraqueza para envergonhar o que é forte. Ele escolheu o que para o mundo é insignificante, desprezado e o que nada é, para reduzir a nada o que é" (1Co 1.27-28). No entanto, até "o menor dos apóstolos" (1Co 15.9), que com sua língua proferiu essas palavras quando, em sua perseguição, ele que era o procônsul Paulo, derrotado em seu orgulho, foi submetido ao jugo suave do teu Cristo e se tornou um súdito comum do grande Rei. Ele também abandonou seu antigo nome Saulo, sentindo-se satisfeito em poder ser chamado Paulo, testemunhando com isso uma vitória tão grande. Pois o inimigo sofre uma derrota maior quando é superado por uma pessoa sobre a qual ele exercia um forte domínio e pela qual dominava muitos outros. Ele domina mais os orgulhosos, por meio de seus títulos de nobreza; e, através da autoridade desses, domina muitos outros. Muito maior foi, por isso, a calorosa acolhida dispensada a Vitorino, cuja língua o diabo havia retido como sua possessão inexpugnável. Instrumento aguçado e poderoso, ela abatera a muitos. Muito maior, portanto, devia ser o júbilo de teus filhos, pois nosso Rei amarrou "o homem forte" (Mt 12.29), e dele foi tirado cada vaso roubado para ser depois santificado e tornar-se "vaso para honra, santificado, útil para o Senhor e preparado para toda boa obra" (2Tm 2.21).

10 Quando, porém, aquele teu servo, Simpliciano, me contou toda a história de Vitorino, eu senti um ardente desejo de imitá-lo, e foi exatamente para isso que ele fez aquele relato. Mas depois que ele também me falou de como, nos tempos do imperador Juliano, fora aprovada uma lei proibindo os cristãos de ensinar as ciências liberais ou a retórica, e acrescentou que ele, obedecendo a essa lei, preferira renunciar à escola de palavras a renunciar à tua Palavra, "porque a Sabedoria abriu a boca dos mudos" (Sb 10.21, BJ), ele me pareceu tão resoluto quanto abençoado, por ter tido uma oportunidade de servir somente a ti. Eu ansiava por aquilo, amarrado como estava, não pelos grilhões impostos por outros, mas pela minha férrea vontade. Minha inimiga, a vontade me prendia. Forjara para mim uma corrente que me amarrava. Com uma vontade perversa, foi feita a concupiscência; depois de satisfeita, a concupiscência tornou-se um hábito; o hábito adotado tornou-se uma necessidade. A união desses elos, por assim dizer (daí eu falar de uma corrente) constituiu um vínculo que me mantinha escravo. Mas aquela nova vontade que eu havia começado a sentir em mim, a vontade de te servir livremente e desfrutar de ti, meu Deus, meu único prazer garantido, ainda não conseguia sobrepujar a antiga obstinação reforçada pela idade. Assim, as minhas duas vontades (uma nova, outra velha; uma carnal, outra espiritual) lutavam dentro de mim, e a discordância entre elas devastava-me a alma.

11 Assim entendi, pela própria experiência, o que havia lido: como "a carne deseja o que é contrário ao Espírito; e o Espírito, o que é contrário à carne" (Gl 5.17). Eu, na verdade, vivi nessas duas condições; mais, porém, naquela que eu aprovava do que nesta que desaprovava. Nesta última, eu não era exatamente eu mesmo, porque em grande medida mais tolerava aquilo contra a minha vontade do que o fazia de bom grado. No entanto, foi por meu intermédio que o hábito conseguiu seu poder de lutar contra mim, pois foi por eu querer que cheguei àquele ponto em que já não queria. E quem tem algum direito de se queixar se um justo castigo for imposto ao pecador? Eu também não tinha agora nenhuma atenuante por ainda hesitar em situar-me acima do mundo e te servir, como se para mim a verdade ainda não fosse totalmente certa, pois agora era. Mas, ainda servindo ao mundo, recusava-me a lutar sob tua bandeira. Temia libertar-me de todos os impedimentos como quem temesse sofrê-los.

12 Assim, o pesado fardo deste mundo me prendia agradavelmente, como se eu estivesse dormindo. Os pensamentos com os quais meditava em ti pareciam-se com os esforços daqueles que gostariam de acordar, mas ainda estão subjugados por um pesado torpor ou caem de novo no sono. Ninguém iria querer dormir para sempre e, na visão de todos os homens sensatos, é melhor acordar; mesmo assim, a gente em geral, sentindo uma pesada letargia em todo o corpo, retarda um pouco o abandono do sono. Apesar de sentirmo-nos meio insatisfeitos com isso, todavia, até quando já passou a hora de acordar, com prazer cedemos ao sono. Da mesma forma agia eu, que tinha certeza de que, para mim, era muito melhor entregar-me ao teu amor do que à minha luxúria. Mas, embora a primeira opção me satisfizesse e predominasse, a segunda me agradava e me prendia. E eu de modo algum sabia como responder ao teu chamado: "Desperta, ó tu que dormes, levanta-te dentre os mortos e Cristo resplandecerá sobre ti" (Ef 5.14). E quando tu, de todas as maneiras me mostraste que aquilo que dizias era verdade, eu, convencido dela, nada tinha a dizer em resposta, senão aquelas tristes e sonolentas palavras: "Sim, já vou. Só mais um instante. Só mais um pouco". Mas o meu "instante" não era instantâneo, e o meu "mais um pouco" prolongava-se por muito tempo. "No íntimo do meu ser tenho prazer na Lei de Deus; mas vejo outra lei atuando nos membros do meu corpo, guerreando contra a lei da minha mente" (Rm 7.22-23). Pois a lei do pecado é a violência do hábito, que arrasta a mente e a imobiliza, até mesmo contra a sua vontade, mas com razão pois ela chegou a esse estado deliberadamente. "Miserável homem que sou! Quem me libertará do corpo sujeito a esta morte? Graças a Deus por Jesus Cristo, nosso Senhor!" (Rm 7.24-25).

13 E tu me libertaste das amarras do desejo que me prendiam com extrema firmeza à concupiscência carnal, e por meio do enfadonho trabalho das atividades mundanas, eu agora quero declarar e confessar a teu nome: "SENHOR, minha Rocha e meu Resgatador" (Sl 19.14). Em meio a uma ansiedade crescente, eu continuava minhas atividades rotineiras, e todos os dias suspirava por ti. Frequentava a tua igreja, sempre que o pesado fardo de minhas atividades me permitia. Alípio estava comigo. Por três vezes ele havia sido assessor jurídico, mas já não exercia seu cargo de juiz, e aguardava a ocasião para vender sua assessoria, como eu vendia a habilidade retórica, se é que o ensino pode consistir nisso. Tendo em vista nossa amizade, Nebrídio tinha agora aceitado o cargo de professor assistente de Verecundo, cidadão e gramático de Milão, amigo muito íntimo de todos nós, que, em nome de nossa amizade, insistentemente queria esse auxiliar fiel e indispensável. Nebrídio, portanto, não foi atraído pela ambição ou pelo desejo de lucros (já que ele poderia ter conseguido muito mais com sua cultura se o quisesse), mas movido pelo sentimento de bondosa e sincera amizade, ele preferiu desprezar um bom emprego a subestimar nosso pedido. No entanto, sua atuação no cargo foi muito discreta, evitando se mostrar a gente importante na visão deste mundo e fugindo das tentações decorrentes do cargo. Preferia, durante todas as horas em que isto fosse possível, preservar sua liberdade para procurar ou ler ou ouvir alguma coisa relacionada à sabedoria.

 14 Aconteceu então que um dia Nebrídio estava ausente (não me lembro por quê) e, de repente, veio visitar-me juntamente com Alípio certo Ponticiano, que era africano e nosso conterrâneo. Ele ocupava um alto cargo na corte do imperador. Não sei o que queria de mim, mas nos sentamos para conversar, e aconteceu que em cima de uma mesa de jogo ele viu um livro. Pegou-o e abriu e, ao contrário de sua expectativa, viu que era do apóstolo Paulo. Ele havia pensado que devia tratar-se de algum daqueles livros sobre os quais eu me debruçava na preparação de minhas aulas. Imediatamente, olhando-me sorridente, ele expressou sua alegria e surpresa por ter de repente descoberto esse livro, que era o único diante de meus olhos. Ele, na verdade, era um cristão batizado, e muitas vezes se curvava diante de ti, nosso Deus, na igreja, em suas frequentes e incessantes orações. Quando eu lhe disse que havia dedicado grande atenção àquelas Escrituras, iniciamos uma conversa (sugerida por ele mesmo) sobre o monge egípcio Antão: o nome dele tinha grande fama entre os teus servos, embora até aquele momento nós o desconhecêssemos. Percebendo isso, Ponticiano alongou-se mais sobre o assunto, admirado com nossa ignorância em relação a alguém tão eminente e fornecendo-nos informações sobre ele. Ficamos espantados ao ouvir falar de tuas maravilhosas obras atestadas da maneira mais completa, em tempos recentes, e quase na nossa cidade natal, praticadas na verdadeira fé da Igreja Católica. Todos nos maravilhamos: nós, por elas serem tão grandes; ele, pelo fato de nós não termos ouvido falar sobre elas.

15 Esse tema o levou a falar do grande número de pessoas que viviam nos mosteiros, de sua vida santa, um odor agradável para ti, e de sua frutífera solidão nos desertos, sobre a qual não tínhamos nenhuma informação. E havia um mosteiro em Milão cheio de bons irmãos, situado fora dos muros da cidade, patrocinado por Ambrósio, mas não sabíamos disso. Ponticiano continuou falando sobre aquilo, e nós o ouvíamos com atento silêncio. Contou-nos então que certa tarde em Tréveris, enquanto o imperador se entretinha com os jogos circenses, ele e outros três irmãos, companheiros dele, saíram para uma caminhada pelos jardins junto aos muros da cidade. Caminhavam dois a dois, e um dos três juntou-se a ele, e os outros dois tomaram outro caminho. Estes acabaram encontrando por acaso uma cabana ocupada por alguns servos teus, desses "pobres em espírito", a quem pertence "o Reino dos céus" (Mt 5.3). Lá eles encontraram um livrinho que continha a biografia de Antão. Um deles se pôs a ler aquele opúsculo que lhe causou admiração e depois o encheu de entusiasmo. Durante a leitura, começou a meditar sobre a possibilidade de abraçar aquele estilo de vida, renunciando a suas atividades seculares para servir a ti. Os dois eram o que nós designamos funcionários públicos. Então, de repente, inflamado por um sentimento de puro amor, zangando-se consigo mesmo, ele olhou para seu amigo e disse: "Diga-me, por favor, o que vamos conseguir com todos esses nossos penosos sacrifícios? O

que estamos buscando? Por que estamos servindo a outros? Nossas esperanças na corte acaso podem ir além de conseguirmos a amizade do imperador? E quantos riscos corremos para atingir um risco ainda maior? E quando chegaremos lá? Mas tornar-me amigo de Deus, se eu o quiser, posso agora mesmo". Assim ele falou. E provando as dores de parto daquela nova vida, concentrou novamente seu olhar no livro e prosseguiu na leitura. Ele sofreu uma mudança no seu interior, onde só tu podes enxergar. Ficou claro que sua mente logo se despojou deste mundo. Conforme ia lendo, subindo e descendo ao sabor das ondas, houve uma tempestade íntima que durou certo tempo, e acabou quando ele se decidiu por um rumo melhor. Sendo já teu, ele disse ao amigo: "Acabo de me libertar de minhas antigas esperanças e estou decidido a servir a Deus, e é o que vou começar a fazer a partir de agora, neste lugar. Se não for do seu agrado me imitar, não se oponha à minha vontade". O outro respondeu que se juntaria a ele para compartilhar daquela tão maravilhosa recompensa naquele serviço tão maravilhoso. Assim, os dois sendo agora já teus, começaram a "construir uma torre", gastando o que fosse necessário: abandonando tudo o que tinham para te seguir (Lc 14.28). Em seguida, Ponticiano e o amigo que o acompanhara no passeio pelo jardim vieram procurar os outros dois. Encontrando-os naquele mesmo lugar, lembraram-lhes de que a hora já ia adiantada. Mas eles, revelando-lhes sua resolução e propósito e como haviam chegado àquela decisão, pediram-lhes que, se não quisessem juntar-se a eles, não os molestassem. Mas os outros dois, embora não mudando pessoalmente em nada, lamentaram por si mesmos (como disse o próprio Ponticiano), e piamente os felicitaram, pedindo-lhes que orassem por eles. E assim, com o coração apegado à terra, eles voltaram para o palácio. Mas os outros dois, fixando seu coração no céu, permaneceram na cabana. Ambos tinham compromissos nupciais, mas suas noivas, quando souberam da decisão deles, também dedicaram sua virgindade a Deus.

16 Essa foi a história de Ponticiano. Mas tu, ó Senhor, enquanto ele falava, viraste-me e me tiraste daquela posição de costas que eu havia assumido, obrigando-me a ver minha própria face, e assim notar como ela estava deformada e suja, manchada e cheia de feridas. Olhei e senti horror. Mas não descobri para onde pudesse fugir de ti. Quando eu tentava desviar o olhar de ti, ele prosseguia com sua história, e tu novamente me colocavas diante de mim mesmo, empurrando-me para o foco de meu olhar, para que eu pudesse "perceber meu pecado e rejeitá-lo" (Sl 36.2). Eu já tinha conhecimento dele, mas fingia não vê-lo. Fazia vista grossa e o esquecia.

17 Mas agora, quanto mais eu amava aqueles cujas tendências sadias ouvia elogiar, por eles terem se entregado completamente a ti para curar-se, tanto mais me detestava a mim mesmo ao comparar-me com eles. Pois muitos de meus anos (uns 12) tinham agora sido perdidos desde o meu 19º aniversário, quando li *Hortensius* de Cícero e senti o impulso de amar sinceramente a sabedoria. E eu ainda continuava adiando a rejeição da felicidade meramente terrena e a minha entrega à busca daquilo que não apenas por sua descoberta, mas pelo simples ato de buscar, era preferível aos tesouros e aos reinos já encontrados deste mundo e aos prazeres do corpo espalhados ao meu redor, totalmente a meu dispor. Mas eu, infeliz, extremamente infeliz, no exato alvorecer da juventude, tinha te implorado a castidade, dizendo: "Concede-me a castidade e a continência, mas não já". Eu temia que tu me ouvisses muito rápido e logo curasses minha concupiscência, que eu queria ver satisfeita, em vez de extinta. Eu havia percorrido caminhos tortuosos seguindo uma superstição sacrílega, sem ter de fato uma certeza, mas como alguém que prefere aquilo a outras coisas que eu, em vez de buscar piedosamente, combatia com ódio.

18 Eu havia pensado que, consequentemente, adiara dia a dia a rejeição das esperanças deste mundo para seguir somente a ti, porque não surgira nenhuma certeza capaz de determinar a rota de minha vida. E agora era chegado o dia em que eu estava pronto para expor-me completamente nu, e minha consciência devia me censurar. "Onde está você, ó língua minha? Você disse que por uma verdade incerta não queria desfazer-se da bagagem da vaidade. Agora, havia certeza; contudo, aquele fardo ainda o oprimia, enquanto aqueles que nem se esgotaram em sua busca, nem por dez anos ou mais estiveram pensando nisso, sentiram seus ombros livres daquele peso e receberam asas para sair voando". Pensando assim, eu me corroía por dentro e me sentia profundamente confuso e horrivelmente envergonhado, enquanto Ponticiano ia falando aquilo. Tendo chegado ao fim de sua conversa e depois de explicar a razão de sua visita, ele foi embora, e eu fui para dentro de mim. Que não disse eu contra mim mesmo? Com que açoites condenatórios não fustiguei a minha alma, para que ela me seguisse, lutando para ir em busca de ti? Todos os argumentos foram apresentados e refutados. Sobrava uma muda retração. Ela temia, como se fosse a própria morte, abandonar o fluxo daquele hábito que a havia mortalmente desgastado.

19 Depois, nesse renhido combate interior, que eu havia travado com minha alma, no quarto do meu coração, com a angústia estampada na cara, fui procurar Alípio. "O que nos aflige?", exclamei. "O que é isso? Que foi que você ouviu? Os incultos se insurgem e 'o Reino dos céus é tomado à força' (Mt 11.12), e nós, com toda a nossa erudição e o coração vazio, chafurdamos na carne e no sangue. Será que temos vergonha de ir adiante porque outros nos precederam, e não temos vergonha de não fazer absolutamente nada?". Proferi algumas palavras nesse sentido, e minha mente febril afastou-me de Alípio, que ficou em silêncio olhando-me assustado. Não era meu hábito usar aquele tom. Minha testa, as bochechas, os olhos, a cor e o tom da voz expressavam meu pensamento mais que as palavras. Nosso alojamento tinha um pequeno jardim que podíamos usar como todo o resto da casa, pois o dono dela, nosso anfitrião, não morava lá. Para aquele jardim fugi às pressas levado pelo tumulto que me oprimia o peito. Ali ninguém podia entravar a acalorada disputa que eu travava comigo mesmo, até que ela terminasse como tu sabias que terminaria, mas eu não. Eu só sabia que estava salutarmente perturbado, morrendo para viver. Sabia o que de mal havia em mim, mas não sabia o que de bom estava prestes a me acontecer. Fui para o jardim, e Alípio me seguiu. A presença dele não diminuiria minha privacidade, e ele não poderia me abandonar quando eu estava tão perturbado. Sentamo-nos no ponto mais distante da casa. Meu espírito estava perturbado. Sentia uma profunda indignação por eu não ter aderido à tua vontade e aliança, ó meu Deus, pois todos os meus ossos clamavam para que eu aderisse e agradecesse aos céus por isso. Nesse âmbito não se entra de navio, nem numa carruagem, nem caminhando. Não, nem sequer se tratava de um deslocamento tão grande como o espaço percorrido entre a casa e o local onde agora estávamos sentados. O deslocamento, a busca daquele ponto almejado, nada mais era do que querer ir, mas querer de modo resoluto e completo; não virar-se e vacilar de um lado para outro, com uma vontade manca e dividida, lutando, ora com uma parte afundando, ora com outra parte emergindo.

20 Finalmente, naquela febre de minha indecisão, eu fazia aqueles movimentos próprios de quem quer se mover, mas não pode, seja devido à falta de membros, seja porque os membros estão amarrados com correntes ou debilitados por alguma enfermidade ou são, de algum outro modo, impedidos. Assim, se eu arrancasse o cabelo, batesse na testa, prendesse os dedos segurando os joelhos, eu queria aquilo e o fazia. Mas eu poderia querer aquilo e não o fazer, se o poder de movimento dos meus membros não me obedecesse. Fiz então muitas coisas, quando "querer" não era em si mesmo "ser capaz"; e eu não fiz aquilo que desejava fazer acima de qualquer outra coisa; aquilo que, logo em seguida, quando eu quisesse, deveria ser capaz de fazer. Na verdade, logo em seguida, quando eu quisesse, iria querer completamente. Pois nessas coisas a capacidade e a vontade eram uma coisa só, e querer era fazer. Todavia, nada fiz: era mais fácil meu corpo obedecer ao débil comando de

minha alma, na movimentação deliberada de seus membros, do que a alma obedecer a si mesma para realizar unicamente mediante a vontade esse seu elevado desejo.

21 De onde procede essa monstruosa situação? Qual é sua finalidade? Permite que tua misericórdia me ilumine para que eu possa perguntar se as respostas são estas: as secretas penalidades impostas aos homens e os duros golpes sofridos pelos filhos de Adão. De onde vem essa monstruosidade? Qual é seu objetivo? A mente dá ordens ao corpo, e ele obedece instantaneamente; a mente dá ordens a si mesma, e sofre resistência. A mente dá ordens à mão para que se mexa, e a prontidão é tanta que a ordem mal se distingue da obediência. Todavia, a mente é mente, e a mão é corpo. A mente dá ordens à mente, seu próprio eu, e no entanto ela mesma não obedece. De onde procede essa monstruosidade? E quais são seus objetivos? Repito que ela manda a si mesma querer, e não daria essa ordem se não quisesse isso, e o que é ordenado não é feito. Mas ela não o quer inteiramente; portanto, não o ordena de modo absoluto. Pois ela ordena apenas conforme ela quer; o que ela manda não é executado enquanto ela não o quiser totalmente. Pois a vontade ordena que haja uma vontade, que outra não é senão ela mesma. Mas se ela não ordena isso de modo absoluto, essa ordem não é realizada. Pois se a vontade fosse absoluta, nem seria preciso ordenar que ela existisse, pois já existiria. Não é, portanto, nenhuma monstruosidade querer em parte e em parte não querer; é apenas uma doença da mente que não se impõe por completo, elevada pela verdade, mas deixa-se ficar prostrada, dominada pelo hábito. Há, portanto, duas vontades, pois uma delas não é completa, e o que falta a uma está presente na outra.

22 Que "pereçam os ímpios na presença de Deus" (Sl 68.2), como perecem os "faladores e enganadores" da alma (Tt 1.10), que observaram que na deliberação há duas vontades e afirmam que em nós há duas mentes de duas espécies: uma boa, a outra má. Eles é que são realmente maus, quando consideram que essas coisas são más. Eles se tornarão bons quando defenderem e afirmarem a verdade, de modo que teu apóstolo possa lhes dizer: "Vocês eram trevas, mas agora são luz no Senhor" (Ef 5.8). Mas eles, desejando a luz, não no Senhor, mas em si mesmos, imaginaram que a natureza da alma era o que é Deus, mergulharam nas trevas mais profundas através de um terrível orgulho, pois se afastaram para mais longe de ti, "a verdadeira luz, que ilumina todos os homens" (Jo 1.9). Tomem cuidado com o que vocês dizem e corem de vergonha. "Os que olham para ele estão radiantes de alegria; seus rostos jamais mostrarão decepção" (Sl 34.5). Quando eu estava deliberando sobre servir a meu Deus agora, como havia muito tempo me proposto, era eu mesmo que queria aquilo e eu mesmo que não o queria. E nem queria inteiramente, nem me negava totalmente. Por isso, estava em luta comigo mesmo, dividido dentro de mim. E esse conflito aconteceu comigo contra a minha vontade, e no entanto ela indicava não a presença de outra mente, mas o castigo imposto a mim mesmo. "Neste caso, não sou mais eu quem o faz, mas o pecado que habita em mim" (Rm 7.17), o castigo do pecado cometido livremente, pelo fato de eu ser filho de Adão.

23 Pois se as naturezas opostas forem tantas quantas são as vontades conflitantes, então elas não serão apenas duas, mas muitas. Se um homem deliberar se ele deve comparecer a um encontro deles ou ir ao teatro, esses maniqueístas gritam: "Veja, nesse caso há duas naturezas: a boa, que puxa para cá, e a má, que puxa para lá. Pois que outra causa haveria para a hesitação entre vontades conflitantes?". Mas eu respondo que essas duas naturezas são más: a que puxa para o encontro deles e a que puxa para o teatro. Mas eles simplesmente acreditam que a vontade que puxa para eles só pode ser boa. Suponhamos então que um de nós tenha de deliberar e, em conflito, hesitando entre suas duas vontades, ache difícil decidir se deve ir ao teatro ou à igreja. Os maniqueístas não estariam também diante de uma incerteza sobre o que responder? Pois eles devem confessar (e eles se negam a fazer isso) que a vontade que leva alguém para a nossa igreja é tão boa quanto a que leva

para a igreja deles seus adeptos e os que foram cativados pelos mistérios deles, caso contrário eles devem admitir a existência de duas naturezas más e duas almas más em conflito no íntimo de um único homem. Neste caso, não é verdade o que eles afirmam: que há uma natureza boa e outra má. Ou então eles devem converter-se à verdade, e não mais negar, que quando alguém delibera a alma flutua entre duas vontades contrárias.

24 Que os maniqueístas não digam mais, quando constatam duas vontades opostas num único homem, que o conflito acontece entre duas mentes opostas, entre duas substâncias opostas, entre dois princípios opostos, o bem e o mal. Pois tu, ó verdadeiro Deus, os desaprovas, refutas e condenas, pois as duas vontades podem ser más, como, por exemplo, quando alguém delibera se deve roubar esta ou aquela propriedade alheia, caso não possa ter as duas; se deve ou não comprar o prazer da luxúria ou economizar por avareza; se deve ir ao circo ou ao teatro, quando os dois estiverem abertos no mesmo dia; ou, então, se deve roubar a casa de alguém quando se apresentar uma boa oportunidade; ou, finalmente, se deve cometer adultério havendo meios para tal. Se todas essas coisas acontecerem ao mesmo tempo e todas forem igualmente desejadas, elas não podem ser postas em ação simultaneamente: pois dividem a mente em quatro ou até mais vontades conflitantes no meio dessa vasta variedade de desejos; mas nem os maniqueístas afirmam a existência de substâncias diversas tão numerosas. O mesmo acontece com as vontades que são boas.

Eu lhes pergunto se é bom desfrutar do prazer da leitura do apóstolo ou deleitar-me com um sensato salmo, ou com uma boa discussão sobre o evangelho. Em cada caso eles respondem: "É bom". Mas o que acontece então se todas essas coisas dão prazer e todas ao mesmo tempo? As várias vontades não perturbam a mente, enquanto a pessoa delibera qual preferiria escolher? Apesar de todas serem boas, estão em desacordo entre si até que uma delas seja escolhida. Feita a escolha, todas aquelas coisas antes divididas agora se juntam numa única vontade.

O mesmo acontece quando a eternidade nos atrai para o alto, e o prazer dos bens temporais nos puxa para baixo: a alma não quer uma ou outra coisa com toda a sua força de vontade. Sendo assim, ela fica dividida e profundamente perplexa, enquanto com base na verdade escolhe primeiro uma coisa, mas com base no hábito não deixa a outra.

25 Doente na alma e atormentado estava eu e me acusava mais duramente do que de costume, debatendo-me até romper todas as amarras que, embora já fracas, ainda me prendiam. E tu, ó Senhor, com tua rigorosa misericórdia, me pressionavas no fundo da alma, redobrando as chicotadas do medo e da vergonha para que eu não desistisse, e assim aquela tênue amarra que sobrava recuperasse sua resistência e me prendesse ainda mais. Dentro de mim mesmo eu dizia: "Que seja agora, que seja agora". E enquanto falava, quase punha minha decisão em prática. Quase, mas não punha. Todavia, eu não recaía no meu estado anterior. Mantinha com vigor minha posição, respirando fundo. Tentava novamente, e faltava ainda menos para chegar lá, faltava muito pouco mesmo para eu tocar e agarrar o que queria. E, no entanto, não conseguia, não o tocava e não o agarrava: eu hesitava entre morrer para a morte e viver para a vida. O pior, entranhado em mim, prevalecia sobre o melhor, ao qual eu não estava habituado. Quanto mais se aproximava o exato momento no qual eu devia tornar-me diferente do que era, tanto mais ele me causava horror. Contudo, ele não me rechaçava nem me desviava do caminho. Só me mantinha perplexo.

26 Meus antigos amores, as mesmas velhas frivolidades e vaidades, ainda me prendiam. Puxavam a túnica de minha carne e sussurravam: "Você nos vai abandonar? Então a gente nunca mais vai se ver? Depois isso e aquilo não será nunca mais lícito?". E o que é que elas sugeriam com o que denominei "isso e aquilo", ó meu Deus? Que tua misericórdia afaste "isso e aquilo" da alma de teu servo. Que profanações eram sugeridas! Que vergonha! E agora quando eu mal lhes dava ouvidos, elas não se mostravam às claras nem me contradiziam. Mas murmuravam, como se estivessem às minhas costas, e secretamente me cutucavam, enquanto eu ia embora, pedindo que olhasse para elas. Todavia, elas ainda me detinham, de modo que eu hesitava em desvencilhar-me delas e largá-las para, de um salto, chegar aonde eu era chamado. Um hábito incontrolável me dizia: "Você acha que pode viver sem elas?".

27 Minha voz era agora muito fraca. Lá do lado para onde eu havia fixado o olhar, e para onde tinha medo de prosseguir, apareceu-me a casta dignidade da continência, alegre, mas não devassa, convidando-me honestamente a avançar sem nutrir dúvidas. Para me receber e me abraçar, estendia-me as mãos repletas de bons exemplos. Ali estavam muitos jovens, homens e mulheres, uma multidão de todas as idades, viúvas circunspectas e virgens idosas. A própria continência presente em todos, não estéril, mas feito mãe frutuosa de filhos alegres gerados por ti, seu marido, ó meu Senhor.

Ela me sorria com uma provocação persuasiva, como se quisesse dizer: "Você não consegue fazer o que estes moços e estas moças conseguiram? Ou será que eles conseguem isso por si sós, e não por intermédio de seu Deus? O Senhor seu Deus me entregou a eles. Por que você conta apenas com as próprias forças, não conseguindo assim manter-se de pé? Entregue-se a ele sem medo. Ele não o abandonará, deixando você cair. Entregue-se a ele sem medo. Ele vai receber e curar você". Eu corava muito, porque ainda ouvia aquelas velhas frivolidades e continuava indeciso. E ela novamente parecia me dizer: "Não dê ouvidos àqueles impuros membros desta terra, para que eles possam ser mortificados. Eles falam de prazeres, mas não como o faz a lei de seu Senhor". Essa luta em meu coração era travada apenas pelo eu contra si mesmo. E Alípio, sentado junto a mim, aguardava em silêncio o desfecho de minha crise emocional.

28 Mas, depois que uma ponderação profunda havia extraído e acumulado diante dos olhos do coração toda a minha miséria, houve uma grande tempestade que provocou uma torrente de lágrimas. Para chorar livremente, ao som de apropriados gemidos, afastei-me de Alípio: a solidão se me apresentava como algo mais adequado àquele choro. Retirei-me para um ponto distante, de modo que sua presença não pudesse perturbar-me. Foi isso que aconteceu comigo naquela ocasião, e ele percebeu, pois imagino que eu mesmo tenha dito alguma coisa com a voz embargada antes de me pôr de pé. Ele ficou lá onde estivéramos sentados, absolutamente atônito. Atirei-me ao chão, nem sei bem como, debaixo de uma figueira, dando vazão total às lágrimas. Torrentes jorraram de meus olhos, "um sacrifício aceitável e agradável a Deus" (Fp 4.18). Não exatamente com estas palavras, mas com este sentido, eu muito falei dirigindo-me a ti: "Até quando, SENHOR? Ficarás irado para sempre? Não cobres de nós as maldades dos nossos antepassados" (Sl 79.5,8), pois eu sentia que elas me prendiam. Dirigi a ti estas lamentosas palavras: "Até quando? Até quando? Amanhã, só amanhã? Por que não agora? Por que este exato momento não põe termo à minha impureza?".

29 Assim eu falava e chorava, no mais amargo sentimento de contrição, quando eis que, de repente, provindo de uma casa na vizinhança, ouço uma voz, como a de um menino ou menina, não sei, cantando e repetindo muitas vezes: "Pegue e leia. Pegue e leia". Imediatamente meu rosto se alterou, e eu comecei a pensar, concentrando-me ao máximo, se as crianças costumavam, em alguma de suas brincadeiras, cantar aquelas palavras. Não consegui lembrar-me de ter jamais ouvido algo semelhante. Então, controlando a torrente de lágrimas, levantei-me, interpretando aquilo como nada menos do que uma ordem de Deus, de abrir o livro e ler a primeira passagem que descobrisse ao acaso. Eu, na verdade, tinha ouvido dizer sobre Antão que, entrando na igreja durante a leitura do Evangelho, havia recebido o seguinte conselho, como se estivesse sendo lido e dirigido a ele pessoalmente: "Vá, venda os seus bens e dê o dinheiro aos pobres, e você terá um tesouro nos céus. Depois, venha e siga-me" (Mt 19.21). Ao receber essa orientação, ele imediatamente se converteu a ti. Voltei ansioso para o local onde Alípio estava sentado, pois lá havia deixado o volume do apóstolo. Peguei-o, abri e li em silêncio a primeira passagem que caiu sob meu olhar: "Não em orgias e bebedeiras, não em imoralidade sexual e depravação, não em desavença e inveja. Ao contrário, revistam-se do Senhor Jesus Cristo, e não fiquem premeditando como satisfazer os desejos da carne" (Rm 13.13-14). Não precisei continuar a leitura, nem era necessário: imediatamente, ao final dessa frase, como se eu tivesse sido exposto a uma luz serena que invadia meu coração, todas as negras sombras da dúvida desapareceram.

30 Em seguida, fechei o livro usando um dedo ou outra coisa qualquer para marcar a página, e calmamente revelei a Alípio o que havia lido. O que aconteceu no seu íntimo, sem que eu o soubesse, ele me mostrou. Pediu-me para ler o que eu havia lido, e eu lhe mostrei. Ele leu e prosseguiu na leitura, e eu não sabia o que vinha em seguida. Era isto: "Aceitem o que é fraco na fé" (Rm 14.1), que ele aplicou a si mesmo e o revelou a mim. E com esse conselho ele se fortaleceu. Com boa resolução e propósito, correspondendo ao máximo ao seu caráter, que sempre foi muito diferente e melhor do que o meu, sem nenhum turbulento adiamento, juntou-se a mim. Em seguida, fomos procurar minha mãe. Contamos-lhe o que acontecera. Ela se rejubilou. Relatamos em que ordem os fatos se sucederam. Ela exultou triunfante e bendizendo a ti, que és "capaz de fazer infinitamente mais do que tudo o que pedimos ou pensamos" (Ef 3.20), pois percebeu que tu lhe tinhas dado muito mais do que ela havia pedido com seus compassivos e pesarosos gemidos. Pois tu me converteste a ti, de modo que eu não procurasse uma esposa, nem depositasse esperança alguma em coisas deste mundo, mas dirigisse meus passos naquela regra de fé, onde tu, numa visão, tinhas me mostrado a ela muitos anos antes. E tu "mudaste a minha veste de lamento em veste de alegria" (Sl 30.11), numa proporção muito maior do que ela havia desejado, e de uma forma mais generosa e mais pura do que ela havia buscado, quando desejava que eu lhe desse netos.

Livro 9

1 "Senhor, sou teu servo. Sim, sou teu servo, filho de tua serva; livraste-me das minhas correntes. Oferecerei a ti um sacrifício de gratidão" (Sl 116.16-17). Que meu coração e minha língua te louvem. Sim, "todo o meu ser exclamará: Quem se compara a ti, SENHOR?" (Sl 35.10). Que ele o diga, e que tu respondas "dizendo à minha alma: 'Eu sou a tua salvação'" (Sl 35.3). Quem sou eu? O que sou eu? Que maldade existe que não tenha feito parte ou de meus atos, ou de minhas palavras, ou, se não de minhas palavras, de minha vontade? Mas tu, ó Senhor, és bom e misericordioso, e tua mão direita chegou até o fundo de minha morte e do fundo de meu coração esvaziaste aquele abismo de corrupção. E todo este teu presente consistiu em eu negar o que antes queria para querer o que tu querias. Mas onde estava meu livre-arbítrio durante todos aqueles anos, e de que profundos recessos foi ele subitamente trazido à tona para eu submeter meu pescoço a teu "jugo suave" e meus ombros a teu "fardo leve" (Mt 11.30), ó Cristo Jesus, "minha Rocha e meu Resgatador?" (Sl 19.14).

Como de repente para mim se tornou agradável prescindir das doçuras daqueles antigos desatinos! Tornou-se para mim uma alegria estar longe daquilo de que eu temia distanciar-me. Dos desatinos tu me livraste, e no lugar deles tu, que és a suprema doçura, entraste em mim, embora não na forma de corpo e sangue; mais brilhante que a mais brilhante luz, embora mais oculto que todas as profundezas; acima de todas as honrarias, embora não aos olhos dos que estão cheios de si mesmos. Agora minha mente estava livre das torturantes preocupações visando promoções, da luta pelo lucro, do chafurdar na lama e do ardor da ferida da luxúria. Eu falava como uma criança contigo, minha luz, minha riqueza, minha salvação, meu Senhor Deus.

2 Sob a luz do teu olhar, decidi que me afastaria, não de maneira abrupta, mas suave, do serviço que minha língua prestava no mercado da oratória. Assim, os jovens que não estudavam a tua Lei nem a tua Paz, mas sim as loucas mentiras e disputas forenses, não mais comprariam de minha boca as armas para suas loucuras. Felizmente, faltavam agora poucos dias para as férias das vindimas, e eu resolvi suportá-los, para depois me afastar regularmente. Tendo sido comprado por ti, eu não estaria mais à venda naquele mercado. Naquela época minha resolução só era conhecida por ti. Os homens, à exceção de alguns amigos, não a conheciam. Havíamos decidido entre nós que ela não seria revelada a ninguém, embora na saída do "vale de lágrimas" (Sl 84.6), durante o "cântico dos degraus" (Sl 120), tu nos houvesses fornecido setas agudas e carvões candentes para combater a língua insidiosa que, disfarçada de bom aconselhamento, se oporia a nós e, por amor, ela nos devoraria como faz com seu alimento.

3 Tu tinhas perfurado nosso coração com teu amor, e nós, por assim dizer, tínhamos as tuas palavras gravadas em nosso íntimo. E os exemplos de teus servos, que de sombrios tu tornaras brilhantes, de mortos tornaras vivos, reunidos no centro de nossos pensamentos, incendiaram e queimaram aquele nosso pesado torpor, para que nunca mais nos afundássemos em atividades inferiores. Eles nos incendiaram com tal violência que todas as explosões desde as línguas insidiosas até as línguas fraudulentas só poderiam nos inflamar ainda mais, sem conseguir nos apagar. Uma vez que essa nossa promessa e propósito também poderiam receber alguns elogios, motivados pelo amor a teu nome que tu santificaste por toda a terra, poderia parecer uma autopromoção não esperar até as férias já muito próximas e largar antes disso um cargo público exposto à vista de todos. Observando meu gesto e a proximidade das férias das colheitas que eu queria antecipar, todos falariam de mim, como se eu alimentasse o desejo de ser um homem famoso. E de que me adiantaria as pessoas avaliarem e discutirem minhas intenções, de modo que aquilo que é bom para nós "se torne objeto de maledicência" (Rm 14.16)?

4 Além disso, comecei a me preocupar porque exatamente nesse verão meus pulmões se enfraqueceram, em meio àquela excessiva atividade literária, e a respiração tornou-se mais difícil, e a dor no peito denunciava que eles estavam prejudicados e não permitiam discursos prolongados em voz alta. Isso me preocupava e quase me obrigou a abandonar aquele pesado fardo do ensino ou pelo menos interrompê-lo até a minha cura e recuperação. Mas quando surgiu e eu acatei aquele intenso desejo de lazer, que me permitiria saber que tu és o Senhor, tu sabes, meu Deus, que comecei a me alegrar por ter essa desculpa secundária, mas não falsa, que de algum modo suavizaria a indignação daqueles que, no interesse de seus filhos, não queriam que eu jamais tivesse a liberdade dos filhos teus. Cheio então de alegria, suportei aquela situação até seu tempo terminar. Devem ter passado uns vinte dias, mas foram tolerados com coragem. Digo "tolerados" porque a ganância que antes suportava parte de meu pesado fardo havia me abandonado. Eu estava só, e me teria sentido esmagado se a paciência não tivesse tomado o seu lugar. É possível que alguns de teus servos, meus irmãos, possam dizer que eu pequei agindo assim; que, depois de colocar meu coração totalmente a teu serviço, não deveria ocupar aquela cadeira de mentiras nem sequer por uma hora. Eu não discordaria deles. Mas tu, ó misericordioso Senhor, na água sagrada, não perdoaste e esqueceste também esse pecado juntamente com aqueles outros extremamente horríveis e graves?

5 Verecundo ficou seriamente perturbado com minha felicidade. Preso a vínculos inflexíveis, ele viu que deveria separar-se de mim. Ele mesmo não era cristão, mas sua mulher o era. No entanto, com mais firmeza do que qualquer outra cadeia, ele estava preso e impedido de empreender a viagem que eu agora iniciava. Pois, como ele mesmo declarou, não se tornaria cristão em nenhuma outra situação que não fosse aquela para ele então impossível. Todavia, generosamente, ele

nos ofereceu sua casa de campo, enquanto ficássemos por lá. Tu, ó Senhor, o recompensarás "na ressurreição dos justos" (Lc 14.14), vendo que já lhe deste o quinhão dos justos. Pois, quando eu já estava ausente, em Roma, ele foi acometido de uma enfermidade física, durante a qual se fez cristão, um de teus fiéis, e depois deixou esta vida. "Deus teve misericórdia dele, e não somente dele, mas também de mim" (Fp 2.27), evitando que a lembrança da extrema bondade de meu amigo, sem poder vê-lo participando do teu rebanho, fosse para mim uma tortura intolerável. Graças a ti, meu Deus, nós somos teus. Tuas sugestões e teu consolo nos dizem que tu, fiel em tuas promessas, agora recompensas Verecundo pela casa de campo de Cassicíaco que ele nos cedeu para repousarmos em ti, longe da febre deste mundo, com o eterno frescor do teu paraíso. Pois tu lhe perdoaste os pecados cometidos neste mundo lá naquela dadivosa montanha, a montanha onde flui leite, a tua montanha.

6 Naquela época Verecundo sofria, mas Nebrídio se alegrava. Pois embora ele também, não sendo ainda cristão, houvesse caído naquele abismo do mais pernicioso erro que o levava a crer que o corpo de teu Filho era um fantasma, agora emergia dele adotando a mesma crença que nós. Mesmo que ainda não fosse iniciado nos sacramentos da tua Igreja, ele era o mais ardente perseguidor da verdade. Logo após nossa conversão e regeneração pelo teu batismo, Nebrídio tornou-se um membro fiel da Igreja Católica e, servindo-te em perfeita castidade e continência entre sua gente na África, promoveu a conversão de toda a sua família; em seguida, foi libertado por ti de seu corpo e agora vive no seio de Abraão. O que quer que esse seio signifique, lá está Nebrídio, meu caro amigo e teu filho, ó Senhor, antes liberto, agora adotivo. Lá está ele. Pois que outro lugar existe para uma alma assim? Naquele lugar está ele sobre o qual tantas perguntas dirigiu a mim, pobre ser humano inexperiente. Agora ele não mais aproxima seus ouvidos de minha boca, mas achega sua boca espiritual à tua

Fonte, bebendo sabedoria no grau máximo possível de acordo com sua sede, infinitamente feliz. Mas não acho que essa fonte de sabedoria o deixe tão inebriado a ponto de ele se esquecer de mim, sabendo que tu, Senhor, que és sua bebida, te preocupas conosco. Assim, lá estava eu então consolando Verecundo, que, sem perder a amizade, lamentava que minha conversão tivesse aquelas consequências. Eu o aconselhei a aceitar a fé, respeitando sua condição de homem casado; e esperava que Nebrídio seguisse meus passos, o que ele estava muito prestes a fazer. E assim, de repente, aqueles dias finalmente se foram. Intermináveis e numerosos pareceram devido à minha ansiedade pelo lazer e o tempo livre para poder cantar do fundo de minha alma: "A teu respeito diz o meu coração: Busque a minha face! A tua face, Senhor, buscarei" (Sl 27.8).

7 Chegou o dia em que eu de fato me livraria do cargo de professor de retórica, do qual mentalmente já me livrara. E aconteceu. Tu resgataste minha língua de onde já havias resgatado o coração. Eu te agradeci em júbilo, e me retirei com toda a minha família para a casa de campo. O que lá realizei em matéria de textos escritos, agora que estava registrado a teu serviço (embora, nesse intervalo, minha respiração ainda fosse ofegante devido aos esforços feitos na escola do orgulho), é atestado por meus livros, bem como pelos debates travados com outros ou comigo mesmo diante de ti. Prova disso são minhas cartas a Nebrídio, que na época estava ausente. E quando terei tempo para relatar os grandes benefícios que recebemos naquela época, especialmente agora quando corro em direção a graças mais importantes? Guardo na memória, e para mim é agradável, ó Senhor, confessar a ti com que estímulos interiores tu me subjugaste; e como tu me tornaste humilde, "aplanando montes e colinas" de ambiciosos sonhos (Is 40.4), fazendo "veredas retas" e "nivelando estradas acidentadas" (Lc 3.4-5); e como tu subjugaste também Alípio, meu irmão de coração, que aceitou o nome de teu Unigênito, nosso Senhor e Salvador Jesus Cristo, nome que antes ele não queria ver incluído em nossos escritos. Ele então

preferia que estes tivessem o cheiro dos altaneiros cedros das escolas, já despedaçados pelo Senhor, e não o aroma das ervas sadias da Igreja, o antídoto contra serpentes.

8 Ah, com que clamores eu falava contigo, meu Deus, quando lia os salmos de Davi, aqueles piedosos poemas e cantos de devoção, que não dão margem alguma para o orgulho! Eu ainda era um catecúmeno, um noviço no teu verdadeiro amor. Repousava naquela casa de campo junto com Alípio, outro catecúmeno. Minha mãe sempre estava junto a nós, em trajes de mulher, mas com sua fé viril, com aquela paz tranquila da idade e a plenitude do amor materno e da piedade cristã. Ah, que clamores eu dirigia a ti naqueles salmos! Como eles me inflamavam e me incutiam ardentes desejos de cantá-los, se possível, pelo mundo inteiro, contra o orgulho da humanidade. Todavia, no mundo inteiro eles são cantados, e "nada escapa ao seu calor" (Sl 19.6). Com que potentes e amargos lamentos eu me indignava contra os maniqueístas! E ao mesmo tempo sentia pena deles. Não conheciam os sacramentos, os verdadeiros remédios, e esbravejavam como loucos contra o antídoto que poderia curá-los de sua loucura. Como eu gostaria que eles tivessem estado por perto de mim e, sem que eu soubesse da presença deles, pudessem ter visto meu rosto e ouvido minhas palavras quando eu lia o salmo quarto naquele meu período de repouso, e pudessem ter constatado como aquele salmo agia sobre mim: "Responde-me quando clamo, ó Deus que me fazes justiça! Dá-me alívio da minha angústia; tem misericórdia de mim e ouve minha oração" (Sl 4.1). Quem dera eles pudessem ouvir o que eu dizia sobre essas palavras, sem que eu soubesse que estavam ouvindo, para que não pensassem que dizia aquilo exatamente para eles! Na verdade, eu não diria as mesmas coisas, nem da mesma maneira, se percebesse que eles me viam e ouviam. Tampouco eles as receberiam, se as ouvissem como quando eu falava sozinho e só para mim mesmo diante de ti, expressando os sentimentos naturais de minha alma.

9 Eu tremia de medo, e novamente reacendeu-se em mim a esperança, exultando com tua misericórdia, ó Pai. E tudo transparecia em meus olhos e na voz, quando teu bom Espírito dirigia-se a nós, dizendo: "Até quando vocês, ó poderosos, ultrajarão a minha honra? Até quando estarão amando ilusões e buscando mentiras?" (Sl 4.2). Pois eu havia amado vaidades e buscado mentiras. E tu, Senhor, já tinhas exaltado teu santo Filho, "ressuscitando-o dos mortos e fazendo-o assentar-se à tua direita" (Ef 1.20), lá nas alturas, para que ele, cumprindo sua promessa, enviasse outro Conselheiro, "o Espírito da verdade" (Jo 14.16). Ele já o enviara, mas eu não sabia disso. Ele o enviara porque já fora glorificado, ressuscitando dos mortos e ascendendo aos céus. "Até então o Espírito ainda não tinha sido dado, pois Jesus não fora glorificado" (Jo 7.39). E o profeta clama: "Até quando vocês, ó poderosos, ultrajarão a minha honra? Até quando estarão amando ilusões e buscando mentiras? Saibam disso, que o Senhor exaltou seu santo Filho" (Sl 4.2-3). Ele clama: "Até quando?". Ele clama: "Saibam disso". E eu, tanto tempo na ignorância, amei a vaidade e busquei a mentira. Por isso, ouvia e tremia, porque aquelas palavras foram proferidas para o mesmo tipo de gente como eu, pelo que me lembrava. Pois naquelas falsidades que eu defendera como verdades só havia ilusões e mentiras. Falando sério e com convicção, declarei alto e bom som muitas coisas das quais amargamente me lembrava. Ah, se me tivessem ouvido aqueles que ainda amam ilusões e mentiras! Talvez tivessem se sentido enjoados e vomitado seu erro. Se eles clamassem a ti, teriam sido ouvidos por aquele que "também intercede por nós" (Rm 8.34).

10 Continuei lendo: "Quando vocês ficarem irados, não pequem" (Sl 4.4). E eu, que agora aprendera a irar-me comigo mesmo por coisas do passado, como me senti impelido a não mais pecar no futuro! Sim, devia sentir-me justamente encolerizado, pois não era a natureza de outra pessoa das trevas que pecava por mim, como diz o maniqueísta que não se irrita consigo mesmo, e "está acumulando ira contra si mesmo, para o dia da ira de

Deus, quando se revelará o seu justo julgamento" (Rm 2.5). Já não havia muitas coisas boas no mundo exterior, tampouco eu as procurava com meus olhos físicos à luz daquele sol da terra; pois aqueles que se alegram com coisas exteriores logo se tornam vãos e se desgastam ocupando-se de coisas visíveis e temporais. Em seus pensamentos famintos realmente apenas lambem sombras. Quem dera eles se cansassem de sua fome e dissessem: "Quem nos fará desfrutar o bem?". E nós responderíamos, e eles ouviriam: "A luz do teu semblante, ó SENHOR, resplandece sobre nós" (Sl 4.6). Pois não somos aquela "verdadeira luz, que ilumina todos os homens" (Jo 1.9), mas somos iluminados por ti, para que nós que éramos trevas sejamos agora "luz no Senhor" (Ef 5.8). Quem dera pudessem ver a eterna luz interior! Depois de prová-la, eu lamentava não poder mostrá-la a eles enquanto não me apresentassem seu coração em seus olhos, que, longe de ti, vagavam sobre coisas exteriores, ao mesmo tempo que eles diziam: "Quem nos fará desfrutar o bem?" (Sl 4.6).

Pois ali, no meu íntimo, onde eu me sentira irado comigo mesmo, onde fora fustigado pelo remorso, onde havia oferecido em sacrifício o homem velho propondo-me começar uma vida nova, depositando minha confiança em ti, ali tu tinhas começado a tornar-te doce para mim: "Encheste o meu coração de alegria" (Sl 4.7). Eu emitia altos brados enquanto lia tudo isso fora de mim e o descobria dentro de mim. Já não queria multiplicar bens exteriores, gastando o tempo que me desgastava, pois eu tinha a tua eterna simplicidade: "outro trigo, outro vinho, outro azeite".

11 Com um alto brado de meu coração li no versículo seguinte: "Em paz me deito e logo adormeço" (Sl 4.8); pois quem nos vai deter quando se cumprir "a palavra que está escrita: 'A morte foi destruída pela vitória'" (1Co 15.54)? E tu, por excelência, és sempre o mesmo, aquele que não muda nunca. Em ti está o descanso que nos faz esquecer toda labuta, pois "não há outro além de ti" (Dt 4.35), tampouco devemos procurar aquelas inúmeras outras coisas que não são o que tu és. Mas "só tu, SENHOR, me fazes viver em segurança" (Sl 4.8). Eu lia com ardente fervor, sem saber descobrir o que fazer com aqueles surdos e mortos, entre os quais eu fora outrora uma pessoa pestilenta, um cego e amargurado difamador daqueles textos, que são adoçados com o mel do céu e iluminados com a tua própria luz; e eu senti uma profunda indignação contra os inimigos das Escrituras.

12 Quando evocarei tudo o que se passou naqueles dias de repouso? Todavia, não esqueci nem vou deixar de mencionar o teu açoite e a maravilhosa prontidão de tua misericórdia. Naquela época tu me atormentaste com a dor de dente. Quando, em seu momento mais agudo, eu não conseguia nem falar, senti em meu coração o desejo de que todos os amigos presentes orassem por mim a ti, tu que és o Deus de todas as formas de saúde. Escrevi meu pedido numa tabuinha encerada e a entreguei a eles. Num instante, assim que em humilde devoção havíamos dobrado os joelhos, aquela dor sumiu. Mas que era aquela dor? Ou como ela foi embora? Senti medo, ó meu SENHOR, meu Deus. Desde a infância, eu nunca tivera uma experiência igual. E teu poder e tua graça foram copiosamente derramados sobre mim. Rejubilando-me na fé, louvei teu nome. E aquela fé não permitiu que eu me sentisse em paz em relação aos meus pecados do passado, que ainda não haviam sido perdoados pelo teu batismo.

13 Terminadas as férias das vindimas, comuniquei às autoridades de Milão que deveriam providenciar outro vendedor de palavras para seus alunos, pois eu, livremente, havia tomado a decisão de servir a ti, e, devido à dor no peito e à dificuldade que sentia para respirar, já não reunia condições para exercer o cargo de professor. Por meio de cartas notifiquei teu bispo, o santo Ambrósio, de meus erros passados e de meus desejos atuais, pedindo-lhe que me indicasse que parte de tuas Escrituras era mais apropriada para minha leitura, visando preparar-me melhor para receber uma graça tão grande. Ele me recomendou o profeta Isaías. O motivo dessa indicação, a meu ver, é que esse profeta supera os outros prenunciando o evangelho de modo mais claro e convocando os gentios. Eu, porém, não entendi a primeira lição daquele livro e, imaginando que o resto seria igual, deixei-o de lado, para retomá-lo quando tivesse mais experiência nas palavras de nosso Senhor.

14 Quando chegou a data em que eu devia me inscrever como catecúmeno, deixamos o campo e fomos para Milão. Alípio também resolveu nos acompanhar para comigo renascer em ti; ele já estava revestido da humildade apropriada para os teus sacramentos: exercia um forte domínio sobre seu corpo, de modo que, com extraordinária coragem, percorreu o chão gelado da Itália de pés descalços. Também levamos conosco o menino Adeodato, nascido na carne de meu pecado. Tu fizeras dele um excelente rapaz. Não tinha nem 15 anos, e já superava em inteligência muitos homens distintos e eruditos. Eu te confesso essas tuas dádivas, ó Senhor meu Deus, Criador de todas as coisas, e capaz de generosamente reformar nossas deformidades: pois minha parte naquele menino foi apenas o meu pecado. O fato de o termos criado na tua disciplina não se deve a ninguém, senão a ti, que nos inspiraste a agir assim. Confesso-te essas tuas dádivas. Existe um livro meu intitulado *O mestre*. É um diálogo entre nós dois: Adeodato e eu. Tu sabes que tudo o que ali se atribui à pessoa que conversa comigo foram ideias dele, aos 16 anos de idade. Muitas outras coisas e ainda mais admiráveis nele descobri. Aquele seu talento me assustava. E quem, senão tu, poderia ser o autor daquelas maravilhas? Logo levaste desta terra a vida dele: e agora eu recordo, sem nenhuma ansiedade, nada temendo em relação à sua infância ou juventude, ou todo o seu ser. Fizemos dele nosso companheiro, nosso contemporâneo na graça, para ser criado na tua disciplina. E fomos batizados, e a ansiedade do passado nos deixou. Nunca, naqueles dias, eu me satisfazia completamente com a maravilhosa doçura da contemplação da profundidade de teus desígnios acerca da salvação da humanidade. Como eu chorava, durante os hinos e cânticos, profundamente comovido pelas suaves vozes de tua Igreja! Elas fluíam pelos meus ouvidos adentro, onde as ondas de minha devoção extravasavam e as lágrimas escorriam, e no meu íntimo eu me sentia feliz.

15 Não fazia muito tempo que a igreja de Milão havia adotado essa forma de consolo e exortação: todos juntos, os irmãos uniam harmoniosamente seu coração e voz cantando com fervor. Fazia um ano, ou pouco mais, que Justina, a mãe do jovem imperador Valenciano, perseguia teu servo Ambrósio, em benefício de sua heresia, à que fora seduzida pelos arianos. As pessoas devotas mantinham a igreja dele sob vigilância, dispostas a morrer com seu bispo, teu servo. Lá minha mãe, tua serva, desempenhando um papel importante naqueles tempos de ansiedade e vigilância, vivia para a oração. Nós, que ainda não fôramos aquecidos pelo calor do Espírito, estávamos agitados diante do panorama da cidade assustada e inquieta. Foi então que pela primeira vez se instituiu, seguindo o exemplo das igrejas orientais, o canto de hinos e salmos para evitar que as pessoas se enfraquecessem devido ao aborrecimento daquela prolongada aflição. Desde aqueles dias, esse costume é mantido; muitas, praticamente todas as tuas congregações, em todas as partes do mundo, seguem esse exemplo.

16 Depois, por meio de uma visão, tu revelaste ao bispo mencionado acima onde estavam escondidos os corpos dos mártires Gervásio e Protásio (que tu, em teu tesouro secreto, guardaste intactos por tantos anos), para que tu mesmo, no seu devido tempo, pudesses apresentá-los a fim de aplacar a fúria de uma mulher, que também era uma imperatriz. Pois quando eles foram descobertos e desenterrados e, com as merecidas honras, transladados para a Basílica Ambrosiana, foram curados muitos que eram atormentados por espíritos impuros (o que os próprios diabos o confessaram). Além disso, um homem que estava cego havia muitos anos, um cidadão conhecido por muita gente, ao perguntar e ao saber do motivo da ruidosa alegria do povo, pôs-se de pé e pediu para ser conduzido até o centro da confusão. Chegando lá, pediu que lhe permitissem tocar com seu lenço o esquife dos santos, cuja "morte aos teus olhos é preciosa" (Sl 116.15). Tendo feito isso, ele tocou com o lenço os próprios olhos, e eles imediatamente se abriram. Em seguida o fato se espalhou e a partir daí teus louvores se intensificaram, resplendentes. Depois disso, a disposição daquela tua inimiga, mesmo não se convertendo à integridade da fé, recuou de seu furor persecutório. Graças a ti, ó meu Deus. De onde e para onde tu conduziste minha memória para que eu te confessasse também essas coisas? Embora elas sejam importantes, eu as havia esquecido. Contudo, naquela época, quando a "fragrância dos teus perfumes era tão suave" (Ct 1.3), eu não corria atrás de ti. Por isso naquela época mais amargamente eu chorava quando ouvia o canto de teus hinos, depois de haver por tanto tempo corrido arquejando atrás de ti. Agora, finalmente, eu podia respirar em ti, inalando todo o hálito que pode ser contido nesta nossa casa de palha.

17 Tu que és o Deus que "dá um lar aos solitários" (Sl 68.6) associaste a nós também Evódio, um jovem de nossa cidade. Tratava-se de um funcionário do tribunal que antes de nós se convertera a ti e fora batizado. Abandonando sua luta secular, ele se preparou para lutar por ti. Estávamos juntos, prestes a conviver na mesma casa visando nosso devoto propósito. Procuramos descobrir onde poderíamos ser mais úteis em teu serviço e agora estávamos juntos voltando para a África. Quando havíamos percorrido o caminho que leva até Óstia, minha mãe deixou esta vida. Muitas coisas eu omito, pois estou correndo muito. Recebe minhas confissões e agradecimento, ó meu Deus, pelas inúmeras coisas sobre as quais eu me calo. Mas não vou omitir nada do que minha alma quer mostrar sobre tua serva, a que me deu à luz na carne para que eu depois pudesse nascer para a Luz eterna. Não quero falar dos dons dela, mas dos teus dons nela, pois ela não se criou nem se educou a si mesma. Tu a criaste. Tampouco seu pai e sua mãe sabiam que espécie de mulher descenderia deles. A doutrina do teu Cristo e a disciplina de teu único Filho a educaram no temor a ti num lar cristão de dignos membros de tua Igreja. No entanto, ela costumava atribuir sua boa disciplina não tanto à diligência de sua mãe quanto à de uma idosa criada doméstica, que havia carregado seu pai na infância dele, do jeito que os bebês são carregados nas costas de meninas mais velhas. Por esse motivo, e por sua avançada idade, naquela família cristã, ela era muito respeitada por seus patrões. Pelo mesmo motivo, foi-lhe confiado o cuidado das filhas do patrão, a quem ela dedicava atenção diligente, reprimindo-as com seriedade quando se fazia necessário, com santo rigor, e ensinando-as com prudência e severidade. Assim, exceto nas horas em que com moderação elas se alimentavam junto à mesa de seus pais, ela não lhes permitia, apesar da ardente sede, beber nem mesmo água. Fazia isso para prevenir um mau costume, que explicava com um salutar conselho: "Agora vocês bebem água porque não têm vinho ao alcance da mão. Mas quando estiverem casadas e já forem donas de casa terão adegas e guarda-louças, desprezarão a água, mas o hábito de beber permanecerá". Com esse método educativo e com sua autoridade, ela refreava a voracidade da infância e moldava a própria sede com essa virtuosa moderação, de modo que elas não queriam o que não deviam fazer.

18 Contudo (como tua serva disse a mim, seu filho), insinuara-se nela o prazer do vinho. Habitualmente, como se fosse uma menina abstêmia, ela era mandada por seus pais tirar vinho do barril. Antes, porém, de segurar a vasilha debaixo da torneirinha para enchê-la, ela bebia um gole de vinho diretamente da fonte. Mais que isso seus sentimentos instintivos não lhe permitiam. Procedia assim, não levada por alguma vontade de beber, mas por causa da exuberância da juventude que extravasa em atos absurdos, que em espíritos jovens geralmente devem ser reprimidos pelo rigor dos mais velhos. E a um pequeno gole somando outros pequenos goles diários ("o que menospreza o pouco aos poucos cairá na miséria" [Eclo 19.1, BJ]), ela havia adquirido um hábito tal que avidamente esvaziava seu pequeno copo transbordando de vinho. Onde estava, então, aquela discreta senhora idosa e sua rigorosa abstinência? Será que alguma coisa seria eficaz contra uma enfermidade secreta, se tua mão que cura, ó Senhor, não cuidasse de nós? Pai, mãe e patrões ausentes, tu presente, tu que nos criaste, que nos chamaste, que também (por meio daqueles que colocaste acima de nós) atuas para a salvação de nossa alma, que fizeste então, ó meu Deus? Como a curaste? Como ela sarou? Acaso não te serviste de outra alma para aplicar-lhe uma dura e mordaz repreensão, semelhante a um bisturi retirado de teu secreto arsenal de recursos, e com um só golpe remover aquele hábito feio? Aconteceu que uma empregada que costumava ir com ela buscar o vinho na adega, entrando em atrito com sua pequena patroa (como sói acontecer), quando estavam a sós, acusou-a de sua falha com insultos mordazes, chamando-a de beberrona. Ouvindo esse insulto, profundamente ferida, ela viu a feiura de sua falha e no mesmo instante a condenou e largou. Como os elogios dos amigos pervertem, assim também as censuras dos inimigos geralmente corrigem. No entanto, tu não os recompensas de acordo com o bem que fazes por meio deles, mas de acordo com a intenção que os motivou. Pois a empregada irada queria ofender sua jovem patroa, não corrigi-la; e o fez em particular, ou porque o momento e o lugar da rusga as apanharam a sós, ou para evitar que ela também fosse censurada por não ter revelado aquele fato antes. Mas tu, Senhor, que governas todo o céu e toda a terra, que empregas para teus propósitos as profundas correntezas e controlas a turbulência das ondas dos tempos, mediante a fraqueza de uma alma, curaste a fraqueza de outra. Que ninguém, observando isso, atribua a si mesmo alguma força pessoal quando suas palavras conseguem corrigir em outra pessoa o que se queria ver corrigido.

19 Sendo assim criada com modéstia e sobriedade e aprendendo a submeter-se mais por ti a seus pais do que por seus pais a ti, tão logo atingiu a idade núbil foi dada em casamento e serviu a seu marido como seu senhor. Esforçou-se ao máximo para ganhá-lo para a religião, pregando a ti em suas conversas com ele. Desse modo, tu a fizeste bela, tornando-a reverentemente afável e admirável aos olhos do marido. Ela suportou com tal paciência sua infidelidade conjugal a ponto de nunca ter com ele tido uma discussão a respeito. Ela aguardava tua misericórdia para com ele: crendo em ti, ele poderia ser casto. Ao mesmo tempo, ele era afetuoso em seus sentimentos, como era violento em momentos de raiva. Mas ela aprendeu a não lhe opor resistência, nem com atos nem com palavras. Só quando ele estava calmo e tranquilo, numa disposição emocional propícia, ela dava uma explicação de suas ações, caso ele se tivesse enfurecido sem razão.

Resumindo, enquanto muitas esposas, que tinham marido mais tranquilo e mesmo assim carregavam no rosto vergonhosas marcas de golpes sofridos, em conversas íntimas se queixavam do comportamento de seu marido, ela punha a culpa na língua delas. Como se estivesse brincando, dava-lhes na verdade um conselho, dizendo que "desde o dia em que ouviram a leitura do contrato matrimonial, elas deviam considerar aquilo como um instrumento legal, pelo qual foram feitas servas; assim, lembrando-se de sua condição, não deviam se insurgir contra seu senhor". Quando elas, que conheciam que marido temperamental ela suportava, se maravilhavam por nunca terem ouvido dizer, nem por algum sinal percebido, que Patrício havia espancado sua mulher, ou que acontecera uma briga doméstica entre os dois, nem sequer por um dia, e perguntavam em particular a razão disso, ela lhes ensinava a prática mencionada acima. Aquelas esposas que lhe deram ouvidos acharam o conselho dela bom e lhe agradeceram; as que não o fizeram, não tiveram sossego e continuaram sofrendo.

20 A sogra, com quem no início se desentendeu devido a fofocas de empregadas maldosas, Mônica a conquistou de tal forma com sua obediência e perseverante paciência e mansidão que mais tarde a própria sogra tomou a iniciativa de revelar a seu filho Patrício as conversas intrometidas com que a paz doméstica entre ela e sua nora havia sido perturbada, pedindo que ele punisse as culpadas. Em seguida, concordando com sua mãe e visando a harmonia da família, Patrício mandou aplicar um espancamento exemplar nas que ela descobrira como culpadas; e ela garantiu que o mesmo aconteceria com qualquer um que, para agradar, lhe falasse mal de sua nora. Ninguém mais ousou fazer aquilo, e sogra e nora conviveram em grande harmonia e mútua amabilidade.

21 Este outro grande dom tu também concedeste, ó meu Deus, minha misericórdia, àquela tua boa serva em cujo ventre tu me criaste: diante de dois lados divergentes e discordantes, sempre que possível ela se mostrava uma excelente pacificadora. Ouvindo dizer coisas extremamente mordazes de ambos os lados, daquela espécie a que a raiva inflamada e mal digerida costuma dar vazão, quando montes de insultos são proferidos em maldosas conversas com um amigo presente contra um inimigo ausente, ela nunca revelava nada de um lado para o outro, exceto aquilo que tendesse para uma reconciliação. Coisa de menor importância isso poderia me parecer, se eu, para minha tristeza, não conhecesse inúmeras pessoas que, por causa de alguma horrível e galopante infecção contagiosa, não apenas revelam a pessoas mutuamente indispostas coisas ditas em momentos de raiva, mas também acrescentam outras que nunca foram ditas. Ao contrário disso, aos olhos de alguém benevolente não só não deveria parecer suficiente não fomentar ou aumentar a inimizade com más palavras, mas também deveria parecer bom eliminá-la com palavras boas. Assim era ela. E tu, seu orientador espiritual, a instruíste na escola de seu coração.

22 Finalmente, seu próprio marido, já perto do fim da vida terrena, ela o conquistou para ti. E depois que ele se tornou um dos teus fiéis, ela nunca mais teve motivos para se queixar de infidelidades cometidas por ele como as que antes havia suportado. Ela também foi serva de teus servos. Os que dentre eles a conheceram nela muito te louvaram, exaltaram e amaram, pois através dos frutos de uma vida santa eles percebiam tua presença no coração dela. Pois "tinha sido fiel a seu marido", "havia cuidado de seus parentes, especialmente dos de sua própria família", "era bem conhecida por suas boas obras, tais como criar filhos"

(1Tm 5.8-10), muitas vezes sofrendo novamente as dores de parto por eles quando os via se afastando de ti. Por último, de todos nós teus servos, ó Senhor (a quem, por tua bondade, às vezes concedes a palavra); de todos nós que antes de ela adormecer em ti vivíamos juntos depois de recebida a graça do teu batismo, ela cuidava como se fosse filha de todos nós.

23 Aproximando-se agora o dia de sua partida deste mundo (o dia que tu conhecias, nós não), creio que por determinação de teus secretos desígnios que assim o quiseram, aconteceu que ela e eu estávamos a sós, debruçados a uma janela que se abria para o jardim da casa onde nos hospedávamos em Óstia. Ali, longe das multidões, nos refazíamos do cansaço de uma longa jornada, preparando-nos para seguir viagem. Numa conversa a sós, muito agradável, esquecendo-nos "das coisas que ficaram para trás e avançando para as que estão adiante" (Fp 3.13), discutíamos na presença da Verdade, que és tu, como é a vida eterna dos santos, que "olho nenhum viu, ouvido nenhum ouviu, mente nenhuma imaginou" (1Co 2.9). Muito se abria a boca de nosso coração, querendo beber da água corrente de tua fonte, "a fonte da vida" (Sl 36.9), que és tu. Queríamos ser aspergidos segundo nossa capacidade com algum poder especial para podermos meditar sobre um mistério tão grande.

24 Depois nossa conversa atingiu um nível tão elevado que nem mesmo o maior prazer dos sentidos físicos, naquela luz pura, cotejada com a doçura daquela vida por vir parecia não merecer comparação nem sequer menção. Transportados por um sentimento superior, elevamo-nos até a essência do ser, ultrapassando aos poucos todas as coisas físicas, atingindo até o próprio céu, de onde nos chega o brilho da lua, do sol e das estrelas. Sim, pairávamos ainda mais alto em nossa meditação, conversa e admiração de tuas obras. E chegamos à nossa mente e a ultrapassamos, para que pudéssemos atingir aquela região da inesgotável abundância, onde tu apascentas Israel com o alimento da verdade, onde a vida é "a Sabedoria, artífice do mundo" (Sb 7.21, BJ) e do que existiu e do que existirá. Ela não foi criada, mas como foi sempre será; melhor dizendo, o "ter sido" e o "vir a ser" nela não existem, mas apenas o "ser", visto que ela é eterna, e o "ter sido" e o "vir a ser" não são eternos. Enquanto conversávamos lutando para chegar até ela, quase a tocamos no esforço absoluto de nosso coração. Depois, com um suspiro, lá deixando "os primeiros frutos do Espírito" (Rm 8.23), voltamos ao som de nossa língua, onde as palavras proferidas começam e terminam. E o que se assemelha à tua Palavra, nosso Senhor, que "tudo pode; sem nada mudar tudo renova" (Sb 7.27, BJ)?

25 Estávamos então dizendo: Se todos os tumultos da carne fossem silenciados, silenciadas as imagens da terra, das águas e do ar, silenciados também os polos do céu, sim, se a própria alma guardasse silêncio e, sem pensar, fosse além de si mesma, silenciando todos os sonhos e aparências imaginárias, todas as línguas e todos os sinais e tudo o que existe apenas em transição, pois todos os homens podem ouvir todas essas coisas dizendo: "Ele nos fez e somos dele; a sua fidelidade permanece por todas as gerações" (Sl 100.3,5); se, então, depois de despertar nossos ouvidos apenas para aquele que criou todas as coisas e somente ele falasse, não por meio delas, mas por si mesmo, para que ouvíssemos a sua Palavra, não mediante qualquer língua de carne, nem pela voz de um anjo, nem pelo som do trovão, nem pela obscuridade de uma parábola, mas se pudéssemos ouvir quem nessas coisas amamos, se pudéssemos ouvir seu próprio ser sem elas (como nós dois agora nos esforçávamos por fazer, e num rápido pensamento pudéssemos tocar aquela eterna Sabedoria, que permanece em tudo); se isso pudesse continuar, e se outras visões inferiores fossem afastadas e somente essa nos arrebatasse e absorvesse e envolvesse nessa alegria interior, de modo que a vida pudesse sempre ser como aquele momento de entendimento pelo qual agora suspirávamos, não seria isso participar "da alegria do seu senhor"? (Mt 25.21). E quando acontecerá isso? Quando, embora "nem todos dormiremos, todos seremos transformados" (1Co 15.51)?

26 Essas coisas eu ia dizendo, embora não exatamente desse jeito e com essas mesmas palavras. Mas tu sabes, Senhor, que naquele dia quando falávamos disso, e este mundo com todas as suas delícias tornou-se, durante a conversa, desprezível aos nossos olhos, minha mãe disse: "Filho, de minha parte já não tenho nenhum prazer nesta vida. Não sei por que ainda continuo aqui, agora que minhas esperanças neste mundo foram satisfeitas. Havia uma coisa que me fazia querer ficar por mais um tempo nesta vida: poder ver você como cristão católico antes de minha morte. Meu Deus me concedeu essa graça e do modo mais que generoso, pois agora vejo você desprezando a felicidade terrena, transformando-se num servo dele. O que estou fazendo aqui?".

27 Não me lembro que resposta eu dei a essas coisas que ela disse. Pois não mais que cinco dias após isso, ela contraiu uma febre muito alta. Durante a enfermidade, perdeu a consciência e, por um breve espaço de tempo, afastou-se deste mundo visível. Reunimo-nos às pressas a seu redor. Ela recuperou os sentidos. Olhando para mim e meu irmão junto a ela, perguntou-nos: "Onde estava eu?". E depois, fitando-nos, impressionada com nosso silêncio, disse: "Aqui vocês devem enterrar sua mãe". Mantive meu silêncio e parei de chorar. Mas meu irmão disse alguma coisa, desejando-lhe uma sorte melhor: que ela não viesse a morrer numa terra estranha, mas sim em seu próprio país. Ao que ela, com expressão ansiosa, fixando nele seus olhos, pois ele ainda valorizava essas coisas, e depois olhando para mim, disse: "Veja só o que ele diz!". E logo em seguida, dirigiu-se a nós dois: "Enterrem este corpo em qualquer lugar. Que isso não seja de modo algum motivo de preocupação para vocês. Este é o meu único pedido: lembrem-se de mim junto ao altar de Deus, onde quer que vocês estejam". Depois de expressar esse desejo com as palavras que conseguiu proferir, ela se calou, sentindo o recrudescimento da dor da enfermidade.

28 Mas eu, considerando os dons que tu, ó Deus invisível, inseriste no coração de teus fiéis, dos quais resultam frutos maravilhosos, alegrei-me e te agradeci ao lembrar-me de como ela sempre, ansiosa e diligente, se preocupara com o local de seu sepultamento. Ela mesma o havia preparado junto ao corpo de seu marido. Pois, tendo eles convivido em grande harmonia, ela também desejava (a mente humana capta uma fração tão pequena dos desígnios divinos) ter essa adição à sua felicidade. Queria que este fato fosse lembrado entre os homens: depois de sua peregrinação do outro lado do mar, as partes terrenas do casal puderam reunir-se debaixo da terra. Não sei quando esse vão desejo, graças à plenitude de tua bondade, havia começado a desvanecer-se em seu coração; mas me alegrei admirando o que ela me havia revelado dessa forma, embora, de fato, naquela nossa conversa junto à janela, quando ela disse "O que ainda estou fazendo aqui?", não me parecesse transparecer nenhum desejo de morrer em nosso país. Também ouvi contar mais tarde que, quando já estávamos em Óstia, um dia, durante minha ausência, com confiança maternal ela conversou com alguns amigos sobre seu desprezo por esta vida e sobre a bênção da morte. Quando eles, assombrados com essa coragem que tu havias concedido a uma mulher, perguntaram se não tinha medo de deixar seu corpo tão longe de sua cidade natal, ela respondeu: "Nada se situa longe de Deus. E não se deve temer que no fim do mundo ele não consiga reconhecer de onde nos deve ressuscitar". No nono dia de sua enfermidade, aos 56 anos de vida, quando eu tinha 33, aquela alma santa e religiosa foi libertada de seu corpo.

29 Eu fechei seus olhos. Imediatamente uma tremenda tristeza tomou meu coração. Ela ia extravasar-se em lágrimas, mas, mediante uma poderosa ordem de minha mente, os olhos as reprimiram. Como foi sofrida a contenção dessa dor! Mas quando ela deu o último suspiro, o menino Adeodato prorrompeu num forte lamento. Depois, confortado por todos nós, ele se controlou. Da mesma forma, um sentimento infantil que, por meio da voz imatura de meu coração, buscava sua vazão no choro, foi controlado por mim e mantido em silêncio. Pois nós não achamos que fosse adequado solenizar aquele funeral com gemidos e lacrimosos lamentos, pois assim geralmente se expressa a dor pelos que partiram, como se eles estivessem infelizes ou absolutamente mortos; pelo contrário, ela não estava nem infeliz nem absolutamente morta. Disso nós tínhamos certeza com base em bons motivos: o testemunho de suas próprias palavras e sua "fé sincera" (1Tm 1.5).

30 O que era então aquilo que doía tão fundo dentro de mim, senão uma ferida recém-aberta causada pela súbita privação daquele agradabilíssimo e caro hábito de nossa convivência? Alegrou-me de fato o testemunho dela quando, naquela última enfermidade, ela misturou seu carinho com meus gestos atenciosos e me chamou de "bom filho" e mencionou, com profunda ternura, que jamais ouvira de minha boca qualquer palavra áspera ou repreensiva proferida contra ela. No entanto, ó meu Deus, que nos criaste, que comparação existe entre aquela honra que lhe dediquei e a escravidão dela por mim? Sendo eu então privado daquele enorme conforto que ela me proporcionava, minha alma estava ferida: rasgada ao meio estava aquela vida (a dela e a minha) que, por assim dizer, fora uma só.

31 Depois que o choro do menino foi controlado, Evódio apanhou o Saltério e começou a cantar. Toda a casa o acompanhou: "Cantarei a lealdade e a justiça. A ti, SENHOR, cantarei louvores" (Sl 101.1). Ouvindo o que estávamos fazendo, muitos irmãos e irmãs se reuniram no local. Enquanto aqueles a quem, como de costume, competia a tarefa de preparar o sepultamento, eu, numa parte da casa apropriada para o caso, juntamente com aqueles que acharam que deviam ficar comigo, discorria sobre um assunto adequado para a ocasião. Com esse bálsamo da verdade, aliviei meu tormento, conhecido de ti, mas desconhecido dos que atentamente me ouviam julgando-me desprovido de qualquer sentimento de tristeza. Mas, falando aos teus ouvidos, sem que ninguém ali presente pudesse ouvir, eu me censurava pela fraqueza de meu sentimento e continha a inundação de dor, que cedia um pouco à minha vontade. Mas ela se manifestou de novo, como uma maré, embora não a ponto de explodir em lágrimas, nem de provocar uma alteração na minha fisionomia.

Mesmo assim, eu sabia o que estava reprimido em meu coração. Sentindo-me muito descontente por terem tal poder sobre mim esses fatos humanos que a seu tempo e lugar, de acordo com nossa condição natural, devem fatalmente acontecer, com nova tristeza lamentei minha tristeza. E assim fiquei duplamente triste.
32 E quando seu corpo foi levado para a sepultura, fui e voltei sem lágrimas. Nem mesmo durante aquelas orações que nós dirigimos a ti, quando o sacrifício de nossa redenção foi oferecido por ela, nem durante as orações tradicionais feitas diante de seu corpo junto à sepultura, antes de ele ser descido à cova, nem mesmo então chorei. Mas durante todo o dia senti em meu íntimo uma profunda tristeza, e com a alma atribulada orava a ti, do jeito que podia, pedindo-te para curar-me da dor. Mas tu não me curaste. Talvez quisesses, com esse exemplo, imprimir em minha memória a força do vínculo de qualquer hábito, mesmo numa alma que já não se alimente com nenhuma palavra enganosa. Também me pareceu útil tomar um banho, pois havia ouvido dizer que o banho deriva seu nome latino *balneum* do grego *balanêion*, porque ele afasta da mente a tristeza. Isso também eu confesso à tua misericórdia, ó "Pai para os órfãos" (Sl 68.5): eu me banhei e me senti como antes; a amargura da tristeza não podia transpirar do meu coração. Depois dormi, e tornei a acordar, e percebi minha dor bastante suavizada. Deitado sozinho em meu leito, lembrei-me da verdade daqueles versos do teu Ambrósio. Pois tu és

> O Criador de todas as coisas, o Senhor,
> O Soberano das alturas
> Que, vestindo o dia de luz, derramaste
> Uma suave sonolência sobre a noite,
> Para que em nossos membros a força
> Do trabalho fosse renovada,
> E reanimados fossem os corações desalentados e
>   abatidos,
> E as tristezas fossem suavizadas.

33 Depois, pouco a pouco, recuperei minhas lembranças anteriores sobre tua serva, sua vida santa diante de ti, seu santo carinho e sua atenção para conosco, da qual eu fui de repente privado: e foi um alívio chorar diante de teus olhos, por ela e por mim, em benefício dela e de mim mesmo. Dei vazão às lágrimas antes reprimidas: podiam agora extravasar à vontade. Nelas repousou meu coração; nelas ele encontrou descanso, pois quem as ouvia eram teus ouvidos, não os ouvidos dos homens, que teriam interpretado meu choro com desdém. E agora, Senhor, a ti o confesso por escrito. Que leia isso quem quiser e como quiser. Se alguém encontra pecado nisso, no fato de eu chorar a morte de minha mãe por uma pequena fração de uma hora (a mãe que por um breve espaço de tempo esteve morta a meus olhos, aquela que por muitos anos chorou por mim para que eu vivesse aos teus olhos), que essa pessoa chore por meus pecados diante de ti, o Pai de todos os irmãos do teu Cristo.

34 Agora, com o coração curado daquela ferida, que poderia valer-me acusação de alimentar um sentimento terreno, eu exponho diante de ti, nosso Deus, em benefício de tua serva, uma espécie muito diferente de lágrimas. Elas fluem de um espírito abalado pelos pensamentos dos perigos de todas as almas que "em Adão morrem" (1Co 15.22). E, embora minha mãe tivesse ganhado vida em Cristo mesmo antes de sua libertação da carne, ela vivera para louvar teu nome com sua fé e conduta. No entanto, não ouso dizer que desde aquela época em que tu a regeneraste pelo batismo nunca tenha saído de sua boca nenhuma palavra contra os teus mandamentos. Teu Filho, a Verdade, disse: "Qualquer um que disser: 'Louco!', corre o risco de ir para o fogo do inferno" (Mt 5.22). E infelizes seriam até mesmo os homens que, por sua vida são dignos de louvor, se tu os tivesses de examinar deixando de lado tua compaixão. Uma vez que tu não és rigoroso quando examinas nossos pecados, nós, cheios de confiança, esperamos encontrar um lugar junto a ti. Mas o que te apresenta quem relata seus méritos diante de ti, senão tuas próprias dádivas? Ah, se

os homens se conhecessem como homens! "Quem se gloriar, glorie-se no Senhor" (2Co 10.17).

35 Eu, portanto, ó meu Louvor e minha Vida, Deus do meu coração, deixando de lado por um instante as boas obras dela, pelas quais te agradeço com alegria, te suplico pelos pecados de minha mãe. Ouve-me, eu te peço, pelo poder de cura de nossas feridas que teve Aquele que pendeu do madeiro da cruz e agora "está à direita de Deus, e também intercede por nós" (Rm 8.34). Eu sei que ela agiu de modo misericordioso e perdoou de coração as dívidas de seus devedores, assim como tu também lhe perdoaste todas as dela, contraídas ao longo de tantos anos, desde o recebimento da água da salvação. Perdoa-lhe, Senhor, eu te suplico; "não leves tua serva a julgamento" (Sl 143.2). "A misericórdia triunfa sobre o juízo!" (Tg 2.13), pois tuas palavras são verdadeiras, e tu prometeste: "Terei misericórdia de quem eu quiser ter misericórdia e terei compaixão de quem eu quiser ter compaixão" (Rm 9.15).

36 Acredito que tu já fizeste o que te pedi. Mas "aceita, SENHOR, a oferta de louvor dos meus lábios" (Sl 119.108). Pois ela, quando o dia de sua morte já estava próximo, não se preocupou em ter seu corpo suntuosamente embalsamado ou ungido com aromas; nem desejou um monumento especial ou um sepultamento em seu próprio país. Essas coisas ela não nos pediu. Pediu apenas que seu nome fosse lembrado junto a teu altar (que ela servira sem faltar um único dia): ela sabia que sobre esse altar se realizava um santo sacrifício, pelo qual se cancelava "a escrita de dívida que nos era contrária" (Cl 2.14). Com essa escrita havia sido derrotado o inimigo que, recapitulando nossas ofensas e tentando promover acusações contra nós, "não tem nenhum direito sobre Cristo" (Jo 14.30), em quem somos vencedores. Quem lhe restituirá o sangue inocente? Quem o ressarcirá pelo preço que ele pagou para nos comprar e assim nos tirar das mãos do inimigo? Ao sacramento do nosso resgate, tua serva vinculou sua alma pelo vínculo da fé. Que ninguém jamais a separe de tua proteção; que nem o "leão e a cobra" (Sl 91.13) se interponham pela força ou pela fraude. Pois ela não responderá que não deve nada, temendo ser declarada culpada e presa pelo insidioso acusador. Mas ela responderá que seus pecados foram perdoados por aquele a quem ninguém pode ressarcir por aquele preço que ele, sem dever nada, pagou por nós.

37 Que ela descanse em paz com seu marido, antes do qual e depois do qual ela não teve nenhum outro; a quem ela obedeceu dando "fruto com perseverança" (Lc 8.15) em teu benefício, visando conquistá-lo para ti. Inspira, ó Senhor meu Deus, inspira teus servos, meus irmãos, teus filhos, meus senhores, a quem com voz, coração e pena eu sirvo, para que todos os que venham a ler estas confissões possam, junto ao teu altar, lembrar-se de tua serva Mônica com Patrício, outrora seu marido, por intermédio de quem tu me trouxeste a esta vida, de uma forma para mim misteriosa. Que eles se lembrem, com piedosos sentimentos, de meus pais nesta luz transitória. Eles são meus irmãos em ti, nosso Pai, e em nossa Mãe, a Igreja Católica, e meus concidadãos na eterna Jerusalém, pela qual teu povo peregrino suspira desde seu Êxodo até seu retorno para lá. Que desse modo, o último pedido de minha mãe, graças a estas minhas confissões, por meio das preces de muitos, mais do que por meio de minhas próprias orações, seja plenamente realizado.

Livro 10

1 Senhor, tu que me conheces, permite-me conhecer-te; permite-me que te conheça "plenamente, da mesma forma como sou plenamente conhecido" (1Co 13.12). Poder de minha alma, entra nela e prepara-a para ti, a fim de que tu possas possuí-la e preservá-la "sem mancha nem ruga" (Ef 5.27). Essa é a minha esperança. "Por isso, eu falo" (Sl 116.10), e essa esperança me anima quando me alegro com razão. Em relação a outras coisas desta vida, quanto mais choramos por elas, tanto menos elas merecem nosso pranto, e quanto mais elas merecem nosso pranto, tanto menos choramos por elas. Pois eis que "tu desejas a verdade no íntimo; e no coração me ensinas a sabedoria" (Sl 51.6). Isso eu gostaria de fazer em meu coração confessando-me diante de ti; e nos meus escritos, diante de muitas testemunhas.

2 E o que há em mim, ó Senhor, que eu poderia esconder de ti, mesmo se não o confessasse? O abismo da consciência humana está "exposto diante dos olhos daquele a quem devemos prestar contas" (Hb 4.13). Eu poderia te esconder de mim, mas não me esconder de ti. Agora, porém, uma vez que meus gemidos atestam que estou insatisfeito comigo mesmo, tu brilhas e és amável, amado e desejado, para que eu me envergonhe de mim mesmo, renuncie a mim mesmo e escolha a ti, pois não posso agradar nem a ti nem a mim se em ti não estiver. Diante de ti, portanto, ó Senhor, eu me exponho tal como sou, e já disse com que proveito me confesso diante de ti. Não o faço com palavras e sons da carne, mas com as palavras expressas por minha alma e com o grito do meu pensamento que teus ouvidos conhecem. Pois quando sou perverso, então confessar-me a ti nada mais é do que sentir-me insatisfeito comigo mesmo. Mas quando sou realmente santo, isso significa simplesmente que não estou atribuindo minha virtude a mim mesmo, porque tu, ó Senhor, que abençoas o pio, primeiro o justificas quando ele ainda é ímpio. Minha confissão, portanto, ó meu Deus, é feita aos teus olhos em silêncio, mas não realmente em silêncio. Quanto ao som das palavras, é uma confissão silenciosa; mas em relação ao que sinto, ela clama em altos brados. Pois, aos ouvidos dos homens, eu não digo nada certo que tu já não tenhas ouvido de mim; tampouco tu ouves coisa alguma de mim que já não me tenhas dito.

3 Por que me interessa que os homens leiam minhas confissões, como se eles pudessem "curar todas as minhas doenças" (Sl 103.3)? As pessoas têm curiosidade em relação à vida alheia, mas não se preocupam com a correção de suas falhas. Por que querem me ouvir dizer o que sou aqueles que não querem ouvir de ti o que eles são? E quando eles me ouvem falar de mim mesmo, como sabem se estou dizendo a verdade, "pois quem conhece os pensamentos do homem, a não ser o espírito do homem que nele está?" (1Co 2.11). Mas se eles te ouvem falar deles mesmos, não podem dizer: "O Senhor mente". Pois o que significa te ouvirem falar deles mesmos, se não se conhecerem a si mesmos? E quem se conhece e diz "É falso", sem ser um mentiroso? Mas, visto que "o amor tudo crê" (1Co 13.7) (isso no mínimo se aplica àqueles que se unem entre si pelos vínculos do amor), eu também, ó Senhor, a ti me confessarei de modo que também possam me ouvir aqueles a quem não posso demonstrar se minha confissão é verdadeira. No entanto, aqueles que me prestam ouvidos amorosos acreditam em mim.

4 Mas, por favor, esclarece-me tu, meu médico espiritual, que fruto posso colher fazendo essas coisas? Pois as confissões de meus pecados passados, que tu "perdoaste e apagaste" (Sl 32.1) para poderes me abençoar em ti, mudando a minha alma pela fé e pelo sacramento, quando lidas e ouvidas, estimulam o coração, para que ele não durma em desespero e diga "Não posso", mas acorde no amor de tua misericórdia e na doçura de tua graça, pela qual quem é fraco se torna forte, desde

que se conscientize de sua própria fraqueza. E os bons se alegram ouvindo falar de pessoas cujos males passados já foram superados, não por se tratar de males, mas porque eles já não existem. Com que frutos, ó Senhor meu Deus, a quem minha consciência diariamente se confessa, confiando mais na esperança de tua misericórdia do que na sua própria inocência; com que frutos, pergunto, confesso aos homens, também na tua presença, o que sou, não o que fui? Pois aquele outro fruto eu vi e dele falei. Na verdade, o que sou agora, no exato momento em que escrevo estas confissões, muitos que não me conheceram, mas que me ouviram falar ou ouviram falar de mim, querem saber. Mas seus ouvidos não estão colados a meu coração, onde estou, o que quer que eu seja. Eles querem então me ouvir confessar o que sou dentro de mim, lá onde nem os olhos, nem os ouvidos, nem a inteligência podem chegar. Querem isso, como se estivessem dispostos a crer; mas será que saberão? O amor, que os torna bons, lhes diz que nas minhas confissões não minto. E o amor presente neles acredita em mim.

5 Mas que lucro visam os que desejam ouvir minhas confissões? Querem alegrar-se comigo quando ficam sabendo como, por tua graça, eu me aproximo de ti? Querem orar por mim quando ficam sabendo como ando distante por minha própria culpa? A essas pessoas vou me revelar. Pois não é um fruto desprezível, ó Senhor meu Deus, que muitos por mim te rendam graças e outros tantos orem por mim. Que a mentalidade fraternal ame em mim o que, segundo teus ensinamentos, deve ser amado, e lamente o que, segundo eles, deve ser lamentado. Que me acolha uma mentalidade fraternal, não a "dos estrangeiros, que têm lábios mentirosos e que, com a mão direita erguida, juram falsamente" (Sl 144.11), mas uma mentalidade fraternal que, quando me aprova, se alegra comigo e, quando me desaprova, se entristece por mim; porque, aprovando ou desaprovando, ela me ama. A essas pessoas eu me revelarei: elas encontrarão conforto em minhas boas obras e lamentarão meus erros. Minhas boas obras provêm de ti, são dádivas

tuas. Meus erros são falhas minhas e teu julgamento. Que essas pessoas respirem fundo diante daquelas e lamentem estas. Que hinos e lamentos, brotando do coração de meus irmãos, os "incensários" (Ap 8.3), subam à tua presença. E tu, ó Senhor, recebe com agrado o incenso de teu santo templo. "Tem misericórdia de mim, ó Deus, por teu amor, por tua grande compaixão" (Sl 51.1). Não me abandones de modo algum; antes, aperfeiçoa minhas imperfeições.

6 Esse é o fruto das confissões do que sou, não do que fui: confessar isso não apenas diante de ti, em segredo "exultando com tremor" (Sl 2.11), provando uma dor secreta imbuída de esperança; mas confessar também aos ouvidos dos filhos dos homens que acreditam, que compartilham minha alegria e são meus parceiros na imortalidade, meus concidadãos e colegas peregrinos, que partiram antes de mim ou que seguirão mais tarde, meus companheiros de viagem. Esses são teus servos, meus irmãos, que tu quiseste que fossem teus filhos; meus senhores, que me mandaste servir se eu quiser viver contigo e em ti. Mas essa tua Palavra teria pouco valor para mim se tivesse sido uma ordem proferida apenas com palavras, sem ser antecipada por tua intervenção. Isso portanto eu o faço por palavras e ações, sob as tuas asas. Em grande risco incorreria, se minha alma não se abrigasse sob tuas asas e se minha fraqueza não te fosse conhecida. Eu não me basto, mas meu Pai sempre vive, e meu Defensor me basta. Pois aquele por quem fui gerado e por quem sou defendido é o mesmo: e tu mesmo és todo o meu bem; tu, Onipotente, que estás comigo. Sim, desde antes de eu estar contigo. A essas pessoas, portanto, que tu me mandaste servir eu revelarei não o que fui, mas o que sou agora, o que continuarei sendo. Mas "nem eu julgo a mim mesmo" (1Co 4.3). Assim é que eu gostaria de ser ouvido.

7 Pois tu, Senhor, és quem me julga, porque, embora ninguém conheça "os pensamentos do homem, a não ser o espírito do homem que nele está" (1Co 2.11), mesmo assim há no ser humano alguma coisa que nem mesmo esse espírito do homem conhece. Mas tu, Senhor, tu que o criaste, sabes tudo a respeito dele. E no entanto eu, embora aos teus olhos me despreze e me considere pó e cinza, mesmo assim sei a teu respeito alguma coisa que não sei sobre mim mesmo. E realmente, agora "vemos apenas um reflexo obscuro, como em espelho" (1Co 13.12). Nessa situação, enquanto estou "longe de ti [Senhor]" (2 Co 5.6), estou mais presente diante de mim mesmo do que diante de ti. Todavia, sei que tu não podes sofrer violência alguma; não sei, porém, a que tentações eu consigo resistir ou não. Mas há esperança, porque "Deus é fiel; ele não permitirá que sejamos tentados além do que podemos suportar. Mas, quando formos tentados, ele mesmo nos providenciará um escape, para que o possamos suportar" (1Co 10.13). Confessarei, portanto, o que sei sobre mim mesmo, e também o que não sei. Isso porque o que sei sobre mim mesmo só o sei porque tu lançaste tua luz sobre mim; e o que não sei só o saberei quando "tua luz despontar nas trevas, e a noite for como o meio-dia" (Is 58.10) ao teu olhar.

8 Não duvidando, mas tendo pleno entendimento, eu te amo, Senhor. Com tua palavra tu transformaste o meu coração, e eu passei a te amar. Sim, também o céu e a terra e tudo o que neles existe, de todos os lados, me mandam te amar. Sem cessar, dizem a todos os homens que eles "são indesculpáveis" (Rm 1.20). Todavia, de modo ainda mais convincente tu dizes: "Terei misericórdia de quem eu quiser ter misericórdia e terei compaixão de quem eu quiser ter compaixão" (Rm 9.15). Se não for assim, a ouvidos surdos o céu e a terra proclamam teus louvores. Mas o que eu amo quando te amo? Não é a beleza dos corpos, nem a bela harmonia do tempo, nem o brilho da luz, tão agradável aos olhos, nem as suaves melodias de vários tipos de canções, nem a fragrância das flores e perfumes e especiarias, nem o maná e o mel, nem os membros tão bem-vindos num amoroso abraço. Não amo nada disso quando amo meu Deus. No entanto, gosto de uma espécie de luz, melodia, fragrância, alimento e abraço, quando amo meu Deus: a luz, a melodia, a fragrância, o alimento, o abraço do homem interior. Ali brilha aquela luz sobre minha alma, que o espaço não pode conter; ali soa o que o tempo não nos rouba; ali rescende o que a brisa não dispersa; ali se saboreia o alimento que, consumido, não diminui sua porção; ali está o abraço que nenhuma saciedade separa. Isso é o que eu amo quando amo meu Deus.

9 "O que é isto?", perguntei à terra. E ela me respondeu: "Eu não sou ele". E tudo o que nela existe me deu a mesma resposta. Perguntei ao mar e às profundezas e aos seres rastejantes, e eles responderam: "Nós não somos o teu Deus. Procure acima de nós". Perguntei ao ar fugaz, e todo o ar com seus habitantes me respondeu: "Anaxímenes se enganou; eu não sou Deus". Perguntei aos céus, ao sol, à lua e às estrelas. "Nós não somos o Deus que tu procuras". E eu repliquei a todas as coisas que cercam a porta de minha carne: "Vocês me falaram do meu Deus afirmando que não são ele. Digam-me alguma coisa a respeito dele". E elas todas em uníssono clamaram: "Ele nos criou". Minhas perguntas dirigidas a todas essas coisas nasceram de minhas reflexões sobre elas: e a beleza delas me deu a resposta. Voltei-me então para mim mesmo e disse: "Quem é você?". E eu respondi: "Um homem". E, vejam, em mim se apresentam minha alma e meu corpo: aquela por dentro, este por fora. Em qual dos dois devo procurar Deus? Eu o procurara no corpo desde a terra até o céu, chegando até onde conseguiam chegar meus mensageiros, os raios de meus olhos. Mas o melhor é o ser interior, pois é a ele, que preside e julga, que são levadas todas as mensagens físicas, da terra e do céu e de tudo o que neles existe. E todas as coisas responderam: "Nós não somos Deus, mas ele nos criou". Disso meu homem interior tinha conhecimento graças ao ministério do homem exterior. Eu, o homem interior, sabia disso. Eu, o intelecto, por meio dos sentidos do corpo, perguntei a toda a estrutura do mundo acerca de meu Deus. E ela me respondeu: "Eu não sou ele, mas ele me criou".

10 Toda essa beleza não salta aos olhos de todos os que são dotados de sentidos perfeitos? Por que, nesse caso, ela não fala a mesma coisa para todos? Os animais, grandes e pequenos, a enxergam, mas eles não conseguem questionar seu significado, porque não são dotados de razão capaz de presidir seus sentidos e julgar o que eles relatam. Mas os homens podem perguntar, de modo que "os atributos invisíveis de Deus têm sido vistos claramente, sendo compreendidos por meio das coisas criadas" (Rm 1.20); mas os homens, devido a seu excessivo amor pelas coisas criadas, são subjugados por elas; e quem é subjugado não pode julgar. E as criaturas também não respondem aos que lhes dirigem perguntas, a menos que estes sejam capazes de julgar. Elas também não mudam sua voz (isto é, sua aparência), se um homem apenas enxerga, e outro enxerga e pergunta, de modo a ter uma aparência para este homem e outra para aquele outro. Apresentando-se igual para os dois, para este ela se cala, e para aquele ela fala. Ela, de fato, fala para todo mundo, mas só a entendem os que comparam sua voz que vem de fora com a verdade que está dentro. Pois a verdade me diz: "Nem o céu, nem a terra, nem nenhum outro corpo é o teu Deus". Isto é o que a própria natureza diz àquele que enxerga essas realidades: "Elas constituem uma massa. Uma massa é menor em sua parte do que no todo". Agora a você, ó minha alma, eu digo que é a melhor parte, pois você anima a massa do meu corpo, conferindo-lhe vida. Mas até mesmo para você seu Deus é a Vida de sua vida.

11 O que amo então quando amo a meu Deus? Quem é aquele que está acima do ápice de minha alma? Por meio de minha própria alma eu subo até ele. Pairo acima do poder que me une a meu corpo e enche de vida toda a minha estrutura física. Mas, por meio desse poder, não consigo encontrar meu Deus. Se assim o conseguisse, "o cavalo ou o burro, que não têm entendimento" (Sl 32.9) também poderiam encontrá-lo, visto que eles têm o mesmo poder que transmite a vida corporal. Mas, além do poder que me anima o corpo, existe outro que me permite prover meu corpo com sentido — um poder que me foi conferido por Deus. Assim, ordeno a meus olhos que não ouçam, e a meus ouvidos que não enxerguem; mas ordeno aos olhos que enxerguem, e aos ouvidos que ouçam. E faço o mesmo em relação aos outros sentidos, atribuindo a cada um seu órgão peculiar e sua função. Através da diversidade deles eu, que sou a única mente, atuo. Também ultrapassarei esse meu poder, que o cavalo e o burro também têm, uma vez que eles percebem por meio de seu corpo.

12 Também irei além desse poder de minha natureza, subindo gradativamente até aquele que me criou. E chego aos campos e às vastidões de minha memória, onde estão os tesouros de inúmeras imagens, para ali levadas depois de extraídas de todos os tipos de coisas percebidas pelos sentidos. Ali estão armazenadas todas as coisas em que pensamos, ampliando-as ou diminuindo-as, ou divergindo de qualquer outra forma das coisas constatadas pelos sentidos; e qualquer outra coisa confiada à memória e nela armazenada que o esquecimento ainda não engoliu e sepultou. Quando entro ali, peço que me seja trazido o que desejo, e algo num instante se apresenta. Há coisas que precisam ser procuradas com mais demora; coisas que são, por assim dizer, arrancadas de algum receptáculo mais profundo. Outras acorrem em bandos; enquanto se quer e se deseja uma coisa, elas se antecipam como quem dissesse: "Será que sou eu?". Essas eu despacho com um gesto da mão de meu coração, afastando-as do rosto da memória; e procuro até que o que eu desejo, saindo de seu esconderijo, se revele ao meu olhar. Outras memórias surgem rápido numa sequência contínua, à medida que são solicitadas. As que estão na frente cedem lugar às que vêm atrás e em seguida desaparecem, mas ficam prontas para voltar quando eu quiser. Tudo isso acontece quando eu repito alguma coisa de cor.

13 Na memória todas as coisas são distintamente preservadas em categorias gerais, depois que cada uma delas passou por sua própria porta de entrada. Desse modo a luz, as cores e todas as formas físicas entram pelos olhos; todos os tipos de sons entram pelos ouvidos; todos os tipos de cheiro entram pelas narinas; todos os tipos de gosto entram pela boca; e pela sensação do corpo inteiro entra o que é duro ou macio, quente ou frio, suave ou áspero, em relação ao exterior ou interior do corpo.

Todas essas coisas aquele armazém enorme da memória acolhe em seus inúmeros recônditos e misteriosos recessos, para serem evocadas e apresentadas quando for necessário. Cada uma usa sua porta de entrada e depois é armazenada. No entanto, as coisas em si mesmas não entram; entram somente as imagens das coisas percebidas, e lá ficam à disposição da evocação do pensamento. Embora pareça claro por meio de qual sentido cada imagem foi trazida e armazenada, quem sabe dizer como se formam essas imagens? Pois, mesmo quando estou na escuridão e no silêncio, em minha memória posso produzir cores à vontade e distinguir o preto do branco e outras cores que eu quiser. E os sons não se intrometem para atrapalhar, embora estejam lá, em estado de dormência e, por assim dizer, armazenados à parte. Esses também eu evoco, e eles logo se apresentam. Embora a língua fique imóvel e a garganta muda, ainda assim posso cantar à vontade. E aquelas imagens de cores, que todavia estão presentes, não se intrometem causando uma interrupção quando se evoca outro conjunto de imagens, que entrou na memória pelos ouvidos. Da mesma forma rememoro à vontade as outras coisas, acumuladas e armazenadas pelos outros sentidos. De fato, distingo o perfume dos lírios daquele das violetas, embora não esteja cheirando nada; prefiro o mel ao vinho doce, o suave ao áspero, quando no momento não estou nem provando nem manuseando nada, mas apenas lembrando.

14 Essas coisas eu pratico dentro de mim naquele vasto salão da memória. Lá estão presentes comigo o céu, a terra, o mar e tudo o que posso imaginar dentro deles, além daquilo que esqueci. Lá também me encontro comigo, e me evoco para mim mesmo, e quando, onde e o que fiz e o que senti quando o fiz. Lá estão todas as coisas de que me lembro, seja pela minha experiência direta, seja pela experiência creditada a outros. Tirando coisas do mesmo armazém, eu mesmo combino experiências passadas com semelhanças novas que provei ou nas quais, com base na experiência, acreditei; disso novamente deduzo futuras ações, acontecimentos e esperanças, e sobre todas essas coisas novamente reflito como se estivessem presentes. "Vou fazer isso ou aquilo", digo a mim mesmo, naquele vasto receptáculo da mente, onde estão armazenadas imagens de coisas tão numerosas e grandes, "e a consequência será essa ou aquela". "Ah, se fosse assim ou assado!" "Deus não permita isso ou aquilo!"; assim digo a mim mesmo, baseando-me no que tiro do mesmo tesouro da memória. Mas eu não falaria de nenhuma dessas coisas se as imagens delas estivessem ausentes.

15 Grande é o poder da memória, extremamente grande, ó meu Deus; um espaço vasto e sem limites! Quem jamais sondou suas profundezas! No entanto, esse é o poder de minha mente e ele pertence à minha natureza. Nem eu mesmo compreendo tudo o que sou. Por isso, a mente é limitada demais para conter a si mesma. E onde deveria estar o que ela não consegue conter? Está fora dela, não dentro dela? Como então ela não compreende a si mesma? Uma estupenda admiração me surpreende. Sou tomado de assombro. Os homens saem por aí para admirar as alturas das montanhas, a vastidão do oceano e as órbitas das estrelas, e passam ao largo de si mesmos. Eles não se admiram de que, quando falei de todas essas coisas, eu não as via com meus olhos; contudo, eu não poderia ter falado delas se de fato não visse as montanhas, os vagalhões, os rios, as estrelas que tinha visto, e aquele oceano que acredito existir, dentro de minha memória, e todas essas coisas entremeadas pelos mesmos vastos espaços como se eu as visse fora de mim. Todavia, ao vê-las eu não as arrastei para dentro de mim, quando com meus olhos as contemplei. Elas em si mesmas não estão comigo; estão apenas suas imagens. No entanto, eu sei por meio de qual sentido do corpo cada uma delas ficou gravada em mim.

16 Todavia, não são apenas essas coisas que aquela imensurável capacidade de minha memória retém. Ali também está tudo o que aprendi, e ainda não esqueci, de ciências liberais, guardado num recesso mais íntimo, que na verdade não é um recesso. Nesse caso, não se trata de imagens de coisas, mas das próprias coisas em si. Pois, o que é literatura, o que é lógica, quantos tipos de questões existem, qualquer coisa que eu saiba sobre essas coisas está em minha memória de uma forma que eu não retive como imagem, deixando de fora a coisa em si. Não é como se um som tivesse acontecido e desaparecido, como no caso da voz que se fixa no ouvido imprimindo nele um traço pelo qual ela pode ser evocada, como se soasse de novo, depois de já ter soado. Não é como o perfume que passa e se evapora afetando o sentido do olfato, de onde ele transmite para a memória uma imagem de si mesmo, que nós, lembrando, reavivamos. Não é como a comida, que realmente não tem nenhum sabor quando está no estômago, mas, mesmo assim, ainda pode ser de certo modo saboreada na lembrança. Não é algo que o corpo percebe pelo toque e que, distante de nós, a memória ainda pode conceber. Pois as coisas que se aprendem de ciências liberais não são transmitidas à memória, mas somente suas imagens são, com rapidez incrível, captadas e, por assim dizer, armazenadas em magníficos compartimentos, e, milagrosamente, pelo ato de lembrar são apresentadas.

17 Mas agora, quando ouço dizer que há três tipos de perguntas — A coisa em si existe? O que é? De que tipo é? — eu de fato guardo as imagens dos sons, que são os elementos constituintes daquelas palavras, e sei que esses sons na forma de ruído passaram no ar e já não existem. Mas às coisas em si, significadas por esses sons, eu nunca tive acesso a elas por meio de algum sentido do meu corpo, nem jamais as discerni de outro modo, a não ser na minha mente. No entanto, na minha memória não armazenei suas imagens, mas as coisas em si. Como elas entraram lá que o diga quem souber. Eu analisei todas as portas de entrada de meu corpo, mas não consigo descobrir por qual das portas elas entraram. Os olhos me dizem: "Se aquelas imagens fossem coloridas, nós as denunciaríamos". Os ouvidos dizem: "Se aquelas imagens produzissem algum som, nós informaríamos". As narinas me dizem: "Se elas têm cheiro, então passaram despercebidas". O paladar me diz: "Se elas não tiverem sabor, nem me pergunte". O tato me diz: "Se a coisa não tiver tamanho, não posso pegá-la; se não a posso pegar, então não passo nenhuma informação sobre ela". Onde e como essas coisas entraram na minha memória? Eu não sei. Pois quando eu as aprendi, não dei nenhum crédito à mente de outra pessoa, mas na minha mente as reconheci e as aprovei como verdadeiras. Diante delas eu as elogiei, deixando-as lá onde pudesse encontrá-las quando eu quisesse. Lá dentro de mim então estavam elas, mesmo antes de eu conhecê-las, mas na minha memória elas não estavam. Onde estavam então? Ou por que, quando eu falava delas, as reconhecia e dizia "É isso mesmo, é verdade", se elas já não estavam na minha memória, mas tão distantes e, por assim dizer, sepultadas em recessos mais recônditos, que se a sugestão de outras pessoas não as extraísse de lá eu talvez não conseguisse concebê-las?

18 Portanto, nós descobrimos que aprender essas coisas que não captamos por imagens transmitidas pelos sentidos, mas intuímos em si mesmas tais como são dentro de nós, nada mais é do que concebê-las e, prestando atenção a elas, procurar que essas coisas, antes presentes na memória de modo aleatório e desorganizado, sejam, por assim dizer, ordenadas para estarem a nosso dispor na mesma memória onde antes jaziam desconhecidas, dispersas e esquecidas. Assim, elas prontamente se apresentam à mente familiarizada com elas. E quantas coisas dessa espécie a minha memória contém; coisas que já foram descobertas e, como já disse, ordenadas, por assim dizer, para estarem prontamente disponíveis; coisas que dizem que aprendemos e viemos a saber. Se, por um breve intervalo, eu deixasse de me lembrar delas, ficariam novamente sepultadas e, deslizando, voltariam para recessos mais recônditos, de modo a precisarem ser de novo extraídas como novas desse lugar, uma vez que não existe outro. É preciso juntá-las novamente para que possam ser conhecidas. Isto é, elas precisam, por assim dizer, ser coligidas de seu estado de dispersão; dali deriva a palavra "cogitação". O verbo *cogo* (coligir) e o verbo *cogito* (rememorar) guardam a mesma relação de *ago* e *agito*, bem como de *facio* e *factito*. Mas a mente se apropriou da palavra "cogitação", de modo que não o que é de algum modo "coligido", mas o que é "rememorado", isto é, juntado, na mente, é o que propriamente se diz ser cogitado ou ponderado.

19 A memória também contém princípios e inúmeras leis referentes a números e dimensões, e nada disso foi gravado nela pelos sentidos corporais, visto que são coisas que não têm cor, nem som, nem gosto, nem cheiro, nem toque. Eu ouvi as palavras proferidas para significar essas coisas; mas os sons diferem das coisas em si. Os sons do grego diferem dos sons do latim; mas as coisas não são nem gregas, nem latinas, nem pertencem a qualquer outra língua. Eu vi as linhas dos arquitetos, as mais delicadas, que lembram uma teia de aranha, mas são diferentes: não são as imagens daquelas linhas que o olho físico me mostrou; qualquer um, sem pensar em nada referente a um corpo, as intui dentro de si mesmo. Eu também percebi por meio de todos os sentidos de meu corpo os números que usamos para contar. Mas esses números que usamos para contar são diferentes: não são as imagens desses números sensíveis e, portanto, eles de fato são reais. Que se ria de mim quem não enxerga essas coisas que eu afirmo. Enquanto eles de mim se riem, eu deles sinto pena.

20 Todas essas coisas eu lembro, e também lembro como as aprendi. Lembro-me também de que ouvi e lamento muitas objeções falsamente levantadas contra elas. Lembro-me também de que estabeleci uma distinção entre as verdades e as falsidades contra elas proferidas. E vejo que o entendimento que agora tenho dessas coisas difere do fato de eu me lembrar de que muitas vezes as entendi, quando com frequência refleti sobre elas. Eu me lembro de que no passado entendi essas coisas; e aquilo que agora percebo e entendo guardo na minha memória para poder me lembrar no futuro de que agora entendi. Sendo assim, eu me lembro também de ter lembrado, exatamente da mesma forma que, se no futuro eu quiser me lembrar de que agora consigo me lembrar dessas coisas, pelo poder da memória eu me lembrarei.

21 A mesma memória contém também os sentimentos da minha mente, não da mesma forma que a própria mente os contém quando os sente; mas de uma forma diversa, de acordo com um poder que ela mesma tem. Pois sem me alegrar eu me lembro da alegria que senti; e sem sofrer eu me lembro de sofrimentos passados. Aquilo que outrora me amedrontou eu analiso agora sem medo; e sem sentir nenhum desejo analiso desejos do passado. Às vezes, pelo contrário, lembro-me com prazer de meu sofrimento do passado, e com sofrimento de meu prazer de outrora. Isso não deve causar admiração, no que diz respeito ao corpo, pois a mente é uma coisa e o corpo é outra coisa. Se eu, portanto, me lembro com alegria de alguma dor física do passado, isso não é nada estranho. Mas agora essa memória em si é a mente. (De fato, quando confiamos à memória alguma coisa para ser ali guardada, dizemos: "Tenha isso em mente"; e quando algum esquecimento acontece, dizemos: "Não me veio à mente" e "Fugiu-me da mente", chamando a própria memória de "mente".) Sendo assim, como é que, quando me lembro com alegria de tristezas passadas, a mente sente alegria e a memória guarda tristezas? A mente, concentrada na alegria que nela existe, se alegra; no entanto, a memória não se entristece diante da própria tristeza que nela está guardada. Será que a memória não pertence à mente? Quem afirmará isso? A memória é então, por assim dizer, o estômago da mente, e a alegria e a tristeza são como alimentos doces ou amargos: quando confiadas à memória, elas, por assim dizer, passam para o estômago onde podem ser armazenadas, mas não saboreadas. É ridículo imaginar que essas coisas são semelhantes. Todavia, não são completamente diferentes.

22 Mas, vejam, é da minha memória que tiro isto quando digo que há quatro emoções básicas da mente: o desejo, a alegria, o medo e a tristeza. Tudo o que consigo dizer analisando essas emoções, dividindo cada uma delas em suas espécies subordinadas e definindo-as, eu o encontro na memória e o tiro de lá. No entanto, não sou afetado por nenhuma dessas emoções quando, ao evocá-las, me lembro delas. Mais ainda, antes de evocá-las e trazê-las de volta, elas estavam lá; por isso, mediante a evocação, puderam ser trazidas de volta. Talvez, então, exatamente como o alimento, por um processo de ruminação, é trazido de volta do estômago, assim também, mediante a recordação, essas coisas sejam trazidas de volta da memória. Por que, nesse caso, durante o processo da recordação, o analista não sente na boca de sua reflexão a doçura da alegria ou o amargor da tristeza? Será que a comparação difere nesse ponto por não haver uma semelhança completa? Pois quem estaria disposto a falar dessas questões, se todas as vezes que mencionássemos o pesar ou o medo fôssemos compelidos a ficar tristes ou temerosos? Todavia, não poderíamos falar dessas coisas se não encontrássemos em nossa memória, além dos sons das palavras de acordo com as imagens gravadas pelos sentidos, as noções das coisas em si que nunca entraram em nós por nenhuma via do corpo, mas que a própria mente, por meio da percepção de seus sentimentos, confiou à memória, ou que a própria memória reteve, sem que elas fossem confiadas a ela.

23 Mas quem pode afirmar com certeza se o que acontece na memória se deve a imagens ou não? Assim, eu menciono verbalmente uma pedra, menciono o sol, quando as coisas em si não estão presentes para os sentidos, mas tenho apenas as imagens delas na memória. Menciono a dor física, quando, no entanto, ela não está presente em mim; nada está doendo. Mesmo assim, se sua imagem não estivesse na memória, eu não saberia o que dizer a seu respeito; tampouco saberia distingui-la do prazer. Menciono a saúde física, quando estou gozando de perfeita saúde. A coisa em si está presente em mim; mas, se sua imagem não estivesse igualmente presente na memória, eu não poderia de modo algum recordar-me do significado dos sons de seu nome. Tampouco o enfermo, ao ouvir falar de saúde, saberia do que se está falando, se a imagem dela não fosse retida pelo poder da memória, mesmo quando a coisa em si estivesse ausente de seu corpo. Menciono os números que usamos para calcular. E os números em si, não as imagens deles, estão presentes na memória. Menciono a imagem do sol, e essa imagem está presente na memória. Pois eu me lembro não da imagem de sua imagem: a própria imagem está presente em mim e causa a lembrança do sol. Menciono a memória e reconheço o que menciono. Onde o reconheço, senão na memória em si? O que menciono também está presente para si mesmo por sua imagem e não em si mesmo?

24 O que acontece quando menciono o esquecimento e, ao mesmo tempo, reconheço o que menciono? Como poderia reconhecê-lo, se não me lembrasse dele? Não estou falando do som da palavra em si, mas da coisa que ela significa. Quando me lembro da memória, a memória em si, se apresenta a si mesma; mas quando me lembro do esquecimento, a memória e o esquecimento estão ambos presentes: a memória que me permite lembrar e o esquecimento do qual me lembro. Mas que é o esquecimento, senão a ausência da memória? Como então está presente o fato de eu me lembrar dele, sabendo-se que quando ele está presente eu não me lembro? Mas se aquilo que lembramos nós o guardamos na memória; e, se realmente não lembrássemos o esquecimento, jamais poderíamos reconhecer a coisa em si ao ouvir seu nome mencionado; então o esquecimento é guardado na memória. Então ele está presente, para que não o esqueçamos; e, sendo assim, a presença dele significa que nós nos esquecemos. Deve-se entender com isso que o esquecimento, quando nos lembramos dele, não está presente na memória em si mesmo, mas mediante sua imagem; se ele estivesse presente em si mesmo, ele não nos levaria a lembrar, mas a esquecer. Quem saberá resolver esse problema? Quem entenderá como isso acontece?

25 Senhor, eu realmente tenho um trabalho árduo nesse caso; sim, eu luto dentro de mim. Tornei-me um solo seco, alguém que muito precisa do "suor do seu rosto" (Gn 3.19). Pois aqui não estamos investigando as extensões dos céus, nem medindo as distâncias das estrelas, nem inquirindo o peso da terra. A questão sou eu — a mente — que me lembro. Não deve

causar muita admiração se o que eu não sou está longe de mim. Mas o que está mais perto de mim do que eu mesmo? E note-se que eu não entendo o poder de minha memória, embora sem ela nem sequer possa saber meu nome. Pois que devo dizer quando está claro para mim que eu lembro o esquecimento? Devo dizer que aquilo que lembro não está em minha memória? Ou devo dizer que o esquecimento está em minha memória visando este fim: que eu não esqueça? As duas respostas seriam extremamente absurdas. Qual seria a terceira resposta? Como posso dizer que a imagem do esquecimento é retida em minha memória, e não o esquecimento em si, quando me lembro dele? Como posso afirmar uma ou outra coisa, visto que, quando a imagem de alguma coisa é gravada na memória, a coisa em si precisa, primeiro, estar presente para que, em seguida, sua imagem possa ser gravada? É assim que me lembro de Cartago, de todos os lugares por onde passei, do rosto dos homens que vi e de coisas relatadas pelos outros sentidos, como, por exemplo, casos de doença ou de saúde física. Quando essas coisas estavam presentes, minha memória recebeu imagens delas. Essas imagens ficam presentes dentro de mim, de modo que as posso contemplar e trazer de volta à memória quando elas estão ausentes. Portanto, se o esquecimento é retido na memória por meio de sua imagem, não em si mesmo, então, obviamente, o esquecimento em si esteve algum dia presente para que sua imagem pudesse ser gravada. Mas quando ele estava presente, como ele inscreveu sua imagem na memória, visto que o esquecimento com sua presença apaga até mesmo o que já encontra anotado? Seja como for, embora se trate de um processo que foge à compreensão e explicação, eu tenho certeza de que também me lembro do esquecimento em si, por meio do qual aquilo de que me lembro é apagado.

26 Grande é o poder da memória! É uma coisa tremenda, ó meu Deus, uma multiplicidade profunda e sem limites. E essa coisa é a mente, e isso sou eu mesmo. O que sou eu, ó meu Deus? Qual é minha natureza? Uma vida multiforme, multifacetada e extremamente imensa. Contemplem-se as planícies, as grutas e as cavernas da memória, inumeráveis e inumeravelmente repletas de inúmeras espécies de coisas, seja por meio de imagens, como no caso de todos os corpos, seja por meio da presença real, como no caso das artes, ou seja, por meio de certas noções ou impressões, como no caso dos sentimentos da mente, que, até mesmo enquanto a mente não os experimenta, a memória retém, enquanto qualquer coisa que está na memória também está na mente — sobre tudo isso eu passo correndo, voando; mergulho aqui e ali, atingindo o nível máximo possível, e a coisa não tem fim. Tão grande é o poder da memória, tão grande é o poder da vida, mesmo na vida mortal do homem. Que devo então fazer, ó tu, minha verdadeira vida, meu Deus? Irei além desse meu poder que se chama memória: sim, irei além dele, para poder me aproximar de ti, ó doce Luz. Que me dizes tu? Tu, que resides acima de mim, bem vês que, com minha mente, estou subindo em direção a ti, que resides acima de mim. Sim, agora irei além desse meu poder que se chama memória, levado pelo desejo de alcançar a ti, lá onde tu podes ser alcançado; e agarrar-me a ti, lá onde isso é possível. Pois até os animais e as aves têm memória; caso contrário, eles não conseguiriam voltar para suas tocas e ninhos, tampouco fazer muitas outras coisas que costumam fazer. E não poderiam ser utilizados para fazer coisa alguma, se não tivessem memória. Irei, portanto, além da própria memória, para que eu possa chegar àquele que me fez diferente dos quadrúpedes e mais sábio que as aves do céu; irei além também da memória, e sem a minha memória onde haverei de te encontrar, ó tu que és realmente bom e constantemente afável? Onde haverei de te encontrar? Se eu te encontrar sem minha memória, então não te retenho na memória. E como haverei de te encontrar, se não me lembro de ti?

27 Aquela mulher que havia perdido sua moeda e, com uma lanterna, a procurou, não a teria encontrado se não tivesse se lembrado dela. Pois quando a moeda foi encontrada, como ela poderia saber se se tratava da mesma moeda perdida, se dela

não se lembrasse? Lembro-me de ter procurado e encontrado muitas coisas. E isso me permite saber que, quando as estava procurando e me perguntavam "É isto?", "É aquilo?", eu respondia "Não", até que aparecesse aquilo que eu procurava. E se eu não tivesse me lembrado daquilo (fosse lá o que fosse), mesmo que a coisa me fosse apresentada, ainda assim eu não a teria encontrado porque não teria podido reconhecê-la. E isso sempre acontece quando procuramos e encontramos alguma coisa que estava perdida. Contudo, quando alguma coisa casualmente se perde de vista, mas não da memória (como qualquer corpo visível), sua imagem é ainda retida dentro de nós e é procurada até ser recuperada para a vista. E quando é encontrada, ela é reconhecida pela imagem interior. E nós não dizemos que encontramos o que estava perdido se não o reconhecemos; e não podemos reconhecê-lo se não o lembramos. O que foi achado estava perdido para a vista, mas era retido na memória.

28 Mas então o que acontece se a própria memória perde alguma coisa, como quando esquecemos o que quer que seja e depois tentamos nos lembrar? Onde acabamos procurando, a não ser dentro da própria memória? E lá, se alguma coisa por acaso se apresenta em vez de outra, nós a rejeitamos até encontrar o que procuramos. E quando isso acontece, dizemos "É isto!", o que não faríamos se não reconhecêssemos a coisa achada; e não a reconheceríamos se não nos lembrássemos dela. Talvez não a houvéssemos esquecido completamente e parte dela estivesse retida na memória, o que permitiu que a parte faltante fosse procurada. Isso quer dizer que a memória sentiu que ela não guardara tudo aquilo a que estava habituada e, mutilada, por assim dizer, pelo corte de antigos hábitos, exigiu a restauração do que faltava. Por exemplo, se vemos ou pensamos em algum conhecido nosso e, tendo esquecido o nome dele, tentamos recuperá-lo, qualquer outra coisa que nos ocorra que não esteja associada com ele é, consequentemente, rejeitada, até que se apresente alguma coisa na qual nosso conhecimento possa justamente repousar vendo nela o objeto familiar que

procurávamos. E de onde surge o nome que se apresenta, se não é da memória? Pois até quando reconhecemos o nome lembrado por outra pessoa, é da nossa memória que ele surge. Nós não acreditamos que ele é algo novo: mas, no processo da lembrança, aceitamos que o nome mencionado é o nome correto. Mas se ele tivesse sido totalmente apagado da mente, não nos lembraríamos dele, mesmo quando ele fosse mencionado. Pois não esquecemos totalmente aquilo de que nos lembramos ter esquecido. Aquilo que esquecemos por completo, mesmo estando perdido, não podemos sequer procurar.

29 Como então te procuro, ó Senhor? Pois quando te procuro, ó meu Deus, busco uma vida feliz. Eu te buscarei para que minha "alma viva" (Is 55.3). Meu corpo vive por meio de minha alma; e minha alma, por meio de ti. Como então vou falar de uma vida feliz, uma vez que não usufruo dela, até poder com certeza afirmar: "Isto me basta"? Como buscá-la? Por meio da rememoração, como se a tivesse esquecido, lembrando-me de que a tinha esquecido? Ou desejando aprendê-la como algo desconhecido, ou por nunca a ter conhecido, ou por tê-la esquecido de tal forma que nem me lembro de tê-la esquecido? Uma vida feliz não é o que todos os homens desejam ter e ninguém rejeita em absoluto? Onde foi que os homens aprenderam isso que tanto desejam ter? Onde viram isso que tanto amam? Realmente nós temos esse desejo, mas não sei como ele se explica. Sim, há de fato um sentido segundo o qual qualquer um que consiga satisfazer seus desejos se sente feliz. E também há quem se sinta abençoado por sua esperança. Cada um desses tem uma felicidade num nível mais baixo do que a de quem de fato a possui. No entanto, esses estão numa condição melhor do que a daqueles que, de fato, não possuem, nem nutrem a esperança de possuí-la. Mesmo esses, todavia, se de algum modo não tivessem conhecido a felicidade, não desejariam ser felizes. E não há nenhuma dúvida de que eles desejam ser felizes. Então eles, não sei como, sabem o que é a felicidade; têm dela alguma espécie de conhecimento que não sei o que seja, e eu me pergunto se esse conhecimento reside na memória. Se esse for o caso, então já fomos felizes outrora. Não vou agora indagar se isso aconteceu com cada um individualmente ou se aconteceu com todos naquele homem que foi o primeiro a pecar, "no qual todos morrem" (1Co 15.22) e do qual todos nascemos na miséria. Pergunto-me apenas se a vida feliz reside na memória.

Pois nós não poderíamos amá-la se não a conhecêssemos. Ouvimos o termo que a designa e todos confessamos que a desejamos na realidade, não nos satisfazendo com o mero som da palavra. Quando um grego ouve uma menção feita a ela em latim, ele não se alegra, pois não sabe de que se está falando. Mas nós latinos nos alegramos, como também se alegraria um grego se ouvisse uma menção a ela feita em grego. Não é nem latina nem grega a coisa em si que todos os homens de todas as línguas ardentemente desejam. Ela é, portanto, conhecida por todos. Se todos pudessem ser consultados a uma só voz: "Vocês querem ser felizes?", todos sem dúvida responderiam que sim. Isso não seria possível se a coisa em si, mencionada pela palavra, já não estivesse retida em sua memória.

30 Mas é a mesma espécie de memória de quem, tendo visto Cartago, se lembra dela? Não. Pois uma vida feliz, não sendo um corpo, é invisível aos olhos. Então ela se parece com a maneira de lembrarmos números? Não. Pois no caso dos números quem os conhece não se esforça para ir mais longe, ao passo que, no caso de uma vida feliz, ela está presente em nossa lembrança e por isso a amamos e ainda queremos ter mais dela para sermos mais felizes. Então ela é como a lembrança que temos da eloquência? Não. Pois acontece que alguns que ainda não são eloquentes, ouvindo o termo "eloquência", se lembram da coisa em si e muitos desejam ser eloquentes. Por isso parece que a eloquência faz parte do conhecimento deles. Na verdade, as pessoas, por meio dos sentidos físicos, observaram outros que são eloquentes e se deleitaram com isso, e depois sentiram o desejo de serem iguais a eles. Eles, porém, não se teriam deleitado com essa experiência se não tivessem um conhecimento prévio da eloquência, e não teriam sentido o desejo de serem eloquentes, se não se tivessem deleitado. Diferentemente disso, nós não observamos em ninguém a presença de uma vida feliz por meio de sentidos físicos. Ela é como a maneira de nos lembrarmos da alegria? Talvez, pois, mesmo quando estou triste, eu me lembro da minha alegria, assim como me lembro de uma vida feliz quando minha vida é infeliz. E, por meio da percepção física, nunca vi, nem ouvi, nem senti o cheiro, ou o gosto, ou o toque da alegria. Mas tive uma experiência quando me alegrei, e o conhecimento da alegria ficou gravado em minha memória, de modo que posso lembrá-la às vezes com desdém, outras vezes com saudade, de acordo com a natureza das coisas nas quais me lembro de ter encontrado alegria. Pois até em coisas sórdidas eu mergulhei com uma espécie de alegria, o que, ao lembrar agora, eu detesto e amaldiçoo. Em outros casos, lembro-me de coisas boas e honestas que, talvez não estando mais presentes, me fazem sentir saudade. Por isso lembro-me com tristeza de alegrias antigas.

31 Onde então e quando eu tive a experiência de uma vida feliz, de modo que agora me lembro e gosto dela e sinto saudade? E não sou apenas eu, ou apenas mais alguns outros; não, todo mundo quer ser feliz. E nós não desejaríamos isso com tanta certeza se não tivéssemos certeza de que sabemos de que se trata. Mas como se explica que, se nós perguntássemos a dois homens se eles gostariam de ir para a guerra, um talvez respondesse que sim e o outro que não; mas se lhes perguntássemos se gostariam de ser felizes, os dois no mesmo instante, sem nenhuma dúvida, responderiam que sim? E note-se que apenas pelo desejo de ser feliz um iria para a guerra, o outro não. Será talvez que um encontra sua alegria numa coisa, outro noutra coisa? Assim, eles concordam em seu desejo de felicidade exatamente como concordariam, se perguntados, em seu desejo de alegria. Será que essa alegria é o que eles chamam de vida feliz? Embora, então, um obtenha sua alegria por determinado meio, outro por outro, todos têm o mesmo objetivo que procuram atingir, isto é, a alegria? Nesse caso, se a alegria é algo que ninguém pode dizer que não experimentou, então ela é encontrada na memória e reconhecida todas as vezes que se faz menção a uma vida feliz.

32 Longe de mim, Senhor, longe do coração do teu servo que aqui se confessa diante de ti, longe de mim dizer que, seja lá o que for essa alegria, passarei com isso a considerar-me feliz. Pois há uma alegria que não é concedida aos ímpios, mas aos que te amam por quem és, e tu mesmo és a alegria deles. Esta é a vida feliz: alegrar-se em ti, de ti, por ti. Essa é a vida feliz e não há outra. Aqueles que acham que existe outra, perseguem outra coisa e não encontram a verdadeira alegria. Contudo, os que buscam nunca se afastam de alguma imagem de alegria.

33 Não há certeza, então, de que todos desejam ser felizes, pois os que não querem se alegrar em ti, que és a única vida feliz, não almejam verdadeiramente a felicidade. Ou será que todos os homens desejam ser felizes, mas porque "a carne deseja o que é considerado contrário ao Espírito; e o Espírito o que é contrário à carne, eles não fazem o que desejam" (Gl 5.17) e assim recorrem a qualquer outra coisa a seu alcance e com aquilo se contentam? A explicação é que eles não alimentam um desejo forte o suficiente para capacitá-los a fazer o que desejam. Agora eu pergunto a todos os homens se eles não prefeririam alegrar-se na verdade a alegrar-se na falsidade. Sem hesitar, eles diriam que preferem alegrar-se "na verdade", da mesma forma que preferem "ser felizes", pois uma vida feliz é alegria na verdade: essa é uma vida feliz em ti, que és "a verdade" (Jo 14.6), ó Deus que és "minha luz e minha salvação" (Sl 27.1).

Conheci muitos homens dispostos a enganar os outros, mas nenhum disposto a ser enganado. Onde foi então que eles algum dia aprenderam sobre essa vida feliz, se não foi lá onde também conheceram a verdade? Pois eles também gostam dela, visto que não querem ser enganados. E se eles gostam de uma vida feliz, que nada mais é do que alegrar-se na verdade, eles também gostam da verdade, da qual, porém, não gostariam se não guardassem alguma noção dela em sua memória. Por que, nesse caso, eles não se alegram nela? Por que não são felizes? Porque eles estão fortemente envolvidos com outras coisas que têm mais poder de torná-los infelizes do que com aquilo de que têm uma vaga lembrança de poder torná-los felizes. Pois ainda existe um pouco de luz nos homens. Que sigam em frente, que "andem enquanto têm a luz, para que as trevas não os surpreendam" (Jo 12.35).

34 Mas por que "a verdade gera o ódio"[1] e aquele teu servidor, que prega a verdade, torna-se inimigo dos homens, se prezar uma vida feliz nada mais é do que alegrar-se com a verdade? Será que o amor à verdade leva os que amam alguma outra coisa diferente dela a desejar que essa outra coisa seja a verdade que eles amam? Pelo fato de não estarem dispostos a ser enganados, eles não estão dispostos a se convencer de que foram enganados. Por isso, odeiam a verdade, por causa dessa outra coisa que eles amaram em vez da verdade. Eles gostam da verdade quando ela traz luz; mas a odeiam quando ela os censura. Pois, uma vez que não querem ser enganados e, no entanto, estão dispostos a enganar, eles a amam quando ela se revela a eles e a odeiam quando ela os mostra às claras. Por isso ela os castigará, de modo que eles, que não gostariam de ser mostrados por ela, sejam mostrados à revelia, ao mesmo tempo que ela a eles não se mostra. É assim, é assim, é exatamente assim mesmo que a mente humana atua: tão cega e doente, tão vil e grosseira, ela quer permanecer escondida, mas não quer que coisa alguma dela se esconda. Mas, como castigo, o contrário lhe acontece: ela não pode esconder-se da verdade, mas dela a verdade se esconde. Todavia, mesmo nesse estado miserável, a alma humana prefere alegrar-se com verdades a alegrar-se com mentiras. Feliz será então quando, livre de qualquer obstáculo, ela se alegrar naquela única Verdade, pela qual todas as coisas são verdadeiras.

35 Vê que distância eu percorri viajando em minha memória à tua procura, ó Senhor, e fora dela eu não te encontrei; como nada encontrei a teu respeito, a não ser o que guardei na

---

[1] Terêncio, *Andria*, v. 68.

memória desde quando te conheci. Pois desde que te conheci, eu não te esqueci. Pois onde encontrei a verdade, ali encontrei meu Deus, a Verdade em si. Desde que aprendi isso, não mais me esqueci. Desde que te conheci, tu resides em minha memória e ali te encontro quando me lembro de ti e em ti me deleito. Esses são os santos prazeres que tu, em tua misericórdia, me concedeste, tendo piedade de minha miséria.

36 Mas em minha memória onde resides tu, Senhor, onde resides dentro dela? Que espécie de abrigo criaste para ti? Que espécie de santuário construíste para ti? Tu concedeste essa honra à memória, mas em que parte da memória que estou analisando tu resides? Pois pensando em ti eu vou além daquelas partes que são próprias também dos animais, porque não te encontrei entre as imagens de coisas corporais. Passei àquelas partes onde eu havia armazenado os sentimentos da mente, e ali tampouco te encontrei. Entrei então na própria sede de minha mente (que está na minha memória, pois a mente também se lembra de si mesma), e nem lá tu estavas; pois, como não és uma imagem física, nem um sentimento de um ser vivo (como quando nos alegramos, nos entristecemos, desejamos, tememos, lembramos, esquecemos ou algo semelhante), também não és a mente em si mesma, pois tu és o Senhor Deus da mente, e todas essas coisas são mutáveis, mas tu permaneces imutável em tudo. Mesmo assim, tu aceitaste morar na minha memória desde que te conheci. E por que agora procuro saber em que parte da memória tu resides, como se lá dentro houvesse lugares? Eu tenho certeza de que tu moras nela, porque me lembro de ti desde que te conheci e nela te encontro quando de ti me lembro.

37 Onde foi que eu te encontrei para ter a capacidade de te conhecer? Pois tu não estavas na minha memória antes de eu te conhecer. Onde foi então que te encontrei para poder te conhecer, senão em ti mesmo acima de mim? Não existe nenhum lugar: vamos para a frente e para trás, e não existe lugar algum. Em toda parte, ó Verdade, tu ouves a todos os que te consultam e imediatamente respondes sobre variados assuntos a quem pede teu conselho. Com clareza tu respondes, embora nem todos te ouçam com clareza. Todos te consultam sobre o que querem, embora nem sempre ouçam o que querem. O melhor servo é aquele que, mais do que ouvir de ti o que ele mesmo quer, prefere querer o que ouve de ti.

38 Tarde demais eu te amei, ó Beleza tão antiga e tão nova! Tarde demais eu te amei! E eis que tu estavas dentro de mim, enquanto eu estava fora; era lá fora que te procurava. Criatura deformada, mergulhei de cabeça nesses objetos de beleza que tu criaste. Tu estavas comigo, mas eu não estava contigo. Elas me detiveram longe de ti, essas coisas belas que, se não estivessem em ti, simplesmente não existiriam. Tu me chamaste, gritaste e rompeste minha surdez. Tu reluziste, brilhaste e aniquilaste minha cegueira. Tu espalhaste doces perfumes, e eu os inalei e suspirei por ti. Degustei, e senti fome e sede. Tu me tocaste, e eu senti um desejo ardente de tua paz.

39 Quando com todo o meu ser eu me agarrar a ti, não haverá mais nem tristeza nem labuta. Minha vida será plena, repleta de ti. Mas agora, uma vez que aquele que tu enches também elevas, por não estar repleto de ti, eu sou um peso para mim mesmo. Alegrias lamentáveis lutam contra tristezas alegres; de que lado está a vitória eu não sei. Ai de mim! "Ouve, SENHOR, e tem misericórdia de mim" (Sl 30.10). Ai de mim! Vê que não escondo minhas feridas. Tu és o médico, eu o paciente. Tu és misericordioso, eu miserável. "Não é pesado o labor do homem na terra?" (Jó 7.1). Quem deseja problemas e dificuldades? Tu ordenaste que os homens suportassem essas situações, não que as amassem. Ninguém ama o que suporta, embora goste do fato de suportar. Pois embora alguém se alegre com o fato de saber suportar, todo mundo preferiria não ter de suportar nada. Na adversidade, eu anseio pela prosperidade; na prosperidade, temo a adversidade. Não existe um lugar intermediário entre essas duas situações, onde a vida do homem não seja um "pesado labor"? Muitas vezes a prosperidade neste mundo traz infelicidade por causa do medo da adversidade e da corrupção da alegria. Há também infelicidade causada pelo desejo ardente de prosperidade porque a adversidade em si é uma coisa cruel e ameaça destruir a resignação. "Não é pesado o labor do homem na terra", sem trégua alguma? **40** E toda a minha esperança está depositada exclusivamente em ti, minha imensa misericórdia. Concede-me o que me ordenas e ordena-me o que quiseres. Tu me impões a continência, e então me dei conta, disse alguém, "de que somente a ganharia, se Deus ma concedesse" (Sb 8.21, BJ). A continência realmente nos reúne e reconduz ao Único de quem nos afastamos dividindo-nos em muitas coisas. Pois muito pouco te ama quem ao mesmo tempo ama qualquer outra coisa que exclua teu amor. Ó amor que sempre ardes e nunca te extingues! Ó caridade, meu Deus! Inflama-me! Tu me impões a continência: concede-me o que me ordenas e ordena-me o que quiseres.

41 De fato, tu me ordenaste a continência em relação a tudo "o que há no mundo — a cobiça da carne, a cobiça dos olhos e a ostentação dos bens" (1Jo 2.16). Tu me impuseste a continência de relações concubinárias. E quanto ao casamento, tu me aconselhaste algo melhor do que me permitiste. E uma vez que tu me concedeste isso, isso foi feito, mesmo antes de eu me tornar um ministro do teu sacramento. Mas ainda vivem na minha memória (sobre a qual já falei muito) as imagens dessas coisas tais quais meus antigos hábitos as fixaram. Elas me assombram, mas não têm poder enquanto estou acordado. Porém, durante o sono, elas não apenas me dão prazer, mas até conseguem meu consentimento, e o que acontece muito se assemelha aos atos reais. Sim, a ilusão da imagem prevalece a tal ponto, em minha alma e em minha carne, que, durante o sono, falsas visões me induzem a fazer o que em estado de vigília a realidade não consegue.

Então, dormindo eu não sou eu, ó Senhor meu Deus? Contudo, há uma diferença tão grande entre meu eu consciente e meu eu inconsciente, naquele espaço de tempo em que transito do estado de vigília para o sono, ou volto do sono para o estado de vigília. Onde fica a razão que, estando eu acordado, resiste a essas sugestões? E mesmo que essas coisas me sejam impingidas, ela continua inabalável. Ela se fecha juntamente com os olhos? Ela adormece com os sentidos do corpo? E como acontece que, mesmo durante o sono, nós resistimos e, conscientes de nosso propósito, nele persistimos da maneira mais casta sem dar nosso consentimento a essas seduções? No entanto, a diferença é tal que, quando a coisa acontece de outro modo, ao acordar recuperamos a paz da consciência; e exatamente por essa diferença descobrimos que não fizemos aquilo que, todavia, lamentamos ter de algum modo acontecido.

42 Tua mão não é poderosa o suficiente, ó Deus todo-poderoso, para curar todas as doenças da minha alma? Tua generosa graça não consegue extinguir meus atos lascivos durante o sono? Tu, Senhor, aumentarás cada vez mais teus dons em mim, para que minha alma me acompanhe em direção a ti, desvencilhando-se do lodaçal da concupiscência. Que ela não mais se rebele contra si mesma, e mesmo durante os sonhos, mediante as imagens dos sentidos, não apenas não cometa esses aviltantes atos de corrupção que podem chegar à poluição da carne, mas também não dê a eles o seu consentimento. Pois nada dessa natureza deve exercer a menor influência sobre os sentimentos puros mesmo de quem está dormindo, nem que se trate de uma influência tão ligeira que um gesto pudesse deter; fazer isso, não apenas durante a vida, mas até neste meu momento atual, é fácil para ti, o Todo-poderoso, aquele "que é capaz de fazer infinitamente mais do que tudo o que pedimos ou pensamos" (Ef 3.20).

Mas o que ainda sou nessa espécie de perversidade confessei-o a ti, meu bom Senhor, "exultando com tremor" (Sl 2.11), em vista do que tu me deste e lamentando que nisso ainda sou imperfeito, esperando que tu aperfeiçoes em mim as tuas misericórdias, até eu alcançar a perfeita paz, que meu ser exterior e interior deverá atingir junto a ti, quando "a morte terá sido destruída pela vitória" (1Co 15.54).

43 Há um outro "mal de cada dia" (Mt 6.34) que eu gostaria que fosse suficiente. Comendo e bebendo nós reparamos o desgaste diário de nosso corpo, até que tu "destruas ambos": o corpo e os alimentos (1Co 6.13), quando a fome for saciada com uma maravilhosa plenitude, e "o que é corruptível se revestir de incorruptibilidade" (1Co 15.54). Mas agora essa necessidade para mim é prazerosa, e eu luto contra esse prazer, para não me tornar seu prisioneiro. Travo contra ele uma luta diária, muitas vezes "fazendo de meu corpo meu escravo" (1Co 9.27), e depois disso meus tormentos são banidos pelo prazer. A fome e a sede são, de certo modo, tormentos: eles ardem e matam como a febre, se o remédio da alimentação não nos socorrer. E uma vez que o remédio disponível provém do conforto que nós recebemos em teus presentes (por meio dos quais a terra, a água e o ar estão a nosso serviço), até nossa desgraça é gratificante.

44 Isto tu me ensinaste: que eu devo aprender a ingerir meu alimento como remédio. Mas, no processo de passar do desconforto do estômago vazio para a satisfação de uma boa refeição, a cilada da concupiscência está à minha espreita. Mas não há outra maneira de me alimentar; somos obrigados a isso. E uma vez que o motivo da comida e da bebida é a saúde, a ela se associa um perigoso prazer, que geralmente tenta preceder a alimentação. Assim, por causa do prazer, faço o que faço ou desejo fazer, pelo bem da saúde enquanto a ela se associa esse perigoso prazer, que geralmente tenta se impor. E a saúde e o prazer não têm os mesmos limites: o que é suficiente para a saúde é insuficiente para o prazer. E muitas vezes não se sabe se é o indispensável cuidado com o corpo que está pedindo mais sustento ou se não é o voraz engodo da gula que está oferecendo seus serviços. Nessa incerteza, a alma infeliz se deleita e ali encontra uma desculpa para escudar-se, alegrando-se por não ficar claro o que é suficiente para o bem da saúde, de modo que usa isso como pretexto para poder disfarçar seus objetivos de gratificação. A essas tentações eu tento resistir diariamente, pedindo o socorro de tua mão direita, e a ti relato minhas perplexidades, porque nessa questão ainda não cheguei a uma conclusão definitiva.

45 Ouço a voz do meu Deus me ordenando: "Tenham cuidado, para não sobrecarregar o coração de vocês de libertinagem, bebedeira e ansiedade da vida" (Lc 21.34). Longe de mim está a bebedeira; por tua misericórdia, ela não se aproximará de mim. Mas a gula às vezes me apanha de surpresa; por tua misericórdia ela pode ser afastada de mim. Pois ninguém pode ser continente, se Deus não lhe conceder essa virtude. Muitas coisas tu nos concedes quando oramos para obtê-las. E tudo aquilo que tivermos recebido antes de orar, de ti o recebemos, e isso aconteceu para que pudéssemos depois descobrir esse fato. Nunca me embriaguei, mas conheci beberrões que, graças a ti, se tornaram abstêmios. Graças, então, a ti muitos nunca se entregaram à bebedeira, como também, graças a ti, os que o fizeram não foram eternamente beberrões. E graças a ti uns e outros puderam saber a quem deviam agradecer. Outro conselho teu eu ouvi: "Não te deixes levar por tuas paixões e refreia os teus desejos" (Eclo 18.30, BJ). Graças a ti ouvi o que muito amei: "Não seremos piores se não comermos, nem melhores se comermos" (1Co 8.8), o que quer dizer que a abundância não nos tornará melhores, nem a penúria piores. Também ouvi alguém dizer: "Aprendi a adaptar-me a toda e qualquer circunstância. Sei o que é passar necessidade e sei o que é ter fartura. Aprendi o segredo de viver contente em toda e qualquer situação, seja bem alimentado, seja com fome, tendo muito, ou passando necessidade. Tudo posso naquele que me fortalece" (Fp 4.11-13). Ali está um soldado do exército celeste, não o pó que somos nós. Mas lembra-te, Senhor, "que somos pó" e que tu criaste o homem do pó (Sl 103.14; cf. Gn 3.19) e que ele "estava perdido e foi achado" (Lc 15.32). Ele não poderia, por si só, fazer isso. Pois mesmo aquele que eu tanto amei ao ouvi-lo dizer isso graças ao sopro de tua inspiração era feito do mesmo pó. "Tudo posso", diz ele, "naquele que me fortalece." Fortalece-me para que eu também possa. Concede-me o que me ordenas e ordena-me o que quiseres. Ele confessa ter recebido, quando declara o que está escrito: "Quem se gloriar, glorie-se no Senhor" (1Co 1.31). Outra voz ouvi pedindo para poder receber: "Não me dominem o apetite sensual e a luxúria" (Eclo 23.6, BJ). O que deixa transparecer, ó meu santo Deus, que és tu que o propicias quando o que ordenas acontece.

46 Tu, bom Pai, me ensinaste que, para os puros, "todo alimento é puro, mas é errado comer qualquer coisa que faça os outros tropeçarem" (Rm 14.20); e que "tudo o que Deus criou é bom, e nada deve ser rejeitado, se for recebido com ação de graças" (1Tm 4.4); e que "a comida, porém, não nos torna aceitáveis diante de Deus" (1Co 8.8); e que "não devemos permitir que alguém nos julgue pelo que comemos ou bebemos" (Cl 2.16); e que "aquele que come de tudo não deve desprezar o que não come, e aquele que não come de tudo não deve condenar aquele que come" (Rm 14.3). Essas coisas eu aprendi, graças a ti, a quem louvo, meu Deus, meu Mestre, que as martelas em meus ouvidos e iluminas meu coração. Livra-me de toda tentação. Não temo a impureza do alimento, mas sim a impureza sensual. Sei que Moisés teve a permissão de comer todas as espécies de carne próprias para a alimentação (Gn 9.3); que Elias se alimentou de carne (1Rs 17.6); que João, dotado de admirável abstinência, não se manchou alimentando-se de criaturas vivas, ou seja, de gafanhotos (Mt 3.4). Sei também que Esaú foi enganado por seu desejo ardente de comer lentilhas (Gn 25.29-34); e que Davi censurou a si mesmo por desejar beber água (2Sm 23.15-17); e que o nosso Rei foi tentado, não mediante a oferta de carne, mas de pão (Mt 4.3). Assim, o povo de Deus também mereceu ser censurado no deserto, não por desejar comer carne, mas porque, desejando alimento, murmurou contra o Senhor (Nm 11.4).

47 Em meio a essas tentações, luto diariamente contra o apetite pela comida e bebida. Esse tipo de apetite não é de tal natureza que eu possa eliminá-lo de uma vez por todas e nunca mais senti-lo depois, como consegui fazer com o concubinato. As rédeas da gula precisam ser seguradas com suavidade e firmeza. Quem, ó Senhor, de algum modo não ultrapassa os limites da necessidade? Quem o fizer é uma grande pessoa. Que ela enalteça teu nome. Eu não sou assim, pois "sou um homem pecador" (Lc 5.8). No entanto, também enalteço teu nome; e aquele que "intercede por nós" (Rm 8.34), aquele que "venceu o mundo" (Jo 16.33), me coloca entre "os membros do seu corpo que parecem mais fracos" (1Co 12.22), porque "os teus olhos viram o meu embrião; todos os dias determinados para mim foram inscritos no teu livro antes de qualquer deles existir" (Sl 139.16).

48 Não me preocupa a sedução dos perfumes. Quando ausentes, não sinto falta deles; quando presentes, não os recuso, mas estou sempre disposto a dispensá-los. Isso é o que me parece, mas posso estar enganado. Pois aqui também há trevas lamentáveis. Por causa delas minha capacidade interior pode esconder-se de mim, de modo que a indagação de minha inteligência sobre seus próprios poderes não ousa acreditar facilmente em si mesma, uma vez que até o que nela existe está em grande parte oculto, a não ser que a experiência o revele. E ninguém deveria ter certeza nesta vida, que na sua totalidade é considerada "labor" (Jó 7.1). Assim, quem conseguiu melhorar sua condição deve, da mesma forma, evitar piorá-la. Nossa única esperança, nossa única confiança, nossa única promessa segura é tua misericórdia.

49 Os prazeres dos ouvidos me tinham prendido e subjugado mais fortemente. Mas tu desataste os nós e me libertaste. Agora, naquelas melodias que tuas palavras inspiram quando cantadas por vozes belas e bem treinadas eu encontro certo repouso. Mas não a ponto de ser dominado: posso libertar-me quando quiser. Porém, com as palavras que são a vida dessas melodias e mediante as quais elas têm acesso a meu coração, essas mesmas melodias procuram em meus sentimentos um ponto de destaque, e eu mal sei designar um lugar adequado para elas. Pois, simultaneamente, tenho a impressão de atribuir a elas mais honra do que é apropriado, sentindo que nossa mente é mais devota e fervorosamente enlevada na chama da devoção pelas santas palavras em si quando elas são cantadas do que quando não são. Fica assim a impressão de que a diversidade de sentimentos de nosso espírito, com sua doce variedade, encontra suas medidas apropriadas na voz e no canto, por causa de alguma característica oculta que nos contagia. Mas essa satisfação da carne, à qual a alma não deve se entregar para não se enfraquecer, muitas vezes me engana. Os sentidos não servem à razão, não a seguem pacientemente. Pelo contrário, tendo conseguido entrar apenas para servi-la, eles se esforçam para correr mais que ela e conduzi-la. Assim, nessas coisas eu peco sem querer, mas depois tomo consciência do fato.

50 Em outras ocasiões, evitando com excessiva ansiedade exatamente esse engano, eu erro pelo rigor exagerado. Às vezes chego a ponto de desejar que toda a doce música que acompanha o Saltério de Davi seja banida de meus ouvidos e também da Igreja. Parece-me mais segura aquela medida da qual lembro ter ouvido falar, envolvendo o bispo Atanásio de Alexandria, que fazia o leitor do Saltério proferir as palavras com uma inflexão de voz tão diminuta que mais se parecia com a fala do que com o canto. Mais uma vez, porém, devo dizer que quando me lembro das lágrimas que derramei ao ouvir os cânticos de tua Igreja, no início da recuperação de minha vida, e de como me sinto agora comovido, não com o canto, mas com o que se canta, quando as vozes são moduladas com a clareza mais apropriada ao texto, reconheço a grande utilidade dessa instituição.

Assim, entre o perigo do prazer e a aprovação desse sadio exercício, estou mais inclinado a aprovar (embora sem emitir uma opinião irrevogável) o canto na igreja, para que, pelo prazer dos ouvidos, as mentes mais fracas possam intensificar seu sentimento de devoção. Todavia, quando acontece que, mais do que as palavras, me comove a voz dos cantores, confesso que pequei e, nesse caso, preferiria não ouvir a música. Vejam então o meu estado. Chorem comigo e chorem por mim vocês que controlam seus sentimentos íntimos de tal forma que o resultado são sempre boas obras. Pois para vocês que de modo algum não agem assim, esses problemas não lhes dizem respeito. Mas tu, ó Senhor meu Deus, ouve-me; olha e vê, e tem misericórdia e cura-me, tu, diante de quem me tornei um problema para mim mesmo, "a razão da minha dor" (Sl 77.10).

51 Falta falar do prazer destes meus olhos carnais, confessando-me aos fraternos e piedosos ouvidos do teu templo, para assim encerrar a lista das tentações da cobiça da carne que investe contra nós que estamos, "gemendo, desejando ser revestidos da nossa habitação celestial" (2Co 5.2). Os olhos gostam de formas belas e variadas e de cores vivas e suaves. Que isso não tenha espaço em minha alma. Prefiro que ela seja ocupada pelo Deus que "viu tudo o que havia feito, e tudo havia ficado muito bom" (Gn 1.31). Ele é meu Deus, não elas. Ele constitui o meu bem, não elas. Essas coisas me afetam o dia inteiro enquanto estou acordado. Não me dão nenhuma trégua, como às vezes acontece no caso da música, quando ocorre um silêncio durante o qual todas as vozes se calam. Essa rainha das cores, a luz, inunda tudo o que contemplamos, onde quer que estejamos durante o dia todo. Ela se apresenta de formas variadas, acalmando-me quando estou ocupado com outras coisas, sem prestar atenção a ela. Tão fortemente me envolve que, se de repente se apagar, nós a procuramos ansiosos. E se ficar ausente por muito tempo, a alma se entristece.

52 Ó Luz, ó tu que Tobias viu quando seus olhos se fecharam e, mesmo assim, ele mostrou a seu filho o caminho da vida; e o pai levado pelos pés da caridade caminhou na frente dele, sem se desviar do caminho (Tb 4). Ou que Isaque viu quando "seus olhos ficaram tão fracos que ele não podia enxergar" por causa da velhice (Gn 27.1), e lhe foi concedido, sem que ele de antemão o soubesse, abençoar seus filhos e, por meio da bênção, passar a conhecê-los. Ou que Jacó viu quando ele também, cego por causa da idade avançada, com o coração iluminado, derramou luz sobre diferentes raças de futuros povos, prefiguradas nos seus filhos. E impôs suas mãos misteriosamente cruzadas sobre seus netos, filhos de José, não como o pai deles por meio de sua visão exterior os corrigiu, mas como ele mesmo interiormente discerniu (Gn 48). Essa é a luz, a única luz, e todos os que a enxergam e amam nela estão unificados.

Mas a luz física da qual falei condimenta a vida neste mundo para os que a amam cegamente, com uma sedutora e perigosa doçura. Mas aqueles que, por ela, sabem louvar a ti que és "O Criador de todas as coisas",[2] servem-se dela em seu hinos e não são dominados por ela enquanto dormem. Assim eu gostaria de ser. Resisto às seduções dos olhos, para que os pés que me conduzem pelo teu caminho não fiquem presos. Elevo a ti meus pobres olhos, para que tu tires "os meus pés da armadilha" (Sl 25.15). Tu me socorres muitíssimas vezes, quando eles ficam presos. Nunca deixas de libertá-los, embora eu caia em todo tipo de armadilhas, porque "o protetor de Israel não dormirá; ele está sempre alerta!" (Sl 121.4).

53 Inúmeras são as obras criadas por diferentes artistas e artesões. Elas aparecem em nossas roupas, calçados, utensílios e todos os tipos de pinturas e esculturas, excedendo em muito o uso necessário e moderado e todos os significados piedosos. Elas foram criadas para ser uma tentação aos próprios olhos. Exteriormente, os homens contemplam o que elas são em si mesmas; interiormente, eles se esquecem daquele pelo qual elas foram primeiramente criadas e destroem justamente aquilo para o qual eles foram criados! Mas eu, meu Deus e minha glória, também elevo a ti meu canto por todas essas coisas, louvando aquele que me santifica, pois aquelas belas formas, concebidas e criadas pelas mãos dos artistas, provêm da própria Beleza, que está acima de nós, pela qual minha alma suspira noite e dia. Mas os criadores e seguidores da beleza exterior dela derivam uma norma para julgar suas obras, não para usá-las. E ele está presente nelas, embora eles não o percebam, e assim não podem

---

[2] Essas palavras introduzem um hino de Ambrósio, *Deus creator ominum* [Deus Criador de todas as coisas], cantado em cerimônias noturnas.

andar ao léu, mas preservam seu vigor para ti e não o desperdiçam em cansativos prazeres. E eu, embora diga isso, ainda tenho os pés presos a belezas exteriores, mas tu vens em meu socorro, ó Senhor, e me tiras das ciladas, "pois o teu amor está sempre diante de mim" (Sl 26.3). Estou lamentavelmente preso, e tu misericordiosamente me libertas. Às vezes, depois de ficar ligeiramente preso, não percebo o resgate; às vezes, quando estou fortemente preso a essas belezas exteriores, o resgate é doloroso.

54 Soma-se a essa outra forma de tentação mais séria e perigosa. Pois além da cobiça da carne, que consiste no prazer de todos os sentidos, que leva seus escravos a "te abandonarem" e, em consequência disso, "eles perecem" (Sl 73.27), a alma sente, mediante os mesmos sentidos do corpo, uma espécie de vã curiosidade, disfarçada sob o título de conhecimento e aprendizado. Não se trata de obter o prazer da carne, mas de adquirir, pela carne, uma nova experiência. A fonte disso é uma fome de conhecimento, e a visão é o sentido mais usado para consegui-lo. Nas Sagradas Escrituras, isso é chamado de "a cobiça dos olhos" (1Jo 2.16). A faculdade de ver pertence propriamente aos olhos. Todavia, nós empregamos o verbo "ver" também em relação aos outros sentidos, quando os usamos na busca do conhecimento. Nós não dizemos "ouça como isto brilha", ou "cheire como isto reluz", ou "prove como isto brilha", ou "perceba como isto fulgura". Em relação a todas essas experiências empregamos o verbo "ver". E, sendo assim, nós dizemos "veja como isto brilha" não apenas em relação a algo que só os olhos podem perceber; dizemos também "veja como isto soa", "veja que cheiro isto tem", "veja que gosto isto tem", "veja como isto é duro". E assim a experiência geral dos sentidos, como já disse, é chamada de "a cobiça dos olhos" porque a função de ver, na qual os olhos detêm a primazia, é adotada pelos outros sentidos como uma forma de comparação quando eles vão em busca do conhecimento.

55 Constando esse fato, nós podemos discernir de modo mais evidente onde reside o prazer e onde a curiosidade é o objeto dos sentidos. O prazer procura objetos belos, melodiosos, perfumados, saborosos, macios; mas a curiosidade, testando os objetos, procura também o contrário, não em busca de uma possível sensação desagradável, mas devido à paixão por um experimento que leve ao conhecimento. Pois que prazer existe em ver um cadáver dilacerado que provoca arrepios? No entanto, se houver um por perto, as pessoas correm para lá, para sentir tristeza e empalidecer. Mesmo durante o sono elas têm medo de uma cena semelhante. Até parece que quando estão acordadas alguém as obriga a ver aquilo ou que um relato da beleza daquilo as arrasta para lá! O mesmo acontece com os outros sentidos, e seria muito cansativo fazer uma análise completa desse caso. Devido a essa mórbida curiosidade todos aqueles estranhos espetáculos são representados no teatro. Por isso, os homens pesquisam os segredos ocultos da natureza (o que vai além de nosso objetivo aqui), cujo conhecimento não traz nenhuma vantagem. Os homens querem simplesmente saber. Por isso também, com o mesmo objetivo da ciência pervertida, indagamos as artes da magia. Por isso também, na própria religião, Deus é submetido à prova, quando sinais e milagres são dele exigidos, não desejados visando alguma finalidade boa, mas simplesmente para testá-lo.

56 Nesta imensa vastidão, cheia de ciladas e perigos, vê quantos eu eliminei e extirpei de meu coração, graças a ti, ó Deus de minha salvação. No entanto, quando ousarei dizer, sabendo que tantas coisas dessa natureza pululam por tudo ao meu redor diariamente, quando ousarei dizer que nada disso prende minha atenção ou não causa em mim uma vã curiosidade? É verdade que o teatro já não me atrai, nem me importo em conhecer as órbitas dos astros, e minha alma jamais consultou espíritos de mortos, ritos sacrílegos que abomino. Que artifícios e sugestões não emprega o inimigo para que eu exija um sinal de ti, ó Senhor meu Deus, a quem devo servir humildemente e de todo o coração! Mas eu te suplico pelo nosso Rei, Jesus Cristo, e pela nossa pura e santa pátria, Jerusalém, que, assim como agora qualquer consentimento a essas coisas está longe de mim, assim também sempre esteja cada vez mais longe. Mas quando eu oro pela salvação de alguém, minha finalidade e intenção são muito diferentes. Tu me concedeste e me concederás a graça de te seguir deliberadamente, fazendo o que tu queres.

57 Mesmo assim, quem saberia contar quantas coisas mesquinhas e desprezíveis tentam diariamente nossa curiosidade e quantas vezes caímos em tentação? Quantas vezes começamos a ceder tolerando a história boba que alguém conta para não ferir sua sensibilidade; depois, aos poucos, por ela nos interessamos! Atualmente não frequento o circo para ver um cachorro caçando uma lebre; mas, se essa caçada acontecer no campo, onde por acaso vou passando, ela me distrairá de alguma séria ponderação e passarei a acompanhar o evento. Isso não significa que eu vá desviar meu cavalo do caminho traçado antes; todavia, a mente se inclina para aquele fato. E se tu, depois de me fazeres enxergar minha fraqueza, rapidamente não me advertires para que, por meio da própria visão, eu me eleve para contemplar a ti; ou para que eu ignore a cena e siga adiante, perco meu tempo contemplando aquilo. E o que é que prende minha atenção quando, estando eu sentado em casa, vejo uma lagartixa apanhando moscas, ou uma aranha enredando as incautas em sua teia? O caso é diferente porque se trata de criaturas minúsculas? Com base em uma experiência dessas eu sigo adiante e passo a louvar o maravilhoso Criador e Organizador de tudo, mas não é isso que primeiro chama minha atenção. Uma coisa é levantar-se rapidamente, outra coisa é não cair. De casos semelhantes minha vida está cheia, e minha única esperança é tua maravilhosa e imensa misericórdia. Pois quando nosso coração se torna o receptáculo dessas coisas e se sobrecarrega com enxurradas de vaidades, então nossas orações com isso são também interrompidas e distraídas. E, enquanto na tua presença dirigimos a voz do coração para os teus ouvidos, essa grande preocupação é quebrada pela invasão de não sei que inúteis pensamentos. Devemos então incluir também isso entre as coisas de pouca monta, ou será que de algum modo vamos recuperar a esperança? Só se for por tua infinita misericórdia, pois foste tu que começaste a nos transformar.

58 Tu sabes quanto já me mudaste. Primeiro tu me curaste da paixão da vingança, para que pudesses perdoar todas as minhas outras iniquidades, curar todas as minhas enfermidades, redimir minha vida da corrupção, coroar-me de misericórdia e piedade e satisfazer meu desejo com coisas boas. Tu refreaste meu orgulho com o temor de ti e submeteste o meu pescoço ao teu jugo. Agora suporto esse jugo que me é suave (Mt 11.30), como tu prometeste e cumpriste. Realmente ele é suave, e eu não sabia disso quando o aceitei.

59 Mas, ó Senhor, somente tu és desprovido de orgulho, porque és o único verdadeiro Senhor que não está sob nenhum outro senhor. Será que esta terceira espécie de tentação também já cessou para mim, ou será que ela pode cessar durante esta vida, esse desejo de ser temido e amado pelos homens, pelo simples motivo da alegria que isso nos proporciona, que nem é alegria? Lamentável é esse tipo de vida, uma vergonhosa ostentação! Daí decorre especialmente o fato de que os homens não te amam com amor puro nem sentem temor de ti. É por isso que "Deus se opõe aos orgulhosos, mas concede graça aos humildes" (Tg 4.6; 1Pe 5.5). Sim, tu disparas lá do alto tua condenação contra as ambições do mundo, e "os fundamentos dos montes se abalam" (Sl 18.7). Uma vez que atualmente certas posições ocupadas na sociedade humana implicam inevitavelmente o amor e o temor dos homens, o adversário de nossa verdadeira felicidade nos persegue espalhando em toda parte seus enganosos elogios: "Muito bem, muito bem!". Aceitando-os avidamente, nós podemos ser apanhados de surpresa, desvinculando nossa felicidade de tua verdade e colocando-a nos engodos dos homens. Satisfazemo-nos então com o fato de sermos amados e temidos, não por amor a ti, mas em vez de ti. Assim, depois que os homens se tornaram iguais a ele, o adversário pode tê-los como seus, não na união da caridade, mas na sociedade da punição; ele se propôs "assentar-se no monte da assembleia, no ponto mais elevado do monte santo, igualando-se ao Altíssimo" (Is 14.13-14), para que nas trevas e no frio os homens passem a servir àquele que de maneira perversa e fraudulenta te imita.

Mas eis que nós, ó Senhor, somos teu "pequeno rebanho" (Lc 12.32). Possui-nos como teus, estende tuas asas sobre nós e deixa-nos protegidos por elas. Sê tu nossa glória. Que sejamos amados por ti, e que tua palavra nos inspire temor. Quem deseja ser amado pelos homens, às custas de tua desaprovação, não será defendido pelos homens quando tu fores o juiz; nem será resgatado por eles no caso de tua condenação. Mas quando — não como pecador alguém "se gaba de sua própria cobiça e, em sua ganância, amaldiçoa e insulta o Senhor" (Sl 10.3) —, mas quando um homem é elogiado por algum dom que tu lhe concedeste e mais se alegra pelo elogio recebido do que por seu dom que motivou o elogio, ele, ao mesmo tempo em que é elogiado, é censurado por ti. Melhor é quem elogia do que aquele que é elogiado. Pois aquele sente prazer na dádiva de Deus presente no homem, e este sente mais prazer na dádiva do homem do que na de Deus.

60 Sofremos diariamente o assalto dessas tentações, ó Senhor. Sem cessar somos sempre tentados. Nosso "crisol" de cada dia é a língua dos homens (Pv 27.21). E dessa forma tu também me impões a continência. Concede-me o que me ordenas e ordena-me o que quiseres. Tu conheces, nesse caso, os gemidos do meu coração e os rios de lágrimas dos meus olhos. Pois eu não posso saber até que ponto estou mais purificado desse mal e tenho muito medo dos meus "próprios erros", que teus olhos conhecem, mas eu não (Sl 19.12). Pois em outras espécies de tentação eu disponho de alguns meios para examinar a minha consciência; nesse, quase nenhum. Pois, ao refrear a mente dos prazeres da carne e da inútil curiosidade, eu vejo quanto consegui avançar, ao prescindir deles, seja deliberadamente, seja por não dispor deles. Nesse caso, eu me pergunto em que medida é mais ou menos frustrante não os ter. Isso também se aplica às riquezas, que são desejadas para servir a um desses três tipos de cobiça, ou a dois, ou a todos eles. A mente é capaz de ver com clareza se, ao dispor delas, ela as despreza de tal modo que elas possam ser descartadas, e assim ela mostra seu desapego. Porém, se quisermos testar nossa capacidade de prescindir dos elogios, será que precisamos levar uma vida perversa, tão atroz e desumana de modo que se alguém nos conhecesse não pudesse evitar nos abominar? Que loucura maior se poderia mencionar ou imaginar? Mas se os elogios em geral necessariamente acompanham uma vida honesta e suas boas obras, não podemos prescindir deles como não podemos prescindir de uma vida honesta. No entanto, eu não sei se posso me sentir bem ou mal ao me abster de alguma coisa, se ela não estiver ausente.

61 Que te confesso então, Senhor, nesse tipo de tentação? Que te confesso, senão que o elogio me dá um grande prazer, mas prazer ainda maior me dá a verdade em si mesma? Pois se me perguntassem se eu preferiria receber elogios de todo mundo quando estou redondamente enganado, ou ser censurado por todos quando estou perfeitamente convicto da verdade, eu sei qual seria minha opção. Contudo, eu gostaria que os elogios dos outros por qualquer coisa de bom que exista em mim em nada aumentassem minha alegria. Mas devo admiti-lo: eles a aumentam; mais que isso, a desaprovação deles a diminui. E quando fico aflito diante dessa minha condição de miséria, ocorre-me uma desculpa; e tu, meu Deus, conheces seu peso, pois ela me deixa na incerteza. Pois, uma vez que tu não nos impuseste a continência sem nada especificar, isto é, dizendo apenas o que não devemos amar, mas nos impuseste também a justiça, isto é, dizendo o que devemos amar, e não quiseste que amássemos somente a ti, mas também a nosso próximo, muitas vezes, quando sinto satisfação diante de elogios inteligentes, tenho a impressão de me sentir gratificado pela competência ou pelos elogios do meu próximo, ou de me angustiar pelo mal que nele existe quando o ouço condenar alguma coisa que ele não entende ou que é boa. Às vezes me angustio diante dos louvores que recebo. Isso acontece quando se elogiam qualidades minhas que me desagradam, ou quando qualidades menores e menos importantes são mais estimadas do que deveriam ser. Mas também nesse caso como vou saber se me sinto assim porque não gostaria que o autor dos elogios divergisse de mim acerca do que penso a meu respeito? Então o que me preocupa não diz respeito a ele; preocupa-me o fato de que aquelas mesmas minhas boas qualidades que me agradam, me agradam ainda mais quando também agradam aos outros. Pois, de certo modo, não sou elogiado quando meu julgamento sobre mim mesmo não é elogiado, na medida em que ou são elogiadas coisas que me desagradam, ou são mais elogiadas coisas que me agradam menos. A esse respeito não sou, portanto, bastante incerto de mim mesmo?

62 Em ti, ó Verdade, eu vejo que não deveria dar importância aos elogios que recebo visando meu próprio bem, mas apenas o bem do próximo. E de fato não sei se é isso que acontece comigo. Nesse ponto, eu me conheço menos do que a ti. Neste momento eu te imploro, ó meu Deus, revela-me a mim mesmo em que pontos residem minhas deficiências, para que eu possa confessá-lo a meus irmãos, que por mim vão orar. Permite-me que me examine de novo com mais cuidado. Se nos elogios que recebo me afeta o bem do próximo, por que a crítica endereçada a outra pessoa me afeta menos do que a endereçada a mim? Por que uma reprovação dirigida a mim me fere mais do que a dirigida, na minha presença, com a mesma injustiça, a outra pessoa? Acaso eu também não sei disso? Ou será que, no fim das contas, "enganamos a nós mesmos" (1Jo 1.8) e não praticamos a verdade diante de ti com nosso coração e nossa língua? Afasta de mim essa loucura, ó Senhor, para que minhas palavras não sejam "o óleo do ímpio perfumando a minha cabeça" (Sl 141.5). "Sou pobre e necessitado" (Sl 109.22). Contudo, sou melhor quando gemendo em segredo sinto meu descontentamento e busco a tua misericórdia até conseguir, nesse meu estado deficiente, renovar e completar em mim aquela paz que os olhos dos soberbos não conhecem.

63 No entanto, a palavra que sai da boca e os fatos conhecidos dos homens trazem consigo a perigosíssima tentação do apreço pelo elogio. Para estabelecer certa superioridade pessoal, mendigamos e colecionamos a aprovação dos homens. Essa tentação existe até mesmo quando ela é no meu íntimo reprovada por mim, e então se baseia no próprio fato da reprovação. Muitas vezes as pessoas se vangloriam de desprezar a vanglória, e, naturalmente, nesse caso já não é o desprezo da vanglória que motiva essa jactância, pois não se despreza aquilo que se exalta.

64 Dentro de nós existe outro mal que nasce de uma tentação semelhante. É aquilo que fazem os homens que se envaidecem e se comprazem consigo mesmos, sem levar em conta o fato de agradar ou desagradar aos outros. Agradando-se a si mesmos, eles muito desagradam a ti, não apenas comprazendo-se com coisas que não são boas, como se elas boas fossem, mas também em coisas boas como se elas fossem deles; ou, no caso de serem tuas, como se os méritos fossem deles; ou no caso de tua graça, sem, no entanto, alegrar-se por ela fraternalmente, mas invejando-a nos outros. Em todos esses perigos e dificuldades, tu vês o tremor do meu coração. Prefiro sentir minhas feridas sendo curadas por ti a não senti-las infligidas por mim contra mim mesmo.

65 Que caminhos percorreste comigo, ó Verdade, ensinando-me o que evitar e o que desejar, quando te mostrei o que eu conseguia ver aqui embaixo e pedi teu conselho? Com os sentidos exteriores, na medida do possível, eu contemplava o mundo e observava a vida, que meu corpo recebe de mim e desses meus sentidos. Indo além, entrei nos recônditos de minha memória, com seus múltiplos e espaçosos recintos, maravilhosamente equipados com inúmeros suprimentos; contemplei-os e fiquei atônito, não conseguindo discernir nada dessas coisas sem ti, e descobrindo que nenhuma delas eras tu. Tampouco era eu mesmo quem descobria essas coisas e labutava para tudo distinguir e avaliar de acordo com sua dignidade, aceitando algumas delas com base no relato feito pelos sentidos, questionando outras que eu sentia estarem relacionadas com minha pessoa, numerando e distinguindo os próprios relatores. Naquele imenso armazém de minha memória, investiguei algumas coisas, depositei outras e outras retirei. Ainda não era eu mesmo que fazia aquilo, nem eras tu, pois tu és a luz permanente, que eu consultava sobre todas essas coisas, querendo saber se elas existiam, o que eram e como deviam ser avaliadas. E eu te ouvia dirigindo-me e governando-me. Faço isso com frequência — o que me dá prazer — e, na medida em que minhas obrigações me permitem, esse tipo de prazer é meu refúgio.

Em nenhuma dessas coisas que recapitulo consultando a ti consigo encontrar algum lugar seguro para minha alma, exceto em ti. Em ti meus dispersos anseios podem se reunir, e nada de mim de ti se afasta. Às vezes tu me deixas entrar no ponto mais profundo do ser, e eu provo um sentimento raro, extraordinário, que me eleva para uma estranha doçura que se em mim fosse perfeita eu não saberia dizer o que nela não pertence à vida futura. Mas sob a carga de minhas pobres obrigações, volto a afundar-me em atividades inferiores e sou empurrado de volta para o hábito anterior. Sinto-me então preso. Choro muito; contudo, permaneço firmemente preso. Tal é o peso de um mau hábito que nos prende ao chão. Aqui posso permanecer, mas não é o que eu quero; lá eu queria permanecer, mas não consigo. De um e de outro jeito sinto-me infeliz.

66 Assim, examinei as fraquezas de meus pecados sob a forma da tríplice concupiscência e invoquei o socorro de tua mão direita. Com o coração ferido, contemplei teu esplendor e, depois de rechaçado, eu disse: "Quem poderá conseguir isso?". "Fui excluído da tua presença" (Sl 31.22). Tu és a verdade que preside todas as coisas. Mas, por minha ganância, eu não queria te perder; queria ao mesmo tempo alimentar uma mentira, exatamente como nenhum mentiroso quer mentir de tal modo que ele mesmo não saiba qual é a verdade. Assim te perdi, porque tu te recusas a conviver com a mentira.

67 Quem eu poderia encontrar capaz de reconciliar-me contigo? Deveria recorrer a anjos? Por meio de quais orações? Por meio de quais ritos? Ouvi dizer que muitos que queriam voltar para ti e se viram incapacitados tentaram fazer isso e acabaram sendo vítimas da visionária curiosidade e mereceram ser enganados. Pois eles, intelectualmente inflamados, te buscaram por meio do orgulho da erudição, mantendo o peito erguido em vez de bater no peito. Assim, pela semelhança de seu coração, atraíram sobre si mesmos "o príncipe do poder do ar" (Ef 2.2), colega de conspiração de seu orgulho, pelo qual, por meio de influências da magia, foram enganados, procurando um mediador que os purificasse, mas não existia nenhum. "Pois o próprio Satanás" se apresentou, "disfarçado de anjo de luz" (2Co 11.14). Ele exerceu um grande poder de sedução sobre a orgulhosa carne pelo simples fato de não possuir um corpo carnal. Eles eram mortais e pecadores. Tu, porém, Senhor, com quem eles orgulhosamente queriam se reconciliar, és imortal e sem pecado. Mas o mediador entre Deus e o homem deve ser, ao mesmo tempo, algo semelhante a Deus e algo semelhante ao homem. Pois se for apenas semelhante ao homem, ele está distante de Deus; e se for apenas semelhante a Deus, ele difere demais do homem, e assim não é um mediador. Portanto, aquele enganoso mediador, pelo qual segundo teus insondáveis desígnios o orgulho mereceu ser enganado, tem uma coisa em comum com o homem, o pecado; outra coisa ele pareceria ter em comum com Deus: não estando vestido com a mortalidade da carne, ele se jactaria de ser imortal. Mas, uma vez que "o salário do pecado é a morte" (Rm 6.23), o que ele tem em comum com os homens é que, como eles, ele também está condenado à morte.

68 Mas o verdadeiro Mediador, que tu em tua secreta misericórdia mostraste aos humildes e enviaste àqueles que, seguindo o exemplo dele, também puderam aprender a mesma humildade, aquele "mediador entre Deus e os homens: o homem Cristo Jesus" (1Tm 2.5), apareceu entre os pecadores mortais e o Justo Imortal; mortal com os homens, justo com Deus; para que, com o salário da justiça que é a vida e a paz, ele pudesse por meio de uma justiça vinculada a Deus esvaziar a morte dos pecadores, agora justificados, morte que ele quis compartilhar com eles. Por isso ele foi mostrado aos santos de outrora; para que assim eles pudessem ser salvos por meio da fé em sua futura Paixão, como nós fomos salvos por meio da fé na sua Paixão já passada. Pois como homem ele foi um mediador; mas como a Palavra, não ocupou nenhuma posição entre Deus e o homem, porque era igual a Deus, e Deus igual a ele, e juntos eram um único Deus.

69 Como tu nos amaste, bom Pai, tu que não poupaste teu "próprio Filho, mas o entregaste por todos nós" (Rm 8.32). Como nos amaste tu, que, em nosso benefício, não consideraste que "o ser igual a Deus era algo a que devias apegar-te", mas te humilhaste e foste "obediente até a morte, e morte de cruz!" (Fp 2.6,8). Esse Deus, que é único, está isento da morte entre os mortos e pode dar sua vida, pois tem "autoridade para dá-la e para retomá-la" (Jo 10.18), em nosso benefício, sendo ao mesmo tempo o Vencedor e a Vítima e, portanto, Vencedor por ser Vítima; em nosso benefício, sendo o Sacerdote e o Sacrifício e, portanto, o Sacerdote por ser o Sacrifício; tornando-nos teus filhos mais que teus servos, por ter ele nascido de ti e por nos servir. Com razão, portanto, nele deposito minha firme esperança de que tu "curarás todas as minhas doenças" (Sl 103.3), por Aquele que "está à direita de Deus, e também intercede por nós" (Rm 8.34). Se não fosse assim, eu deveria cair no desespero. Pois muitas e grandes são as fraquezas, muitas e grandes; mas teu remédio é mais poderoso. Poderíamos pensar que tua Palavra distanciou-se de qualquer contato com os homens e perder a esperança de nos salvar, mas "a Palavra tornou-se carne e viveu entre nós" (Jo 1.14).

70 Atemorizado por meus pecados e pelo peso de minha miséria, eu sentia o coração deprimido e tinha planejado retirar-me para o deserto, mas tu me proibiste e me fortaleceste, dizendo: "Cristo morreu por todos para que aqueles que vivem já não vivam mais para si mesmos, mas para aquele que por eles morreu e ressuscitou" (2Co 5.15). Vê, Senhor, eu "entrego a ti as minhas preocupações", para que possa viver (Sl 55.22), e pondero coisas maravilhosas baseando-me em tua lei. Tu conheces minha carência de sabedoria e minhas enfermidades. Ensina--me e cura-me. Teu Filho unigênito, no qual "estão escondidos todos os tesouros da sabedoria e do conhecimento" (Cl 2.3), me redimiu com seu sangue. Que os orgulhosos não me critiquem, porque estou meditando sobre a minha salvação, que como e bebo e compartilho. Pois eu, sendo pobre, desejo satisfazer-me dele, em comunhão com os que comem e se sentem satisfeitos; "aqueles que buscam o SENHOR o louvarão!" (Sl 22.26).